DE LAATSTE KANS

Meer informatie over de uitgaven van
Uitgeverij De Leeskamer kunt u vinden op onze internetsite:
www.Leeskamer.nl
of schrijf naar Uitgeverij De Leeskamer,
Boldijk 4, 7021 JA Zelhem (Nederland)

M.P.O. BOOKS

DE
LAATSTE KANS

MISDAADROMAN

De Leeskamer

Voor Hans van den Boom
Een man met onvermoede talenten

De foto op de omslag
is gemaakt door de auteur.

De laatste kans is een uitgave van
Uitgeverij De Leeskamer, 7021 JA Zelhem, Nederland
© 2011 Uitgeverij De Leeskamer en M.P.O. Books
Layout: Leo Wildschut
ISBN 97890 8606 0283
NUR 332

Proloog

Het zweet gutste over zijn rug toen hij zijn macabere ontdekking deed. De zon brandde op zijn onbedekte hoofd, maar dat was geen reden om het rustiger aan te doen want het sloopwerk moest vandaag klaarkomen. Met de schop groef hij de bakstenen op die de vloer vormden. Als hij een steen los kreeg, wierp hij deze in de kruiwagen naast hem.

Eind januari hadden hij en zijn vrouw de bouwvallige boerderij in Raalte gekocht. Op het erf had een vervallen kippenhok gestaan, die al jaren niet meer als verblijf voor kippen had gediend. De oude vrouw die tot haar dood, een kleine drie jaar geleden, in de boerderij had gewoond, bewaarde in het hok een uitgebreide verzameling bloempotten. Vorige week had hij kisten vol met potten uit het krot gesjouwd. Het leek erop dat de oude vrouw elke bloempot die ze ooit in handen had gekregen had bewaard.

Vandaag was hij begonnen met de sloop van het hok. Morgen zou de aannemer komen. Op deze plek zou dan begonnen worden met de bouw van een nieuwe woning. Samen met zijn zwager had hij al het hok afgebroken, uitgezonderd de palen waarop het dak had gesteund. Zijn zwager groef nu de palen uit, zelf sloopte hij de vloer.

Terwijl hij de schop nogmaals in de grond wilde steken, voelde het alsof hij op een dieper gezakte steen was gestoten. Hij trok het blad van de schop uit de grond en probeerde het enkele centimeters verder opnieuw. Nu ging het blad moeiteloos de diepte in en kon hij proberen de steen op te wippen.

Maar het was niet helemaal wat hij verwachtte. Het eerste wat hij zag, was een ronde vorm. Even dacht hij dat het een kleine zwerfkei was. Daarna zag hij de haren die met het voorwerp omhoog kwamen.

Donderdag 22 juli

2.20 uur

Met elke stap die ze zette, betreurde ze haar impulsieve besluit van twee dagen geleden meer en meer. Ze wist heel goed dat wanhoop haar dreef, omdat haar man niet het lef had het lot dat boven hen hing af te wenden. Alsof hij dacht dat hij door stil te zitten vergeten zou worden, als een nachtvlinder die overdag op een boomstam door zijn schutkleuren onopgemerkt blijft. Het was een fatale vergissing.

Hij was een dwaas, al kon hij dat door zijn gladde praatjes bewonderenswaardig goed verhullen. Op anderen maakte hij steevast de indruk een attente, welonderrichte en betrouwbare man te zijn. Maar hij bleef een dwaas. Jammer dat ze hem voor de instandhouding van haar leventje zo ontzettend hard nodig had. Daarom kon zij niet werkeloos toezien hoe een ander hun keurig opgebouwde idylle zou verstoren. Besefte hij niet wat het gevolg zou zijn voor hen beiden? Toen hij haar had verteld over de situatie waarin hij verkeerde, was ze woedend geworden.

Zijn lijdzaamheid was onuitstaanbaar. Misschien dat ze juist daarom het besluit had genomen zelf in actie te komen, hoewel het vooral zijn probleem was. Stom dat ze in haar impulsiviteit

7

niet goed over de uitvoering had nagedacht. Maar daarvoor was het te laat. Ze moest nu in actie komen, nu het nog kon. Het was haar laatste kans.

Ze werd meer beangstigd door de gedachte wat haar te wachten stond, dan ze voor mogelijk had gehouden. Zelfs Geert had ingestemd mee te werken, hoewel zijn rol onbeduidend was. Ze dacht er minachtend aan terug hoe ze hem nog had moeten overtuigen dat kleine beetje te doen. Daarover had ze nog het best nagedacht, maar over haar eigen inzet te weinig. Als hij maar niet dacht dat zij het voor hem deed, alsof ze iets voor die slappeling zou voelen.

Terwijl ze behoedzaam over het fietspad liep, werd ze overweldigd door het besef hoe onmogelijk haar taak was. Ze had nagelaten overdag het terrein te verkennen. Ze had van haar man het geheime adres gekregen, dat hij met veel moeite had verkregen. Toen ze twintig minuten geleden de snelweg verliet, was het pas tot haar doorgedrongen hoe stom het was, dat ze niet van tevoren polshoogte had genomen. Maar zelfs met grondige voorbereiding bleef dit een wanhoopsactie.

Het eerste probleem deed zich al voor bij het zoeken naar een parkeerplaats. Ze had twee keer de provinciale weg op en neer gereden, voor ze de juiste plek vond. In de bocht van de weg was een onverharde zijweg die naar een parkeerplaats in het bos leidde. De verborgen locatie was ideaal, maar vandaar bleek het nog een flink eind lopen te zijn, met alle kans ontdekt te worden. Juist als vrouw viel ze op.

Als ze overdag was geweest, had ze kunnen ontdekken welk bospad ze kon nemen om ongezien haar doel te bereiken. Ze had een landkaart moeten kopen. Nu moest ze voor de zekerheid het fietspad langs de provinciale weg nemen om bij haar doel te komen. Het was een geluk dat er mist kwam opzetten.

Twee keer was ze het bos ingevlucht omdat er een auto aan kwam, één keer omdat een brommer op het fietspad naderde. Maar de bromfietser had haar in het geheel niet opgemerkt. Toch kon ze gezien zijn. Zojuist was ze langs een aantal gebouwen gekomen, die links aan de overkant van de weg stonden. Er was een fabriek. Ze had het silhouet van een hoge schoorsteen gezien, verborgen in het bos en geleidelijk verzwolgen door de mist. En daarna volgden er huizen. Ze was ook een pannenkoekenrestaurant gepasseerd. In één van de woonhuizen had ze licht zien branden. Gelukkig had ze er wel aan gedacht zich donker te kleden, zodat ze vanuit de huizen hooguit te zien kon zijn als een donker silhouet, tegen de achtergrond van het nog donkerdere bos.

Ze had het adres, maar er was geen huis direct aan de weg. Ze had daarom de nummers van de woonhuizen goed in zich opgenomen. Daarom wist ze dat ze de toegangsweg naderde. Twee vuilcontainers markeerden de plek, anders had ze het misschien over het hoofd gezien want de toegang werd geheel overschaduwd door hoge sparren. Als ze goed keek, kon ze een houten hek onderscheiden van de omgeving. Wat zich daarachter in het bos bevond, was onzeker.

Voor ze de weg overstak om naar de man te gaan die de carrière van haar echtgenoot definitief te gronde wilde richten, keek ze op haar horloge. Het was bijna half drie. Ze gaf zichzelf twee uur de tijd. Twee uur en niets meer. Dan wilde ze weg zijn, voor het weer licht werd.

Nadat ze zich ervan vergewist had dat de provinciale weg en het fietspad geheel verlaten waren, holde ze naar de overkant. Bij het hek aanbeland zag ze hoe het landschap daarachter oprees. Een woud van sparrenbomen kleurde de grond inktzwart. Hoger op de heuvel, verborgen in bos en mist, moest de man wonen.

Eerst voelde ze of er beweging in het hek te krijgen was, maar het gaf niet mee. Terwijl het hout onder haar kraakte, klom ze er overheen. Nu was ze op verboden terrein, waaraan het bord haar herinnerde dat hier aan het begin van de oprijlaan stond. Behoedzaam keek ze rond. Ze schrok. Even verderop, op een open plek in het bos, zag ze witte schimmen. Even schoot de angstaanjagende gedachte door haar hoofd dat ze gezien was. Alles zou in een vroeg stadium mislopen. Ze moest zich omkeren en vluchten. Maar de anderen waren met teveel om te kunnen ontsnappen.

Pas na een tweede blik zag ze wat het waren en moest ze glimlachen om de dwaasheid van haar gedachten. Bij de open plek waren gekapte berkenstammen opgestapeld. Hun opvallend witte bast had ze aangezien voor bleke gezichten, die zich in het bos verzameld hadden. Alsof daar een groepje padvinders bijeengekomen was voor een nachtelijke dropping. Haar verbeeldingskracht speelde haar parten.

Opgelucht begon ze aan de klim over de geasfalteerde weg. Elke stap die haar dichter bij de vijand bracht, maakte haar angstiger. Ze hoorde geluiden in het bos rondom die ze niet kon plaatsen. Was ze in gevaar? Maar het bos wakkerde ook haar haat aan voor de man die haar leven zou verwoesten. De man die zich hier terugtrok, die zich veilig waande in zijn woning op de heuvel, terwijl hij anderen in het verderf stortte, die kon ze niet zijn gang laten gaan.

Ze liep verder met de vraag in haar hoofd, hoe ze in het huis kon komen. Was er een alarmsysteem? Was hij ook gewapend? Hierover had ze van tevoren moeten nadenken, maar terug ging ze niet meer. Haar enige kans zat in de verrassing. Ze moest hem volkomen overrompelen, zodat hij geen enkele kans had.

Diep in zijn hart moest hij een lafaard zijn, bedacht ze. Een achterbaks type, dat zich alleen veilig voelde door de macht die hij over anderen uitoefende. Een bittere, eenzame man. Iemand voor wie de medemens niets meer was dan een object waaraan hij zich kon optrekken door hem te vernederen. Als een wrede god die vanuit zijn hemelse hof beschikte over de levens van anderen. Zo'n misantroop verdiende het te sterven.

De weg zwenkte naar rechts, vervolgens naar links. Meer en meer begon het terrein te stijgen. Ze hield even stil. Haar handen en rug waren nat van het zweet. Het kwam door de spanning, de inspanning van de klim, en haar kleding. De zwarte coltrui was prima als camouflage, maar in deze plaknacht veel te warm. Ze liep door. Tussen de bomen door kon ze al een glimp van de gevel van het gebouw zien. Opeens kwam de laatste bocht en stond ze oog in oog met haar bestemming.

Tot haar verbazing zag ze dat er licht brandde en dat de buitendeur openstond, alsof ze verwacht werd. Ze hoorde zelfs de zachte jazzmuziek, die door een open raam klonk. Onwillekeurig tastte ze naar het wapen, dat ze in haar schoudertas had meegenomen. Gespannen stapte ze vanuit het donkere bos het achtererf op. Op datzelfde ogenblik hoorde ze het gekrijs van een kind, dat de muziek moeiteloos overstemde.

-

6.55 uur

Minutenlang had Otto van Schaik liggen denken aan hoe het leven had kunnen zijn, toen hij het huilen hoorde. Omdat het een zwoele nacht was, stond het slaapkamerraam wijd open. Even dacht hij dat hij zich vergist had. Alsof een droom langzaam was overgegaan in ontwaken, zonder dat alle elementen van de droom uit zijn bewustzijn verdwenen waren. Geleidelijk begon het tot hem door te dringen dat het echt was. Er was buiten een kind, en dat kind huilde.

Hij draaide zijn hoofd om te zien of Melanie het ook gehoord had, maar zij soesde nog heerlijk. Over haar ontblote schouder zag hij op de wekker dat het zeven uur was. Ze konden nog een half uur blijven liggen voor het alarm afging. Daarna moesten ze zich omkleden want vandaag zouden ze naar Schiphol rijden voor hun vakantie in de Verenigde Staten. De vliegtickets lagen klaar op het nachtkastje, zodat ze die in elk geval niet zouden vergeten.

Nu hij zich ervan bewust was dat het geen flard van een droom was, begon het huilen steeds indringender in zijn oren te klinken. Het overstemde gemakkelijk de kakofonie van vogelstemmen uit het ontwakende bos verderop. Hij wist dat het kind bij hun huis moest zijn. Dat hoorde hij aan de klank van het geluid. Bovendien kon het kind niet bij de buren zijn, want het buurhuis stond veel verderop. Nee, er was echt een kind dat onophoudelijk huilde en daarom moest hij gaan kijken wat er aan de hand was. Waren er geen ouders bij? Wat deed een alleen gelaten kind dan om deze tijd bij hun huis? Misschien was het een zieke grap van een collega, die een cassettespeler had neergezet waarin

een bandje met kindergehuil draaide. Nee, die gedachte was vergezocht.

Het eerste wat Otto van Schaik deed nadat hij uit bed gekro-
pen was en in zijn ochtendjas geschoten was, was kijken of hij
vanuit het raam kon zien wat er aan de hand was. Dat bleek niet
het geval. Nu hoorde hij ook dat het huilen vanaf de andere kant
van het huis klonk, op het achtererf. Op zijn teenslippers slofte
hij naar beneden.

De frisse ochtendlucht verdreef de laatste resten van de slaap.
Het was heerlijk buiten ondanks de mist die op was komen zetten en die dik boven het weiland achter de voormalige boerderij
hing. Hij en Melanie hadden jaren geleden de monumentale
boerderij gekocht omdat het hier vrij wonen was. Bovendien
hadden ze alle ruimte om hun auto's te parkeren, wat een enorme luxe was vergeleken bij hun eerste woning, die ze in het centrum van Amersfoort hadden gehad.

Otto kon zijn ogen niet geloven toen hij om het huis liep en
de voormalige hooiberg zag die ze als carport gebruikten. De zon
was in het oosten net boven de horizon verschenen. Het felle
licht verblindde hem een moment zodat hij hun auto's amper
van de omgeving kon onderscheiden. De metalen kap van de
hooiberg overschaduwde de wagens. Pas toen zijn ogen aan het
felle licht gewend waren, zag hij het bedje dat naast de auto van
zijn vrouw stond.

Zo snel als zijn slippers het aankonden, holde hij er naartoe.
Het was haast niet te geloven, er stond daadwerkelijk een kinderbedje naast haar auto. Het kindje dat erin lag, spartelde om
los te komen, want het was vastgebonden. Twee betraande ogen
keken Otto van Schaik angstig aan. Hij was op zijn beurt verbijsterd, alsof er iets niet klopte. Alsof het een vergissing moest
zijn.

-

7.25 uur

Na een nacht waarin hij naast haar had liggen woelen, was

Nelly van Dijk definitief uit haar slaap gewekt door de warmte die nog altijd in haar benauwde slaapkamer hing. Met een kreun kwam ze overeind en zag dat haar vriend Thijs Warnink op het randje van het bed was gaan zitten. Met zijn ellebogen steunde hij op zijn knieën, terwijl hij zijn hoofd liet hangen alsof hij de kracht niet bezat hem hoog te houden. Bezorgd vroeg ze zich af of hij überhaupt geslapen had.

Ze kon wel raden wat hem dwars zat. Zijn toekomst als kunstenaar stond op het spel. Hij had het er niet over gehad toen hij gisteravond bij haar was aangekomen, maar aan zijn sombere stemming had ze gemerkt wat er aan de hand was. Hij leek te aarzelen, alsof hij niet wist wat hij moest doen. Zoveel hing af van die ene grote opdracht waarop hij kans maakte. Kreeg hij de opdracht, dan kon hij zijn openstaande rekeningen betalen. Dat kon het begin zijn van meer opdrachten. Kreeg hij de opdracht niet, dan kon hij net zo goed ermee stoppen en een baantje als vakkenvuller zoeken. Een grotere afgang was voor hem niet denkbaar.

Nelly had Thijs in haar studietijd leren kennen. Met een glimlach moest ze denken aan de eerste kennismaking. Het was in een café in het centrum van Amsterdam, waar hij met drie studievrienden was. Ze had even oogcontact met hem gehad. Ze had daarna gemerkt dat hij zo nu en dan in haar richting keek, alsof wat hij zag hem beviel. Hij probeerde ondertussen indruk te maken op zijn vrienden door van lege glazen bier een piramide te bouwen. Een van zijn vrienden begon hem na te doen. Toen die piramide tenslotte instortte, gaf de vriend Thijs de schuld en trok een vuurwapen.

Thijs scheen totaal niet onder de indruk te zijn. Met wat doodsverachting leek te zijn, stortte hij zich op zijn vriend en probeerde hem het wapen af te nemen. Wie het wapen niet gezien zou hebben, had kunnen denken dat het een kameraadschappelijke stoeipartij was en zou erom gelachen hebben. Maar Nelly had aan de grond genageld gezeten. Even later zag ze dat de rollen omgedraaid waren. Toen was ze naar voren gesprongen en geroepen: 'Gek, je gaat je eigen vriend toch niet doodschieten?'

Even had hij haar verwonderd aangekeken en vervolgens had hij bulderend gelachen.

'Het is niet echt!'

Het wapen, zo had hij haar uitgelegd, had zijn vriend in een supermarkt in Spanje gekocht. Het leek bijna een echt vuurwapen. Zo'n imitatiewapen was in Nederland verboden, maar in Spanje kon je ze bij elke super kopen. Thijs bleek zelf ook zo'n ding te hebben.

'Altijd handig als een junk me wil beroven', had hij lachend opgemerkt. 'Dan duw ik hem de loop van het wapen onder z'n neus. Die zal in zijn broek schijten van angst!'

'Oh', had Nelly gezegd, beduusd van alles.

Daarna hadden de vier vrienden zich aan haar voorgesteld en hadden ze een gezellige avond gehad. Thijs en zij waren sindsdien vrienden geworden. Tot hun eigen verbazing hadden ze ontdekt, dat ze allebei de kunstacademie deden. Hun vriendschap had langzamerhand steeds meer de vorm van een vaste relatie gekregen. Tegenover anderen stelde ze hem steevast voor als haar vriend, waarmee hij zwijgend akkoord ging. Desondanks hadden ze allebei een eigen kamer in Arnhem, waar ze zich na hun studie gevestigd hadden. Hij was eerst afgestudeerd, omdat hij een paar jaar verder was. Het was daarna voor haar vanzelfsprekend om zich in dezelfde stad te vestigen als hij. Net als Thijs had ze een atelier in haar kamer, waardoor de ruimte altijd gevuld was met voltooide en halfvoltooide objecten. Zij werkte met olieverf. Er was vraag naar haar werk, maar net genoeg om haar rekeningen te betalen. Er draaide momenteel een expositie van haar werk in het dorpshuis van de plaats waar ze geboren was, en ze had het een en ander via een galerie verkocht. Ze droomde ervan succes te hebben. Dat de carrière van haar vriend achterbleef, was een bron van onrust bij hem.

Hij had zich gespecialiseerd in het werken met houtskool. De donkergetinte tekeningen die hij maakte, pasten prima bij zijn aard. Enerzijds kon hij hele dagen somber zijn, alsof het leven geen zin meer had. Ze verklaarde dat aan de hand van wat ze wist over zijn jeugd, waarin hij opgroeide met een vader die aan de drank was. Anderzijds kon hij gedreven worden door onverwachte energie. Dat kwam tegenwoordig steeds minder vaak voor, nu zijn carrière hem niet bracht wat hij ervan verwacht had.

Misschien was het niet verwonderlijk dat bijna geen galerie interesse toonde. Als Nelly even naar een tekening van Thijs keek, voelde zich al droevig of beangstigd worden. Dat hij dát voor elkaar kreeg, bewees zijn enorme talent en ze bewonderde hem erom. Maar wie wilde zo'n tekening aan de muur hebben hangen, ook al zat er een fraaie lijst omheen?

Het tij leek te keren toen Thijs zich ingeschreven had voor een omvangrijk kunstproject van de gemeente Dinkelland. Er waren daar plannen voor een nieuw gemeentehuis. De gemeenteraad had voor de inrichting daarvan het plan opgevat om kunst aan te kopen van één uitverkoren kunstenaar. Er was een wedstrijd uitgeschreven waarbij professionele kunstenaars werk konden insturen. Een commissie zou de inzendingen beoordelen om te bepalen wie opdracht kreeg om voor de kunstzinnige invulling van het gebouw te zorgen. Ze zouden per post op de hoogte gebracht worden. Van een bevriende ambtenaar had Thijs te horen gekregen dat als het werk in de smaak viel, er maximaal een budget van vijftigduizend euro ter beschikking zou komen.

Thijs had beseft dat dit de kans was om door te breken. Uit de ene prestigieuze opdracht kon een andere volgen. Daarom had hij de afgelopen weken hard gewerkt om meer tekeningen te maken. Die had hij vervolgens laten fotograferen om een catalogus samen te stellen. Gistermiddag had hij in het kantoor van een vriend de catalogus gekopieerd. Als hij de opdracht zou krijgen, zou hij de kopieën naar zoveel mogelijk gemeenten en bedrijven sturen in de hoop dat zij ook interesse in zijn werk zouden krijgen.

Nelly van Dijk besefte dat zijn optimisme maar al te gemakkelijk kon omslaan in een sombere stemming. Gisteravond was hij nog vies van de houtskool bij haar aangekomen ten teken dat hij de hele avond had doorgewerkt. Hij was onder de douche gestapt. De Thijs die uit de douchecabine stapte, was een andere dan die erin gestapt was, want hij stelde haar een vraag die absurd was. Hij vroeg of de gemeente háár het bericht had gestuurd, omdat hij misschien per ongeluk haar adres had opgegeven. Hij wist donders goed dat hij geen verkeerd adres had doorgegeven en aan zijn vertrokken gezicht had ze gezien hoe laat het was.

Waarom had hij dan nog geen bericht ontvangen? Hoe langer het duurde, hoe meer hij ervan overtuigd raakte dat zijn kansen verkeken waren, hoe meer Nelly hem zou zien versomberen. Als dat waar bleek te zijn, wat dan? Moest hij zijn ambities opgeven en ander werk zoeken? Ja, hij moest wel, als hij in staat wilde zijn om zijn rekeningen te betalen. Er was nog een studieschuld die hij moest inlossen.

Nelly vroeg zich af of haar vriend in staat was een ander bestaan op te bouwen. Ze kon zich niet voorstellen dat Thijs bij de supermarkt achter de kassa zou zitten. Haar vriend was daar de persoon niet voor. Hij moest altijd creatief bezig zijn, of hij voelde zich depressief.

Ze gooide het dekbed van zich af en ging naast hem zitten.

'Wanneer zouden ze je bericht sturen?', vroeg zij nadat ze een arm om zijn schouder had gelegd.

'Begin deze week.'

'Maar dan kan het nog komen.'

Hij schudde zijn hoofd.

'Niet meer. Degene die de opdracht krijgt, hebben ze het eerst op de hoogte gebracht. De anderen zijn minder belangrijk en moeten wachten.'

'Natuurlijk niet, gekkie', zei ze, terwijl ze hem over het hoofd wreef. 'Je zult vast nog iets te horen krijgen. Zolang er geen afwijzing is, is er nog hoop.'

Opnieuw schudde hij het hoofd. 'Als ik de opdracht zou krijgen, zou Jacques mijn studieschuld inlossen.'

'Wat? Heeft Jacques je dat beloofd? Wat goed, man!'

Woest draaide hij zijn hoofd om en keek haar indringend aan. 'Het gaat niet door, Nelly, het gaat niet door!'

'Maar je kent toch een van de ambtenaren op het gemeentehuis? Waarom bel je hem niet om zekerheid te krijgen? Je hebt toch het nummer van zijn mobieltje?'

'Het heeft geen zin.'

'Natuurlijk wel.' Ze wist dat ze nu op hem in moest praten om hem te overtuigen, anders zou er niets gebeuren en zat hij de hele dag te somberen. Beter was het als er nu duidelijkheid kwam. 'Misschien heb je nog niets gehoord, omdat eerst degenen die de opdracht niet krijgen op de hoogte gebracht worden. Misschien word je gebeld. Als je mij het nummer geeft, bel ik toch met hem?'

'Nelly, het is kwart voor acht!'

'Dan zal hij heus wel uit bed zijn. Hoe heet hij?'

'Henk Scheringa.'

Hij sputterde nog tegen, maar zij zette door tot hij uiteindelijk overstag ging.

'Jij bent de vriendin van Thijs?', was de reactie van een slaperig klinkende Scheringa. 'Jij bent de laatste die ik op dit tijdstip aan de lijn had verwacht. Moeten jullie niet uitslapen?'

'Hoezo?'

'Dat doen jullie kunstenaars toch altijd? Vooral als je er reden toe hebt. Heeft Thijs een kater, dat hij zelf niet belt?'

'Hij zit hier naast me. Hij durfde je niet te bellen om te vragen naar de opdracht.'

'Heeft hij dan nog geen reactie gehad?'

'Nee.'

'Hij moet het bericht een paar dagen geleden met de post ontvangen hebben. Nou, dan zal de post weer eens niet goed werken. Het is de vakantietijd, zullen we maar zeggen. Ik kreeg gisteren ook een kaartje van een totaal onbekend persoon. Geen idee waarom het bij mij bezorgd werd. Het adres klopt wel.'

'Dus, Thijs heeft de opdracht niet gekregen?'

Henk Scheringa grinnikte. 'Wie heeft dat beweerd? Ik dacht dat hij zijn roes uitsliep in plaats van mij uit bed te bellen. Hij heeft alle reden om de bloemetjes buiten te zetten.'

'Dus, hij heeft hem wel!'

'Dat probeer ik dus te zeggen.'
'Geweldig!'
'Gefeliciteerd.'

—

8.50 uur

Nadat Nelly hem gefeliciteerd had, was hij op weg gegaan. Hij had gezegd dat de eerste persoon die na Nelly moest weten dat hij de opdracht had gekregen, zijn vriend Jacques was. Zonder zijn steun was hij nooit zover gekomen. Alle negatieve gedachten zette hij nu van zich af, alsof ze er nooit geweest waren. Nu moest hij vrolijk zijn!

Later, in zijn verklaring voor de politie, zou Thijs Warnink verklaren dat hij opgetogen was toen hij door de rijk beboste omgeving reed waar Jacques woonde. Langzaam maar zeker loste de mist op. Tussen de toppen van de bomen brak de zon aarzelend door en wierp lange, zilveren banen op de weg. Als het nieuws van de opdracht hem niet vrolijk stemde, dan deed de natuur rondom hem het wel. Het gefluit van vogels was overweldigend, alsof de hele dierenwereld blij was met hem en met zijn succes.

'Ik heb de opdracht!', riep hij enthousiast.

De afgelopen weken waren zenuwslopend geweest. Kreeg hij de opdracht, of niet? Het ene moment was hij vol hoop geweest en had hij gefantaseerd hoe dit zijn verdere carrière zou beïnvloeden. Het andere moment werd hij geplaagd door neerslachtigheid door de gedachte dat zijn leven net zo'n afgang was als dat van zijn zuipende vader.

Daaraan was een einde gekomen. Hij had de opdracht en Jacques zou bovendien de studieschuld betalen. Jacques Vermin had hem ook al in een eerder stadium financieel geholpen. Hoewel hij dertien jaar ouder was, was hij een echte vriend. Binnenkort zou hij de catalogus naar gemeenten, bedrijven en instellingen sturen. Misschien dat maar een paar procent toehapte, maar dat kon voldoende zijn om voor jaren werk te hebben. Het besef dat zijn leven een nieuwe impuls had gekregen,

liet Thijs Warnink tot in elke vezel van zijn bewustzijn door-
dringen.

Tot zijn verbazing stond het houten toegangshek wijd open.
Achter het hek liep de toegangsweg tot Het Hemelse Hof, waar
Jacques woonde. Het Hemelse Hof was prachtig gelegen op de
oostelijke flank van de Darthuizerberg in de gemeente Leersum.
Darthuizerberg was een overdreven aanduiding voor een heuvel
van nog geen vijftig meter hoog. Voor het huis strekte zich een
weide uit die door de steile helling aan een alp deed denken.
Maar het huis zelf had weinig van een Zwitsers chalet, zodat de
illusie doorbroken werd.

Uit zijn politieverklaring: Ik was verrast bij het zien van het
open hek. Ik wist dat dit normaalgesproken betekende dat
Jacques weg was gegaan, maar gauw zou terugkeren. Waarschijnlijk was hij naar de winkel voor de boodschappen. Ik reed
daarom het achtererf op. Dit erf wordt aan de noordzijde van het
bos afgeschermd werd door de garages.

Hier wachtte me een tweede verrassing. De auto van Jacques
stond voor de garages geparkeerd en de deur van het huis stond
open. Door een geopend raam klonk jazzmuziek. Ik stapte uit
mijn auto en liet me door de muziek leiden. Deze bracht me via
de hal naar de woonkamer. Maar daar was mijn vriend niet. Ik
liep naar de geluidsinstallatie om de muziek te stoppen.

'Jacques, ben je daar?', riep ik.

Geen reactie.

Terug in de hal riep ik nog een keer, om vervolgens door te
lopen naar de aangrenzende werkkamer. Ik opende de deur en
vond mijn vriend. Jacques Vermin lag op zijn buik, met het
hoofd opzij gedraaid alsof hij tijdens de val achterom had gekeken. Ik bekeek het roerloze lichaam heel kort, lang genoeg om
zeker te weten dat hij dood was. Daarna trok ik de deur dicht.
Ik was erg geschrokken. Daarom vluchtte ik het huis uit, met op
mijn netvlies het beeld van een zwart uitgeslagen gezicht en een
ingeslagen schedel vol gestold bloed. Mijn handen trilden terwijl
ik het alarmnummer belde.

—

9.00 uur

'U zult nog even geduld moeten hebben', vertelde verpleegster
Hanna Schuil van het Diaconessenziekenhuis in Utrecht voor de
tweede maal. Het verwonderde haar dat de vrouw tegenover haar
zich zo ergerde. Natuurlijk was de situatie vervelend en wachtte
het echtpaar al bijna een uur, maar een beetje begrip mocht ze
toch wel opbrengen. Ze waren in de wachtruimte van de kin-
derafdeling. De vrouw die haar beklag deed, liep getergd heen en
weer, terwijl haar man op het eerste gezicht zijn kalmte leek te
bewaren.

Hanna Schuil werkte ruim tien jaar in de verpleging, maar zij
had nooit eerder een vondeling meegemaakt. Dat dit uitzonder-
lijk was, bleek uit de manier waarop het ziekenhuis met de situatie was omgegaan. Hanna kon daar ook niets aan doen. Het
kind was in eerste instantie medisch onderzocht. Dat was een
routinehandeling. Maar het ziekenhuis had nagelaten de politie
in te schakelen, wat in dit geval vereist was. Inmiddels was de
politie ingelicht en was er een agent onderweg.

Om de tijd te overbruggen had Hanna met het jonge stel
gepraat. Hij heette Otto van Schaik en zijn vrouw Melanie. Ze
waren allebei 33 en hadden een goedbetaalde baan. Melanie
werkte als directiesecretaresse en Otto was topmanager bij een
bank. Dankzij hun gezamenlijk inkomen konden ze het zich veroorloven drie keer in het jaar op vakantie te gaan. Het stel had
geen kinderen. Juist daardoor lag de situatie gevoelig, zo had
Otto aan Hanna toevertrouwd toen Melanie naar het toilet was.
Maar dat was nog geen reden om iedereen af te katten, zoals deze
vrouw deed.

Voortdurend herinnerde de vrouw haar eraan dat zij en haar
man Otto een vliegtuig te halen hadden. Ze hadden de vlucht
naar Cincinnati van vijf over half twaalf en, zo benadrukte
Melanie van Schaik, ze moesten twee uur van tevoren aanwezig
zijn.

Op haar horloge zag Hanna dat het stel dat niet meer ging

halen.

'Het duurt ons veel te lang', was de pinnige reactie van Melanie van Schaik.

Haar onopgemaakte gezicht had een verzuurde uitdrukking gekregen sinds het moment dat zij en haar man de peuter naar de Eerste Hulppost hadden gebracht, waar Hanna hen had opgevangen. Ze waren kennelijk in de veronderstelling geweest dat ze de vondeling daar konden afleveren. De bagage hadden ze in de auto achtergelaten, zodat ze meteen van het ziekenhuis naar Schiphol konden rijden. De arts had erop gestaan dat ze wachtten tot er meer duidelijk was over de gezondheid van het kind en zijn identiteit.

'Het spijt me voor u, maar ik kan er ook niets aan doen.'

'Dat begrijpen wij best', zei Otto van Schaik.

'Als er niet gauw iemand komt, gaan we gewoon weg, Otto!'

'Het zal niet lang meer duren, Melanie.'

'Mevrouw Van Schaik, het is belangrijk dat u een verklaring aflegt. Volgens de arts is er mogelijk sprake van een misdrijf. Het kind was vermoedelijk onder invloed van een slaapmiddel.'

'Als u de moeder hebt opgespoord, zal er vast een verklaring komen.'

'Dat zal lastig worden. We weten vrijwel niets. Het kind weet zijn eigen naam, Emile, maar meer niet. Hij weet niet hoe zijn ouders heten of uit welke plaats ze komen. Het enige dat hij kan vertellen, is dat ze in het bos wonen. Woont u in een bos?'

'Ja', zei Otto van Schaik.

'Dat is niet waar', reageerde zijn vrouw.

'Nou ja, vlakbij ons wel.'

'Misschien wonen de ouders van het kind niet ver van u vandaan', opperde Hanna.

Melanie van Schaik trok afkeurend haar neus op. 'Nonsens. Ik heb het kind nooit eerder gezien. Ik zie daarom niet in waarom we nog langer zouden blijven. We gaan nu echt, Otto!'

'Wacht nog even, Melanie. De politie komt zo.'

'Ik heb geen zin om langer te wachten.'

'Als er echt niets anders op zit, zullen we de vlucht moeten verzetten. Het is een noodsituatie.'

'Otto,' klonk het afkeurend, 'denk je nou echt dat het lukt? Het is vakantietijd. Alle vliegtuigen zijn natuurlijk volgeboekt. Bovendien hebben we het hotel in Cincinnati alleen voor van-avond geboekt. We gaan onze vlucht halen, of anders eis ik een schadevergoeding van het ziekenhuis. Ze mogen ons niet ophou-den!'

9.30 uur

Ondanks de ernst van de situatie, kon rechercheur Ronald Bloem zijn gedachten er niet bij houden. Zijn collega Bram Petersen zat naast hem achter het stuur van zijn BMW, terwijl zijn aandacht gericht was op de weg die door het bos heuvelop-waarts ging. Ze hadden de melding binnengekregen dat ene Thijs Warnink een moord had gerapporteerd en daarom reden ze nu in het bos tussen Leersum en Maarsbergen naar het huis waar Warnink was. Desondanks moest Bloem denken aan wat hem en zijn vriendin Dominique boven het hoofd hing en hoe dat hun relatie zou beïnvloeden.

Drie maanden geleden had alles er nog rooskleurig uitgezien. Ze waren bezig een lange vakantie te plannen. Via het reisbureau hadden ze een reis naar Indonesië uitgezocht. De hele maand december zouden ze onderweg zijn, waarbij ze verschillende delen van het eilandenrijk zouden bezoeken. Bali, Java en Sula-wesi stonden op het reisprogramma. Alleen al door de voorpret – het doorbladeren van de kleurrijke folders – had hij het gevoel gehad de reis van zijn leven te gaan maken. Dit zou nog mooier worden dan de reis naar Thailand, waar ze vorig jaar geweest waren. Maar nu stond hun een andere verrassing te wachten.

Dominique kwam met de mededeling dat ze over tijd was. Ze had daarna een test gedaan, ze was zwanger! Dat dit onverwach-te nieuws zoveel met hem zou doen, had hij niet verwacht. Anderhalf jaar woonde hij al met Dominique samen. Over kin-deren hadden ze het nooit serieus gehad, omdat ze allebei hun drukke baan hadden. Nu ze ermee geconfronteerd waren, had hij zich op het vaderschap verheugd. Ook Dominique leek er aanvankelijk gelukkig mee dat ze samen een kind zouden krijgen. Toen had hij nog niet beseft, wat hem boven het hoofd hing.

Volgens de arts kon het kind rond de kerst verwacht worden. Daarom zou Dominique hun vakantie afzeggen. Toen hij vervolgens zijn collega's op de hoogte had gebracht van het grote nieuws, had Dominique hem dat niet in dank afgenomen. Ze wilde het liever nog een tijdje geheim houden. Nu Ronald Bloem eraan terugdacht, veronderstelde hij dat zij al die tijd geweten had dat er een andere afloop kon zijn dan waar hij op hoopte. Een afloop die het einde van hun relatie tot gevolg kon hebben. Dominique had zelfs de vakantie niet afgezegd, ze wilde gewoon gaan.

Bloem werd in zijn gepeins gestoord door getik op het raampje rechts van hem. Geschrokken keek hij op. Het was Petersen die getikt had. Ze waren aangekomen.

'Kom je nog, Ronald?'

9.40 uur

Een agent kwam rechercheur Bram Petersen op het achtererf van het woonhuis tegemoet. Petersen herkende Pieter Maassen. Op de achtergrond, bij de ingang van het huis, zag hij een jongeman staan die peinzend naar de grond staarde.

'Dat is degene die de melding gedaan heeft', vertelde Maassen nadat hij zijn collega's met een kort knikje had begroet.

Petersen wist dat Maassen een kwartier na de melding van Thijs Warnink met de patrouillewagen was aangekomen. Zijn collega Freek Jongenburger was naar binnen gegaan en had vastgesteld dat er inderdaad sprake was van een gewelddadige dood, waarop alle geledingen van de politie in actie waren gekomen.

Onderweg naar Leersum had Bram Petersen opdracht gegeven het buurtonderzoek te starten. Dat kon nooit vroeg genoeg gebeuren. Freek Jongenburger en Willem Verhegen, de wijk-agent van het dorp Leersum, waren inmiddels daarmee begonnen. Ze bezochten de huizen langs de provinciale weg.

Dat dit onderzoek tijdens de vakantieperiode viel, kwam ongelukkig uit, en niet alleen omdat veel mensen die in deze buurt woonden op vakantie waren. Het team waarmee Petersen werkte, was onderbezet. Ferry Jacobs was afgelopen weekend naar het buitenland vertrokken. Hij werd niet voor begin augustus terugverwacht. Steven Bosma was ook weg, maar kon zaterdag weer ingezet worden. Momenteel was hij in Nijmegen voor de Vierdaagse, waaraan hij meedeed met collega's die hij vorig jaar had leren kennen toen hij tijdelijk naar Arnhem was overgeplaatst.

Het onderzoek moest daarom vooral gedaan worden door Inge Veenstra, Ronald Bloem en John van Keeken, met ondersteuning van de technische recherche. Van Keeken werkte nog aan een andere zaak waarin hij papierwerk moest doornemen. Hij kon vrijgemaakt worden voor bureauwerk, net als Inge Veenstra.

Nadat Maassen in het kort had uitgelegd wat hij te weten was gekomen, liet Petersen de omgeving op zich inwerken. Het achtererf werd aan drie zijden omsloten door gebouwen: aan de westzijde door de garages en aan de zuid- en oostzijde door het huis, dat L-vormig was. Achter de garages woekerden metershoge rododendronstruiken. Deze, en de bomen in het bos rondom, zorgden ervoor dat het achtererf perfect ingesloten was. De zon was boven het dak van Het Hemelse Hof geklommen en bescheen de auto's die hier geparkeerd stonden. In de winter, zo stelde Petersen zich voor, zou het hier erg somber zijn als de zon niet meer boven het huis uit kwam. Zijn vrouw zou hier daarom nooit willen wonen.

Nadat hij alles goed in zich opgenomen had, richtte rechercheur Petersen zijn blik op degene die de melding gedaan had. Thijs Warnink keek aarzelend op toen Petersen op hem af kwam. De rechercheur schatte de jongeman op rond de vijfentwintig. Hij had een bos blonde krullen en een bleek gezicht, alsof hij de laatste tijd weinig in de buitenlucht was geweest. Hij was gekleed in een gebleekte spijkerbroek en een wit T-shirt dat een paar maten te groot was. Hij maakte een zwaarmoedige indruk op Petersen.

9.45 uur

Sinds hij het lichaam van zijn vriend Jacques Vermin had ontdekt, was Thijs Warnink niet meer in het huis geweest. De aanblik van de bloederige hoofdwond stond nog op zijn netvlies gegraveerd. Het was vreselijk om te zien. Nadat hij het alarmnummer gebeld had, had hij het gevoel gekregen of hij een figurant in een slechte bioscoopfilm was. Hem was verteld dat hij moest wachten, terwijl overal om hem heen politiemensen aan het werk waren. Hij vroeg zich af hoelang het duurde voor er iemand kwam om zijn verklaring op te nemen. Als hij maar niet naar binnen hoefde, want hij wilde het lijk niet meer zien.

Dat was Jacques niet meer, hield hij zichzelf voor.

De dood had van zijn vriend een ander gemaakt, iemand die niet leek op de altijd energieke en goedgemutste Jacques Vermin. De gewelddadige manier waarop hij omgekomen was, had zijn gezicht verwrongen. Langzaam maar zeker begon Thijs te beseffen dat de dood van Jacques onomkeerbaar was. Er was hiermee iets in gang gezet dat hij niet kon stoppen of terugdraaien, maar dat wel zijn leven grondig zou veranderen. Onwillekeurig dacht hij aan de goede dingen die ze samen beleefd hadden. Zoals de keer dat Jacques een zaaltje had gehuurd om te vieren dat Thijs zijn studie aan de kunstacademie met succes had afgerond. Jacques had alle kosten voor het feest betaald. Het was een geweldige avond, waarbij een veiling was gehouden waar een van Thijs' tekeningen was geveild. Opgezweept door veilingmeester Jacques Vermin waren de biedingen met sprongen de hoogte in gegaan. De hoogste bieder had uiteindelijk 700 euro voor het kunstwerk overgehad.

Zoiets zou hij nooit meer beleven, bedacht Thijs. Hij zat zelf in een overgangsperiode van zijn leven. Nu ging zijn leven als kunstenaar vorm krijgen door de opdracht van de gemeente Dinkelland, of hij moest het verprutsen. Dat hij dit bereikt had, had hij mede te danken aan de morele en financiële steun van Jacques. Zelfs Nelly wist niet hoeveel Jacques voor hem betekend had.

Thijs Warnink zag de twee politiemannen die het laatst gearriveerd waren naar hem toekomen. Ze droegen geen van beiden uniformen, maar hij herkende hen voor wat ze waren. De oudste van de twee rechercheurs, met een gegroefd gezicht en een bijna kaal hoofd, ging voorop. Twee staalgrijze ogen beantwoordden de blik van Thijs. Hij ging keurig gekleed in een pak bestaande uit een grijs colbert en dito pantalon, en onder het colbert droeg hij een lichtblauw overhemd en een gestreepte stropdas. Hij stelde zichzelf voor als Bram Petersen van politiedistrict Heuvelrug. Zijn collega was beduidend jonger. Ronald Bloem kon niet ouder zijn dan vijfendertig. Zijn blonde haar was in een scheiding gekamd. Net als Petersen was hij in een pak gestoken, maar deze politieman leek er met zijn gedachten niet helemaal bij te zijn.

Al bij de eerste blik mocht Thijs de oudste van de twee niet. De man leek een gezicht te hebben dat niet vrolijk kon kijken, alsof hij nogal zwaar op de hand was. Hij had gezien hoe Petersen, nadat hij uitgestapt was, nieuwsgierig rondgekeken had. Thijs vroeg zich af wat er door de man heenging en waarop hij commentaar zou hebben. Ongetwijfeld zag deze man hem nu al als hoofdverdachte. Hij moest wennen aan het idee dat mensen zoals Petersen zich vanaf nu overal mee gingen bemoeien en alles wilden weten. Misschien zou het een negatieve invloed hebben op zijn concentratievermogen of zelfs op toekomstige opdrachten, want wie wilde in zee gaan met iemand die met de politie in aanraking was geweest?

Meteen nadat hij zichzelf en zijn collega Ronald Bloem had voorgesteld, begon Petersen een reeks vragen af te werken. In het kort vertelde Thijs hoe hij de ontdekking had gedaan. Hij legde uit dat hij sinds zijn aankomst niets veranderd had. De ramen hadden al opengestaan, en de buitendeur ook. Het enige wat hij had gedaan, was het afzetten van de muziek, maar dat was gebeurd voor hij het lichaam vond.

'De muziek?'

'Miles Davis. Jacques Vermin was een groot jazzliefhebber. Als u binnenkomt, zult u zien dat hij een uitgebreide collectie heeft. Ik deed de muziek uit omdat ik hem riep. Ik kon anders niet horen of hij reageerde. Daarna vond ik hem. Nu kan ik de muziek niet meer uit mijn hoofd krijgen. Het is alsof Jacques nog in leven is.'

'U bent na de vondst dus niet meer binnen geweest?' Het klonk alsof de man hem niet geloven wilde.

'Nee, echt waar.'

9.50 uur

'Ik ben zo snel gekomen als mogelijk was', zei de rechercheur tegen Melanie van Schaik in de wachtruimte van het ziekenhuis. Otto van Schaik zag aan de toegeknepen ogen van zijn vrouw dat ze opnieuw iemand gevonden had op wie ze haar frustraties kon botvieren. Hoe vaak had hij al niet gedacht als hij haar harde gezicht zag, hoe misleidend het was. Haar gezicht was een masker waarachter Melanie haar diepste gevoelens verborg.

Toch irriteerde het Otto ook dat het zolang moest duren.

Er was eerder al een agent geweest, maar die had haarfijn uitgelegd dat Emile in Maarsbergen te vondeling was gelegd en dat het onderzoek daarom door district Heuvelrug gedaan zou worden. Het had daarom volgens hem geen zin dat hij hen een verklaring af liet leggen, als een rechercheur van bureau Heuvelrug hen later opnieuw zou willen horen.

Melanie had woedend gereageerd. Maar die agent was niet onder de indruk geweest. Hij had hen verweten dat ze in hun woonplaats meteen de politie hadden moeten bellen, en niet op eigen houtje naar Utrecht hadden moeten gaan. Op de nijdige vraag waarom hij geen proces-verbaal op wilde maken, had de man beweerd dat ze het in Utrecht druk genoeg hadden om zich ook met dit soort zaken bezig te houden. Daarna was hij met een onverschillig gezicht vertrokken. Melanie had ook met alle geweld weg willen gaan, maar Otto had haar op andere gedachten gebracht. Ze konden het niet maken weg te lopen.

'We wachten al twee uur', wreef zij de nieuwkomer onder de neus. De rechercheur was een jonge vrouw met lang haar dat ze in een paardenstaart droeg. Ze had zich voorgesteld als Inge Veenstra.

'Het spijt me zeer, mevrouw. Ik moest uit Veenendaal komen.'

'Wij moeten een vliegtuig halen!'

'Mevrouw, dat komt best in orde. Als het moet, regelen we een taxi voor u. Dan bent u in een mum van tijd op Schiphol.'

'Al hebt u een helikopter, we halen het niet meer!'

Daarover was Otto het met zijn vrouw eens. Op zijn horloge zag hij de minuten wegtikken. Anders dan zijn vrouw had hij zich bij het onvermijdelijke neergelegd. Het te vondeling gelegde kind had hun vakantieplannen gedwarsboomd. Ze zouden hooguit kunnen proberen de vlucht te verzetten. Misschien moesten ze zelfs de vakantie afzeggen. Dat was heel spijtig, want hij had zich enorm op de reis verheugd.

Dat zijn vrouw zo over de rooie ging, had vermoedelijk een andere reden. Het kind dat bij hen gebracht was, herinnerde haar op een pijnlijke manier aan het feit dat zij geen kinderen hadden. Hij had kinderen gewild, maar het was vooral de hartenwens van zijn vrouw. Maar na negen jaar huwelijk was het er niet van gekomen. Beiden waren ze door de medische molen gegaan, op zoek naar de oorzaak. De resultaten daarvan boorden de laatste hoop in de grond. Ze zouden alleen kunnen dromen van hoe het leven met kinderen had kunnen zijn, wat hij vanochtend vroeg had gedaan toen hij wakker werd. Het was een onbereikbare droom. Het kind dat bij hen in de voormalige hooiberg was achtergelaten, riep daarom zowel bij Otto als bij Melanie veel emoties op. Iemand had hun in zekere zin een kind gegeven, juist nu het niet uitkwam. Een kind dat ze toch ook niet konden houden.

Voor de rechercheur kon beginnen met het afnemen van hun

verklaring, kwam de verpleegster Hanna Schuil terug. Ze richtte zich tot Melanie van Schaik.

'Jullie hebben toch vlucht DL45 naar Cincinnati?'

'Ja, is er wat aan de hand?'

'Ik heb goed nieuws. Ik heb op teletekst gekeken. De DL45 is vertraagd. De verwachte vertrektijd is kwart voor twee, niet vijf over half twaalf.'

'Mooi zo', zei Inge Veenstra. 'Zal ik dan beginnen? Met pakweg een kwartier kunt u uw reis voortzetten.'

—

9.55 uur

Voor hij met zijn gesprek met Thijs Warnink verderging, wilde rechercheur Petersen de plaats van het delict zien. Op dat moment kwam het busje van de technische recherche het erf oprijden. Even later stapten Marcel Veltkamp en fotograaf Bart van Heerikhuizen eruit. Veltkamp kwam direct met lange passen op Petersen en Bloem af.

'Het is me wat, ben ik net terug van vakantie, kan ik weer aan de slag.'

Bram Petersen keek naar het gebruinde gezicht van zijn lange collega. Er hing een citroenlucht om hem heen.

'Je bent in Midden-Amerika geweest?'

'Gisteren zijn Margreet en ik met de kinderen teruggekomen. Wat een totaal andere wereld is het daar. We zaten in Costa Rica. Ik heb ook nog een verrukkelijke vakantieliefde gehad. Ze was werkelijk verzot op mij. Sheila heette ze. En wat een wonderbaarlijk lichaam had ze!' Veltkamp grinnikte.

Petersen kende Marcel Veltkamp lang genoeg om hier niet serieus op in te gaan.

'Je bedoelt zeker een mug. Die heeft je goed onder handen genomen.'

'Ja, ik zit onder de muggenbulten. Ben ik amper terug in Nederland, of de muggen hebben me alweer gevonden. Welkom terug in Veenendaal, dacht ik. Vannacht heb ik geen oog dichtgedaan met al dat gezoem rond m'n kop. En ik dacht dat Costa Rica erg zou zijn. Het zal wel mijn dierlijke aantrekkingskracht zijn. Maar Sheila was een andere sensatie. Ze zat voortdurend aan me! Je had haar moeten zien met haar lange armpjes als ze me weer eens omhelsde. En dan die lange staart.'

Opzettelijk snoof Petersen de lucht op.

'Ik weet het al. Sheila was een stinkdier.'

'Ja, hoor, heel grappig. Wat je ruikt is de citronella tegen muggen, want die beesten hebben al genoeg bij me afgetapt. Sheila was een doodskopaapje. We zaten in een guesthouse in de bush en daar hielden ze het aapje als huisdier. Vooral de kinderen vonden het prachtig. Die hadden daar nog langer willen blijven, maar we hadden al een volgend hotel geboekt. Maar genoeg over mijn vakantie.' Hij keek even naar Ronald Bloem die nog niet veel had gezegd. 'Het is hier goed raak, hoor ik. Hebben jullie nog wat sporen voor mij overgehouden?'

'Geen idee', zei Petersen. 'We zijn hier net.'

Marcel Veltkamp liep terug naar het bestelbusje en trok het stofvrije pak aan dat voorgeschreven werd. Zijn vakgenoot Bart van Heerikhuizen had zich daar al in gehesen. Terwijl Thijs Warnink buiten bleef, gingen Petersen en Bloem met hun collega's naar binnen. Ze kwamen in een betegelde hal waar ze aangestaard werden door een gipsen beeld van een zittende Boeddha. Het witte beeld stond op een ladekastje precies tegenover de ingang. Afgezien van het beeld en een kapstok waaraan twee jassen hingen, was de hal leeg. Aan de rechterkant waren twee deuren, links een derde.

Op aanwijzingen van Warnink, die in de deuropening van het huis bleef staan, liepen ze de hal door en namen daar de tweede deur aan de rechterkant, die op een kier open stond. Voorzichtig, om niet eventuele vingerafdrukken op de deurkruk te verstoren, duwde Petersen de deur open.

'Wauw!', was het eerste dat Marcel Veltkamp uitbracht.

'Dit is de werkkamer van de overledene', zei Bram Petersen.

Ze keken in een ruime kamer die niet alleen opviel door de inrichting, maar ook door wat ermee gebeurd was. Petersen liet zijn blik door de ruimte glijden. Wat de inrichting bijzonder maakte, waren de vele gipsen beeldjes die op allerlei plaatsen opgesteld stonden. Het waren allemaal borstbeelden van Napoleon die identiek van vorm waren, zodat duidelijk was dat ze met dezelfde mal gemaakt waren. Maar elk beeldje was anders beschilderd. Op een plank van de boekenkast die zich tegen de muur rechts van hen bevond, stond een beeldje waarvan het gezicht zwart was geschilderd en de lippen rood, zodat Napoleon een negroïde uiterlijk had gekregen. Een ander was geel, als een Chinees. Een plank lager stond een beeldje dat geheel zwart was. Het zonlicht dat door de ramen links van hen naar binnen viel, deed het beeldje glimmen. Bij het ene raam stond een ebbenhouten bureau, ernaast een dossierkast. Ook hierop stonden kleurrijk beschilderde borstbeeldjes van Napoleon. De kitscherige beeldjes vloekten met de overigens smaakvol ingerichte werkkamer. Maar zij waren het niet wat Petersen in dat eerste ogenblik het meest opviel, dat was de dossierkast. De bovenste lade stond open en was leeggehaald.

Tegenover hen was tegen de muur een ander fenomeen te aanschouwen. Er was daar een soort van altaartje gebouwd. Hierop stond een onbeschilderd gipsen beeldje dat een treurende vrouw moest voorstellen. Aan weerszijden stonden portretfoto's. Zonder de kamer binnen te gaan, kon Petersen zien dat op elk daarvan dezelfde man en vrouw afgebeeld stonden, vermoedelijk de ouders van het slachtoffer. Eén van de foto's was namelijk een zwart-witte trouwfoto. Voor de foto's stonden kaarsjes die recentelijk nog gebrand hadden. Boven het altaar hing een ingelijste houtskooltekening; een reproductie van de trouwfoto.

Dit alles zag Petersen met belangstelling aan. Maar de kamer had een metamorfose ondergaan die met de dood van Jacques Vermin samenhing. Petersen probeerde zich een voorstelling te maken van wat zich hier had afgespeeld, maar dat lukte niet. Wat hij zag waren het zwarte poeder dat als een rouwdeken over grote delen van de kamer heen lag, de zwarte scherven en het lijk dat vlak voor hun voeten bij de deurpost lag. Het leek erop dat een wild gevecht in de werkkamer had plaatsgevonden. Het viel hem op dat er op de tegels van de hal geen poeder lag.

Jacques Vermin lag op zijn buik. Hij moest een man in de kracht van zijn leven zijn geweest. Daarvan was niet veel meer te zien nu hij roerloos op de harde houten vloer lag. Behalve dat de uitdrukking van zijn gezicht verwrongen was, was de huid zwart uitgeslagen. Kennelijk had Vermin kort voor zijn dood gezweet waardoor het poeder aan zijn huid vastgekoekt raakte. Het meest akelige om te zien waren de twee wijd opengesperde ogen die ook onder het poeder zaten, waardoor het leek alsof ze niet echt waren. De armen van het slachtoffer lagen gestrekt boven het hoofd, alsof hij in zijn doodstrijd het leven had willen omarmen.

'Ik zal eerst wat foto's schieten voor we naar binnengaan', waarschuwde Bart van Heerikhuizen. Hij wees op de voetsporen die in de dunne laag poeder stonden. Vervolgens liep hij naar buiten om zijn spullen te halen.

'Wat is dit voor een poeder?', was het eerste dat Ronald Bloem zei.

'Dit is as', zei Marcel Veltkamp.

'As? Is er brand geweest?'

'Nee. Dit zijn stoffelijke resten van een of meer mensen.'

Veltkamp bukte zich. Hij had handschoenen aangetrokken. Voorzichtig pakte hij een van de scherven op. Er was een inscriptie. Ze lazen de naam Pierre Vermin en twee jaartallen: 1943-1999. Nu herkende Petersen de scherven. Ze waren van een urn.

'Hé, Bart, moet je komen kijken', riep Veltkamp. 'Hier ligt de as van zijn ouders!'

Opeens dook Thijs Warnink achter hen op. Hij duwde de technische rechercheur opzij en pakte enkele scherven op en bekeek ze. Daarna sloeg hij verafschuwd een hand voor de mond, waarbij as zijn gezicht bevlekte.

'Vreselijk! Wat vreselijk!'

Omdat Thijs Warnink aanstalten maakte de werkkamer binnen te gaan en de as bij elkaar te vegen, trok Petersen hem achteruit.

'Maar dit is de as van zijn ouders', protesteerde Warnink. 'Dit kan zo niet blijven liggen!'

'U bent hier al eerder geweest, toen u uw vriend vond. Hebt u toen niet gezien wat dit voor poeder is?'

Warnink schudde krachtig het hoofd. 'Alles wat ik zag, was Jacques. Ik schrok daar vreselijk van. Ik zag wel dat zijn gezicht zwart was, maar het is niet tot me doorgedrongen. Ik heb het in een flits gezien en ben daarna naar buiten gegaan. Dat er ook as op de vloer ligt, zie ik nu pas.'

Bram Petersen knikte. De houten vloer was donker van kleur. De as was nu vooral goed zichtbaar omdat de zon over de vloer scheen. Eerder vanochtend had de zon waarschijnlijk niet hoog genoeg gestaan.

'Stond de deur open?'

'Toen ik binnenkwam? Nee. Want dan zou ik Jacques meteen gezien hebben.'

'En die voetsporen, zijn die van u?'

'Nee, zeker niet. Ik heb grotere voeten.'

10.10 uur

Thijs Warnink liet zich door de ander willoos meevoeren naar de frisse buitenlucht. De oude rechercheur bood hem een zakdoek aan, zodat hij z'n gezicht schoon kon vegen. Daarna vouwde hij voorzichtig de zakdoek dicht zodat de as aan de binnenzijde bleef. Hij voelde zich verdoofd.

'Zijn ouders betekenden veel voor hem', legde hij na enkele ogenblikken uit. 'Hij eerde hen dagelijks door een kaarsje te branden. Hij was heel zuinig op de urnen. Daarom wilde hij niet dat de werkster ze afstofte, voor het geval dat zij er een liet vallen. Hij hield ze zelf schoon.'

'Er waren dus twee urnen.'

'Ja. Van zijn moeder en van zijn vader.'

'Was hij Rooms-katholiek of een Boeddhist?'

'Hoe komt u daarbij?', vroeg Thijs Warnink verbaasd. Hij had Jacques Vermin gekend als een levensgenieter bij uitstek, bij wie hij zich een gelovige levensovertuiging niet kon voorstellen. Ze filosofeerden wel eens over religie in het algemeen, maar dat deden ze ook over zoveel andere onderwerpen. Opeens begreep hij waarom Petersen de vraag stelde. 'U bedoelt de kaarsjes en het beeld. Nee, het is mij niet bekend dat hij aan de kerk deed. Nee, daar was hij helemaal niet de persoon voor. Ik weet niet waar hij die gewoonte vandaan had. Hij deed het gewoon. En die zittende Boeddha heeft hij zelf gemaakt, omdat hij het mooi vond.'

'Misschien doet het er ook niet toe', zei de rechercheur. Hij draaide zich om naar zijn stille collega. 'Maak jij aantekeningen, Ronald?'

Er stond een houten bank tegen de muur van de garages. Ze liepen daar naartoe.

'Kunt u ons meer vertellen over hoe u Jacques Vermin hebt leren kennen?', vroeg rechercheur Petersen nadat ze waren gaan zitten.

'Ik kende Jacques het grootste deel van mijn leven', begon Thijs Warnink. 'Ik weet niet meer hoe oud ik was toen ik zijn vader voor het eerst zag. Pierre Vermin was bevriend met mijn vader. Die twee kwamen altijd bij elkaar.'

'Dus de vriendschap is erfelijk?'

Thijs Warnink zag de rechercheur voor het eerst glimlachen. De rimpels en groeven die hem eerder nog een weerbarstige uit-straling hadden gegeven, gaven nu een vriendelijkere uitdruk-king aan zijn gezicht.

'Het was meer dan vriendschap. U hebt geen idee hoe het leven was toen ik opgroeide. Mijn moeder is twee maanden voor mijn zevende verjaardag overleden. In de maanden die daarop volgden, raakte mijn vader in een depressie. Een tante van mij, een oudere zus van mijn vader, woonde bij ons in. Haar lukte het niet om mijn vader te helpen. De enige die invloed op zijn gemoedstoestand had, was Pierre Vermin. Maar het was verspil-de moeite. De dokter beweerde dat mijn vader een depressieve aanleg had. Door de omstandigheden kwam die ziekte aan het licht. Mijn vader gebruikte antidepressiva en raakte aan de drank. Zeven jaar geleden is hij verongelukt, twee jaar voor de dood van de vader van Jacques. Hij was onder de invloed van drank en medicijnen.'

'Het spijt me dat te horen', zei Petersen.

Thijs schudde zijn hoofd. 'Een mooie vader heb ik gehad! Gelukkig was ik in die tijd het huis uit, zodat ik hem niet in zijn dronken buien hoefde mee te maken. Ik studeerde in Amsterdam.'

'U was zijn enige kind?'

'Ja, net als Jacques de enige zoon van Pierre Vermin was. Ooit heeft mijn familie geld gehad, maar mijn vader heeft het na mijn moeders dood er doorheen gejaagd. Bijna twaalf jaar lang heeft hij ons kapitaal verbrast en liet me achter met de schulden. Die kon ik onmogelijk aflossen omdat ik studeerde. Ik had zelf al een studieschuld opgebouwd. Toen is Jacques Vermin mij te hulp geschoten. Zonder hem had ik mijn studie moeten afbreken om werk te zoeken.'

'Wat hebt u gestudeerd?'

'Ik heb de kunstacademie gedaan. Ik heb me gespecialiseerd in het werken met houtskool. Na het afronden van mijn studie, heb ik mij in Arnhem gevestigd omdat Jacques daar ook woonde. In mijn kamer heb ik mijn atelier. Niet bepaald ideaal, maar ik moet ergens mee beginnen. Toch had ik dit niet bereikt zonder Jacques Vermin. Daarom had ik een speciale band met hem.'

'Dat begrijp ik', zei Petersen met een knikje.

'Jacques ging ook altijd met mij mee als ik de graven van mijn ouders bezocht. We hadden er een traditie van gemaakt om elk jaar op 30 november naar het graf van mijn moeder te gaan en er bloemen neer te leggen. Daarna gingen we naar een restaurant waar we op mijn kosten iets aten. Dat was mijn manier om iets terug te doen. Tot op de dag van vandaag ben ik hem veel verschuldigd. En zijn vader. Vandaar dat ik even helemaal panisch werd toen ik besefte wat het poeder is.'

'Het is een nare constatering.'

Thijs knikte dankbaar.

'Waarom kwam u vanochtend hier naartoe?', vroeg de politieman daarna.

'Omdat ik goed nieuws heb!', antwoordde hij. Even vergat hij de reden waarom hij vragen zat te beantwoorden. Glunderend vertelde hij: 'Vanochtend vroeg heb ik te horen gekregen dat ik een opdracht van de gemeente Dinkelland krijg. Ik had een reactie via de post verwacht, maar die was nog niet gekomen. Daarom heeft mijn vriendin een ambtenaar die ik ken gebeld. Van hem kreeg ze te horen dat ik de opdracht krijg om voor het nieuwe gemeentetehuis een serie tekeningen te maken. Er kan met die opdracht 50.000 euro gemoeid zijn!'

'U bent hier naartoe gekomen om uw vriend dat te vertellen?'

'Ja! Er dongen anderen mee naar de opdracht. Jacques leefde enorm met mij mee. Toen ik het hoorde, wilde ik het hem meteen laten weten. Nu kon het nog.'

'Hoe bedoelt u?'

'Jacques zou vanmiddag naar het buitenland vertrekken. Vakantie.'

'Alleen?'

'Ja. Soms ging ik met hem mee. Dit keer niet. Hij heeft een zeewaardige catamaran in Maassluis liggen. Vrijdag zou hij naar het Middellandse Zeegebied zeilen. Afgelopen zaterdag heb ik hem nog geholpen het schip reisklaar te maken.'

'Dus toen u het nieuws hoorde, bent u helemaal vanuit Arnhem hier naartoe gereden. Waarom besloot u dat te doen? U had ook kunnen bellen.'

'Ik heb eerst ook gebeld', antwoordde hij. 'Maar ik kreeg geen gehoor. Daarom dacht ik, ik zal hem verrassen.'

-

10.20 uur

De aankomst van politiedokter Van Barneveld leidde rechercheur Petersen af. De dokter was laat.

'Ik ben opgehouden door een spoedgeval', verklaarde hij nadat hij uit zijn rode Alfa Romeo was gestapt. Hij bukte zich om zijn tas van de achterbank te pakken. Petersen zag dat hij zich gehaast had, want de normaalgesproken onberispelijk geklede arts had geen tijd gehad iets aan zijn uiterlijk te doen. Kleine stukjes hooi zaten verstrikt in zijn volle baard. Hooi kleefde ook aan zijn wollen sokken.

Op dat moment kwam Marcel Veltkamp naar buiten.

'Zo, dokter,' riep hij gekscherend, 'met de boerendochter in de hooiberg gelegen?'

'Nee, een spoedgeval op een boerderij.'

'Ze was er wel aan toe, zeker?'

'Let maar niet op hem', zei Petersen die naar de auto van de politiedokter toegelopen was. 'Hij heeft heimwee naar Sheila, zijn vakantievriendin. Wat was het ook al weer, Marcel? Een stinkdier?'

'Wat ben jij grappig vandaag, Bram. Ik dacht dat Ronnie dat altijd was, maar die hoor ik helemaal niet. Maar zijn vriendinnetje is misschien ook niet zo leuk als mijn Sheila. Ronnie, word eens wakker! Ruik jij de dokter niet? Ik kan van twee meter afstand de lucht van koeienvlaaien opsnuiven. Met al dat hooi in uw haar moet u wel met een betere verklaring komen waarom u zo laat gekomen bent, dokter.'

Nu drong het tot Van Barneveld door hoe hij eruit zag.

'Ik kan dat maar beter afkloppen voor we naar binnen gaan.'

Marcel Veltkamp grijnsde breed. 'We willen geen hooi op de plaats van het delict. Als de rechter straks de foto's ziet, denkt hij nog dat de moordenaar op klompen kwam.'

Nadat hij zich ervan vergewist had dat hij schoon was, liep Van Barneveld met Veltkamp en Petersen naar het huis. De technische rechercheur vertelde Van Barneveld wat hij verwachten kon.

'Maar u kunt de werkkamer niet betreden. Er zijn daar prachtige sporen die ik niet verstoord wil hebben.'

'Kan ik dan bij het slachtoffer komen?'

'Hij ligt bij de deuropening. U zult zien dat de vloer onder as bedolven is. Nu ik het daar toch over heb, Bram, denk ik dat het flink in de kamer gestoven moet hebben. In zoverre ik het nu kan beoordelen, heeft de dader twee urnen kapot gegooid. De as is daarbij met veel geweld vrijgekomen. De lucht moet vol zijn geweest met as.'

'Je wilt zeggen dat de dader ook onder de as geraakt is?'

'Ja. Hij moet het as in het gezicht, in de haren en in de kleding gekregen hebben. Als je de sporen in de kamer ziet, moet er ook as aan de zolen vastgekleefd zijn geraakt.'

'Dat zal ik in gedachten houden.'

'Ik weet nu in elk geval zeker dat ik m'n grootje niet laat cremeren. Ik wist niet dat je er zo'n stofspektakel van kon maken.'

'Zo kan het wel weer, Marcel.'

10.30 uur

Jacques Vermin was op z'n minst enkele uren dood toen zijn vriend Thijs Warnink arriveerde, concludeerde Bram Petersen uit de woorden van Van Barneveld. Volgens de dokter had het slachtoffer ruwweg tussen zeven uur woensdagavond en vier uur donderdagochtend de dood gevonden. De sectie van het Nederlands Forensisch Instituut zou meer duidelijkheid moeten geven over de toedracht van de moord, want het leek erop dat het moord was. Iemand had een urn op het hoofd van het slachtoffer stukgeslagen. Jacques Vermin moest daardoor vrijwel ogenblik het bewustzijn verloren hebben, al was hij niet op slag dood. Hij had nog enige tijd liggen stuiptrekken, wat te zien was aan de sporen die zijn voeten in de as hadden achtergelaten. Of de slag was hem fataal geworden, of de slag had tot een interne bloeding geleid die de dood uiteindelijk tot het gevolg had.

Nadat de dokter vertrokken was, besloot Petersen eerst in het huis rond te kijken voor hij zijn gesprek met Warnink voortzette. De deur die zich naast de deur van de werkkamer bevond, gaf toegang tot een gang die naar andere kamers en de keuken voerde. Hier was ook de trap naar boven. Omdat hij op zoek was naar de slaapkamer, ging hij naar de eerste etage. Het bed in de slaapkamer van Jacques Vermin bleek onbeslapen te zijn. Afhankelijk van het gebruikelijke tijdstip waarop Vermin naar bed ging, leek het aannemelijk dat hij daarvoor was vermoord. Dit bevestigde het vermoeden dat Petersen al eerder had. De ramen en de deur hadden opengestaan. Gisteren was het een zwoele, windstille avond geweest, een avond waarop je ramen en deuren openzet. Voordat Vermin alles had kunnen sluiten om naar bed te gaan, was hij vermoord.

Dit verklaarde niet waarom de muziek nog draaide op het moment dat Warnink arriveerde.

Wat Warnink verteld had over de vakantieplannen van zijn vriend bleek te kloppen. Naast het bed stond een weekendtas gereed. Op het nachtkastje zag Petersen een potje met slaappillen staan. Daarnaast lag een slaaptablet dat eerst door de helft was gebroken, waarna de ene helft nog eens was gehalveerd. Een kwart tablet was weg. Een halfvol glas water suggereerde dat het middel vannacht nog was gebruikt.

Na de inspectie van de slaapkamer ging Petersen naar beneden en opende de deur tegenover de werkkamer. Hij kwam in een smaakvol ingerichte salon. Hier vond hij de oplossing van het raadsel waarom de muziek van Miles Davis nog had geklonken toen Warnink aankwam. De cd-speler stond op herhaling geprogrammeerd. Als Warnink het apparaat niet gestopt had, zou de cd zijn blijven draaien tot de eerste stroomstoring.

In de salon nam Petersen de inrichting goed in zich op omdat hij het gevoel had dat iets hem moest opvallen. In het midden was een zitcombinatie bestaande uit twee fauteuils, een 2-zitsbank en een 3-zitsbanks die met rood polyester bekleed waren. Ze stonden op een wit geschilderde houten vloer. Temidden van het meubilair lag een roodharig kleed waarop een zware salontafel van eikenhout stond. De muren waren lichtroze gesaust. Naast de geluidsinstallatie stond een cd-kast met tientallen cd's. Petersen las namen van artiesten als Miles Davis, Pat Metheny en John Coltrane, maar ze zeiden hem niets. Zelf was hij geen muziekliefhebber, zoals de meeste mensen. Terwijl anderen urenlang naar een opname konden luisteren, deed hij liever wat in zijn tuintje of maakte hij een wandeling.

Tegen de muren was sfeerverlichting aangebracht en aan weerszijden van de 3-zitsbank stonden twee hoge houten kandelaren met een zware voet. Wat zeker ook bijdroeg aan de sfeer

van de kamer, was het prachtige uitzicht. Er waren tuindeuren
die toegang gaven tot een terras aan de oostzijde van het huis.
Voor het huis, omringd door het bos, was een weide. Over de
weide en over de rand van het bos was er een uitzicht over de
bossen van het Leersumse Veld. Heel ver weg waren gebouwen
te zien in de Gelderse Vallei. Misschien was het Veenendaal, waar
het hoofdbureau zich bevond. Het was te heiig om iets te her-
kennen.

Terwijl hij zijn blik weer richtte op de inrichting, viel het
Petersen op dat er iets ontbrak. Er waren geen gipsen beeldjes.
Behalve de borstbeeldjes in de werkkamer en de Boeddha in de
hal had hij ze nergens in het huis aangetroffen.

-

10.45 uur

Aan het gezicht van de oude rechercheur kon Thijs Warnink
zien dat deze uit het huis kwam met een hele nieuwe serie vragen. Hij was het beu om te antwoorden, te wachten, en opnieuw
te antwoorden en te wachten. Hij wilde naar Arnhem, naar zijn
atelier. Deze rechercheur zou hem misschien de hele dag hier
willen houden om elke keer nieuwe vragen te kunnen stellen.
Eerst kwam hij met voor de hand liggende vragen, om vervolgens een suggestieve vraag te stellen, alsof hij hem als een verdachte zag. Alsof het vreemd was dat hij vanuit Arnhem hier
naartoe was gekomen om zijn vriend van het grote nieuws op de
hoogte te brengen. Thijs merkte dat hij daardoor gespannen
werd, vooral ook door de blik waarmee de ander hem aankeek.

Opnieuw nam de rechercheur naast hem op de bank plaats.

'Kunt u mij vertellen hoe laat de heer Vermin doorgaans naar
bed ging?'

'Laat. Ik kwam soms in het weekend hier. Ik weet niet of hij
dan op dezelfde tijd naar bed ging als doordeweeks, maar in het
weekend gingen we nooit voor een uur of een of twee naar
boven. Soms pas om drie uur. Meestal zaten we tot laat muziek
te beluisteren en te praten.'

'Gebruikte hij een slaapmiddel?'

'Ik zou het niet weten. Hebt u zoiets gevonden?'

Rechercheur Petersen knikte.

'Het is vreemd dat hij de gewoonte had laat naar bed te gaan, en dat u besloot hem vanochtend vroeg te bezoeken. Sliep hij niet uit?'

'Nooit. Hij had aan vijf uur slaap genoeg.'

'We weten al het nodige over de vriendschap tussen u en Jacques Vermin. Wat kunt u ons zoal over het leven van hem zelf vertellen?'

'Waar zal ik beginnen?', vroeg Thijs. Hij leunde achterover tegen de muur van de garage. De zon bescheen zijn gezicht, waardoor hij voelde dat hij tot ontspanning kwam. 'Hij leidde een teruggetrokken leven. Hij was rijk genoeg om niet te hoeven werken, hoewel hij er een adviesbureau op na hield. Het kantoor is in Arnhem. Daar is ook een appartement, waar hij officieel woonde. Maar meestal was hij hier te vinden.'

'Waarin adviseerde hij?'

'Hij was communicatiedeskundige. Hij had een chique cliëntèle. Politici, popmuzikanten, enzovoorts. Hij werkte alleen. Er zijn dus geen collega's die u kunt horen. Zijn leven verliep volgens een strak schema. Op dinsdag en op vrijdag was hij in Arnhem en ontving hij mensen. De overige dagen was hij hier in Leersum. Een keer in de maand kwam hij op dinsdag laat thuis. Dat teruggetrokken leven paste bij zijn karakter. Hij was erg op zichzelf.'

'Had hij contact met de buren?'

'Hier? Nee. In Arnhem ook niet, denk ik.'

'Had hij vrienden?'

'Niet dat ik weet.'

'Familie?'

'Er zal wel familie zijn, maar zover ik weet had hij daar geen contact mee. Het klinkt alsof hij een zonderling was. Maar dat is niet zo. Hij had genoeg aan een paar mensen om zich heen. Hij was heel joviaal in de omgang met die uitverkorenen. Hij liet weinig mensen tot zijn domein toe.'

'Zijn domein?', vroeg Petersen belangstellend. 'Zag hij dit terrein als een domein, of bedoelt u zijn leven in het algemeen?'

'Beide. Hij kon wantrouwig zijn tegenover anderen die hij niet kende. Maar als iemand zijn vertrouwen had gewonnen, zoals ik, kon hij heel aanhankelijk zijn. Hij zal daar wel zijn redenen voor gehad hebben. Over zijn jeugd weet ik weinig. Misschien kon hij niet met zijn leeftijdsgenoten opschieten toen hij nog naar school ging. Het zegt misschien genoeg dat hij in geen telefoonboek te vinden is. Niet in Arnhem en ook niet in het telefoonboek van Leersum.'

'Eigenaardig voor een communicatiedeskundige.'

'Hij had voldoende klanten.'

'Hoeveel mensen weten dat hij hier woonde?'

'Niet veel. Er is natuurlijk een werkster, niet dat ik haar ooit ontmoet heb. Zij komt op doordeweekse dagen en ik alleen in weekenden. Ik zou haar naam niet eens weten. En dan is er een tuiniersbedrijf dat een keer in de maand de tuin onderhoudt. Een bedrijf uit Amersfoort.'

'Als bijna niemand wist dat hij hier woonde,' vervolgde Petersen, 'dan zijn er ook weinig mogelijke verdachten.'

'Ja', zei Thijs Warnink die feilloos aanvoelde waar de ander naartoe wilde. Met een ruk ging hij rechtop zitten en keek Petersen aan. 'U vraagt zich af of ik hem vermoord heb', zei hij geschokt.

'Het zijn routinevragen die ik stel', probeerde Petersen hem gerust te stellen. 'Ik vermoed dat uw vriend vermoord werd voor hij naar bed ging. Als we er vanuit gaan dat hij nooit na drie uur naar bed ging, dan moet het daarvoor gebeurd zijn. Maar in elk geval na zeven uur gisteravond. Kunt u ons vertellen waar u in dat tijdsbestek geweest bent?'

'Ik ben de hele tijd op verschillende plaatsen in Arnhem geweest. Ik heb u verteld van de opdracht. Om meer van zulke opdrachten binnen te halen, heb ik een catalogus gemaakt. Deze catalogus heb ik gekopieerd in Jacques' kantoor. Toen ik daarmee klaar was, ben ik naar mijn kamer gegaan, om in mijn atelier verder te werken. Aan het eind van de avond ben ik naar een vriendin gegaan bij wie ik de nacht heb doorgebracht.'

'Haar naam?'

'Nelly van Dijk. Ik heb haar tijdens mijn studie leren kennen.'

'Zij is uw vriendin?'

'Vroeger zouden ze het een Lat-relatie genoemd hebben. We leven apart maar toch samen. Het komt ons allebei op dit moment het beste uit. Door ons werk hebben we allebei ruimte nodig. We kunnen het ons financieel niet veroorloven om samen te wonen. Maar daar komt nu hopelijk verandering in.'

'U kwam hier regelmatig in het weekend langs. Wanneer voor het laatst?'

'Afgelopen weekend. Op zaterdag ben ik met Jacques naar Maassluis gereden, maar dat heb ik u al verteld.'

'U schetst ons een beeld van een man die een leven leidde dat veel mensen zouden omschrijven als eenzaam. Ik neem aan dat hij ongetrouwd was…'

Thijs viel Petersen in de rede.

'Dat heb ik niet gezegd. Jacques was getrouwd. Nu ik eraan denk, zij weet ook van Het Hemelse Hof. Ze is hier vaak geweest. Als u rondkijkt, zult u zien dat er nog een slaapkamer voor haar is ingericht. Jacques hoopte altijd dat ze terug zou komen. Officieel waren ze niet gescheiden.'

Rechercheur Petersen trok zijn linkerwenkbrauw op.

'Hoe heet zij?'

'Veronie Posthumus. In maart heeft ze hem verlaten voor een andere man.'

'Zijn er kinderen?'

'Oh, nee. Daar was Jacques helemaal niet de persoon voor.'

'Dus, zij erft alles.'

'Ik veronderstel van wel', antwoordde Thijs Warnink. Dat betekende dat Veronie de beschikking kreeg over het kapitaal van Jacques. Thijs vroeg zich af wat er dan terechtkwam van de belofte van Jacques dat hij de studieschuld in zou lossen. Hopelijk werkte ze daaraan mee, hoewel de belofte mondeling was gedaan. Thijs had zijn twijfels.

'Is er een testament?'

'Geen idee.'

De rechercheur gebaarde naar het huis en de omgeving. 'De dood van Jacques Vermin zal haar aardig wat opleveren.'

'Daar zal ze blij mee zijn. Ze is de grootste egoïst die ik in mijn leven ben tegengekomen.'

-

10.55 uur

Na zijn gesprek met Thijs Warnink liep Petersen terug het huis in. Wat hij van de vriend van Jacques Vermin gehoord had, verbaasde hem. Hij had een hekel aan de ex van Vermin. Volgens hem was het vertrek van Veronie het beste dat Jacques Vermin was overkomen, hoewel deze dat niet zo opgevat had.

'Ze gaf een boel geld uit,' had Warnink ten slotte gezegd, 'maar heeft zelf geen reet in het leven uitgevoerd.'

Het enige positieve dat hij over haar kon zeggen, was dat ze knap was. Haar schoonheid gebruikte ze om Jacques Vermin om haar vingers te winden, iets wat ze ook bij andere mannen probeerde. Warnink was daarvoor ongevoelig geweest, want hij vond haar een platvloers type, iemand met een mentaliteit alsof ze van iedereen profijt wilde trekken. Daarom was hij blij toen ze eindelijk vertrokken was. Waar ze gebleven was, wist hij niet. Hij moest wel ergens haar telefoonnummer hebben, maar dat had hij niet bij zich. Waarschijnlijk was het nummer ook binnen te vinden.

'Heb jij ergens een telefoon gezien?', vroeg Petersen aan Bart van Heerikhuizen, die klaar was met foto's maken. Hij bevond zich in de hal waar hij zijn apparatuur aan het inpakken was.

'Nee.'

'Jij, Marcel?'

De technische rechercheur stond in de deuropening van de werkkamer.

'Op zijn bureau in elk geval niet.'

'Ik heb er ook geen in de salon gezien. Kunnen jullie uitkijken naar de telefoon? Misschien is er een mobieltje. Ik wil weten of er een telefoonklapper is. Ik zoek het nummer van Vermins ex. Ze heet Veronie Posthumus. En het nummer van de werkster. Haar naam is niet bekend. Verder de nummers van een ieder met wie Vermin contact had.'

'Ik heb wel iets anders voor je', zei Veltkamp. 'Op zijn lichaam heb ik een aantekenboekje gevonden. Er staan wat vreemde noties in.'

'Kan ik het zien?'

'Ik zal het even voor je pakken. Wat is er trouwens met Ronnie aan de hand? Ik heb hem vandaag nauwelijks een woord horen zeggen, alsof z'n lippen vastgelijmd zitten. Waar zit hij nu eigenlijk?'

'Geen idee.'

'Hier heb ik het boekje. Het moet nog op vingerafdrukken onderzocht worden. Daarom laat ik het in het plastic. Ik heb het opengeslagen erin gestopt zodat je twee pagina's kunt zien.'

Petersen nam het pakketje van zijn collega over. Belangstellend keek hij wat er in het kleine boekje stond. Er stonden alleen letters en getallen in. Boven aan de ene bladzijde stond GJB BEN 13/ZRG en daaronder 150 en onderaan GJB 22/07/1000. Op de tegenover liggende bladzijde stond boven aan WB ROZ 4/GGW, gevolgd door 80 en vervolgens een aantal doorgestreepte codes.

'Misschien weet die vriend van hem er meer van', suggereerde Veltkamp.

Maar ook Thijs Warnink keek verbaasd naar de cijfers en letters.

'Ik heb dit boekje nooit eerder gezien. Droeg hij het bij zich? Het lijkt me dat hij hier notities in zette van afspraken die hij met mensen maakte.'

'Daar lijkt het wel op.'

'Ik kan u hier helaas niet verder mee helpen.'

'Goed, dan weet ik voorlopig genoeg. De technische recherche zal zeker de rest van de dag nodig hebben om het werk hier te voltooien. Ik zal u niet langer ophouden. Ik wil u wel verzoeken om vandaag beschikbaar te blijven voor het geval ik u weer iets wil vragen. Als ik uw adres en telefoonnummer mag hebben.'

Warnink noemde zijn adres en zijn nummer, dat Petersen meteen in zijn mobieltje programmeerde.

'Dan nog iets dat me te binnen schiet. Hoe heeft Jacques Vermin zijn vrouw leren kennen?'

'Waarom wilt u dat weten?', vroeg Thijs Warnink.

'We willen ons een beeld vormen van het slachtoffer.'

'Hij heeft haar in het uitgaansleven in Arnhem ontmoet. Ik geloof dat ze elkaar in het Luxor Theater leerden kennen. Ik herinner me de eerste keer dat ik hem daarna sprak. Hij was helemaal van de kaart. Zij betekende heel veel voor hem, zei hij, al begreep ik niet hoe. Het zou iets zijn met een belangrijke klant waaraan ze hem geholpen zou hebben. Dat was geen reden om een relatie met haar aan te gaan, vond ik. Ze is niet iemand met wie je uren over diepzinnige onderwerpen zou kunnen bomen.'

'Ik heb nog een laatste vraag, voor u kunt gaan. Is uw vriendin hier wel eens geweest?'

'Nelly? Nee.'

'Weet zij van het bestaan van dit huis?'

'Ja, natuurlijk.'

'Goed. Dan kunt u wat mij betreft nu gaan. Als u zich in de komende uren nog iemand anders herinnert die deze plek kent, wil ik dat u mij dat zo spoedig mogelijk laat weten. Ik geef u mijn kaartje.'

-

11.00 uur

Kort na het vertrek van Thijs Warnink kwam een patrouillewagen het achtererf oprijden. Petersen herkende zijn collega Freek Jongenburger achter het stuur. Naast hem zat wijkagent Willem Verhegen uit Leersum met wie hij het buurtonderzoek deed.

'We zijn bij alle huizen langs geweest', vertelde Jongenburger even later aan Petersen.

'Minstens bij de helft werd niet opengedaan', vulde de wijkagent aan. 'We gaan er later vandaag en vanavond nog eens langs. Als er dan nog niet opengedaan wordt, laten we een bericht achter.' Hij maakte aanstalten om naar het huis te lopen. 'Ik wil nu eerst zien over wie we het telkens hebben.'

'Ik heb geen behoefte hem nog een keer te zien', reageerde zijn collega.

'Ziet hij er zo beroerd uit?'

Willem Verhegen kwam een halve minuut later met een peinzend gezicht naar buiten.

'Is dit niet de eigenaar van 't Hoekje in Leersum?'

Petersen wist waarover hij het had. 'Je bedoelt het huis waar onlangs brand was?'

'Afgelopen zaterdag.'

'Daar heb ik niets van gehoord', zei Jongenburger.

'Vermin was de eigenaar van een klein huisje in het centrum van Leersum', legde Verhegen aan hem uit. 'Aan de Rijksstraatweg op de hoek met de Meester Bosweg. Het huisje staat al jaren leeg en had allang gesloopt moeten worden. Zaterdagavond was er brand.'

'Door het onweer? Ik weet nog dat de hemel pikzwart werd, terwijl het kort daarvoor nog mooi weer was.'

'Toen is het wel gebeurd, maar het was geen inslag. Gelukkig was het geen uitslaande brand. De brandweercommandant heeft vastgesteld dat de brand in het keukentje is ontstaan. Er lagen daar kranten op het aanrecht en er stond een raam open. Door het noodweer zijn de kranten opgewaaid. Op het gasstel stond een pan met aardappels te koken. De kranten zijn in het vuur terechtgekomen, waarna de vlammen oversloegen naar de gordijnen. De brand werd snel ontdekt zodat erger voorkomen kon worden. Maar er was veel rook- en waterschade. Een uur later kwam de eigenaar van het huisje, die Vermin. Hij gaf de bewoners van het huisje de schuld dat de brand was ontstaan.'

'Ik dacht dat je gezegd had dat het huisje al jaren leeg stond.'

'Dat was ook zo. Maar het is afgelopen week door twee studenten gekraakt. Een jonge vent en zijn vriendin. De dag nadat 't Hoekje gekraakt was, kwam Vermin en eiste het vertrek van de krakers. Maar het kraken is volgens de wet gegaan. Het pand stond al meer dan twee jaar leeg. De jongelui hebben meteen gemeld dat ze het gekraakt hadden. Ik ben er geweest en heb een kraakrapport opgemaakt dat naar de officier van justitie is verstuurd.'

'Die Vermin zal niet zo blij zijn geweest met de brand', merkte Jongenburger op.

'Dat weet ik niet', zei Verhegen. 'Hij wil het huisje toch slopen. Maar hij verweet het de krakers dat ze nalatig waren geweest. Die jonge vent was op het moment van de brand niet aanwezig. Zijn vriendin wel. Zij zegt dat ze helemaal niets op het vuur had staan, want ze lag boven te slapen. Haar vriend gaf juist Vermin de schuld de brand aangestoken te hebben omdat hij hen daar weg wilde hebben. Laaiend van woede was hij. Zijn vriendin had door de rook de dood kunnen vinden. Ik heb moeten voorkomen dat die vent met Vermin op de vuist ging. Ik heb er een proces-verbaal van opgemaakt.'

-

11.10 uur

Met de nieuwe informatie besloot Petersen naar Leersum te rijden om de wethouder te spreken, die ook bij de brand aanwezig was geweest en die met Vermin had gesproken. Samen met Ronald Bloem, die hij in de tuin had gevonden waar hij met zijn vriendin stond te bellen, reed hij de vijfhonderd meter lange oprijlaan van Het Hemelse Hof af. Op weg naar Leersum passeerden ze de woningen waar Verhegen en Jongenburger geweest waren. Petersen en Bloem naderden vervolgens de plek waar er ooit een laagte in de Utrechtse Heuvelrug was ontstaan. Rechts bevond zich op enige afstand de Darthuizerberg, links de steile helling van de Donderberg met daarop een smetteloos witte graftombe met hoge toren. Toen ze door de laagte gereden waren, die bekend stond als de Darthuizerpoort, kwamen ze bij de rotonde aan het begin van Leersum. Hier reden ze de hoofdweg op die door het dorp voerde.

Leersum lag op de zuidflank van de Utrechtse Heuvelrug, aan de voet van de Donderberg. Van oorsprong was het een langgerekt dorp met voornamelijk bebouwing langs de heerweg, de route die waarschijnlijk al in de twaalfde eeuw was ontstaan tussen Arnhem en Utrecht. Later waren er aan de noord- en de zuidzijde wijken bijgekomen. Aan de Rijksstraatweg, zoals deze weg in Leersum heette, bevonden zich vanouds de belangrijkste gebouwen.

Hoewel Leersum een zelfstandige gemeente was, zag het er naar uit dat dit niet lang meer zou duren. Leersum zou worden samengevoegd met de aangrenzende gemeenten Amerongen, Doorn, Maarn en het verder naar het westen gelegen Driebergen-Rijsenburg. Een recente enquête had bewezen dat tachtig procent van de bevolking tegen was, net als de voltallige gemeenteraad. Maar de herindeling werd erdoor gedrukt, want de provincie vond dat de herindeling er moest komen, hoe dan ook. De ophef die er geweest was, was Petersen niet ontgaan.

Het was een typisch politiek steekspel over de rug van de burger die uiteindelijk voor de gevolgen zou opdraaien. Het treurigste was nog wel, dat door de provincie werd gedaan alsof het proces van onderop tot stand kwam. In de enige andere plaats waar ook een peiling was gehouden, was uitgekomen dat ook daar een meerderheid van de bevolking tegen herindeling was. Door de opstelling van de provincie, die achter de schermen druk op de lokale afdelingen van de politieke partijen uitoefende, was de sympathie van Petersen gegroeid voor dit dorp dat verzet bood. Hun zelfstandigheid en recht om zelf over het eigen dorp te beslissen, werd hun afgepakt. Eigenlijk was het een vorm van diefstal.

't Hoekje bevond zich aan de Rijksstraatweg, midden in het dorp. Met een kalm vaartje reed Petersen eraan voorbij. Hij wilde Ronald Bloem het huisje aanwijzen, maar zag toen dat zijn assistent wezenloos voor zich uit staarde. Dit kon zo niet doorgaan. Als Bloem niet bij de les bleef, zou het onderzoek eronder lijden. Maar dat zou hij later aan de orde brengen, nu benutte hij de luttele seconden om het huisje in zich op te nemen.

De wijkagent had gezegd dat het een klein huisje was en dat was niets teveel gezegd. Het bestond uit een woonlaag en een lage zolder. Het bouwvallige pand stond een beetje achteraf in een verwaarloosde tuin waar rozen, bramen en andere struiken woekerden. Het had een met mos overdekt rieten dak en dichtgetimmerde ramen en deuren. Het was niet meer te zien dat er binnen een brand had gewoed.

Ruim een kilometer verderop stond het gemeentehuis. De linden die ervoor stonden, gaven het gebouw een mooie dorpse uitstraling. De wethouder van Leersum met wie ze zouden spreken, was de heer Blankestijn. Hij ontving hen in zijn eenvoudige kantoor. De wethouder bleek een gedrongen man van rond de zestig te zijn, met een kalend hoofd, een blozend gezicht en een flinke buik. Toen ze waren gaan zitten, bood hij hun koffie met gebak aan. Hij zag in dat gebak onder de omstandigheden niet gepast leek, maar de burgemeester was jarig en zij trakteerde. Rechercheur Petersen aanvaarde het aanbod dankbaar. Sinds zijn ontbijt had hij niets meer gegeten en gedronken.

'U komt hier in verband met de brand in 't Hoekje?', vroeg Blankestijn even later. Petersen knikte kort, waarna hij een slok van de koffie nam. 'Ik heb de eigenaar een paar keer in Arnhem opgezocht. Ik kan me hem nog goed herinneren. Een jonge vent nog. Twee jaar geleden heeft hij 't Hoekje gekocht. We zagen met lede ogen in het dorp hoe het huisje verpauperde. Daarom heb ik hem opgezocht om te horen wat hij ermee van plan was.'

'En?'

'Hij wilde het laten slopen. Hij zei dat hij er een hotel wilde laten bouwen. Dat juichen wij als gemeente zeker toe. De gemeente zit aan de rand van het Nationaal Park dat afgelopen najaar is geopend. Een hotel kan extra toeristen naar ons dorp lokken. Helaas is er tot op heden niets van het plan terechtgekomen. De tweede keer dat ik Vermin bezocht, had hij al wel een ontwerp. Hij had nog geen vergunning aangevraagd. Daar zouden natuurlijk wel bezwaren tegen gekomen zijn.'

'Hoezo?'

'Er zijn bezwaren van omwonenden. Men heeft bezwaar dat het hotel dicht op de weg komt te staan. Het zou niet passen in het straatbeeld. De gevelhoogte wordt zeven meter. Dat is overigens bepaald niet hoger dan andere gebouwen aan de straat.'

Petersen zette het kopje koffie neer en keek naar Ronald Bloem, die aan het gebak zat.

'Noteer je dit, Ronald?', vroeg hij hem. Tegen de wethouder zei hij daarna: 'Het is wel een groot verschil met de huidige situatie.'

'U bedoelt dat 't Hoekje een beetje achteraf staat? Inderdaad. We waren van plan daarover met Vermin van gedachten te wisselen. Andere bezwaarden hebben nostalgische ideeën bij het huisje. In de oorlog heeft een van de bekendste verzetsmensen van Leersum daar gewoond. Er zouden onderduikers hebben gezeten. Daarom willen sommigen dat het huisje niet verdwijnt. Ze zien het als een monument.'

'Familie van de verzetsman?', vroeg Petersen belangstellend.

'Nee. Zover ik weet is hij kort na de oorlog naar een van onze toenmalige koloniën vertrokken. Naar Suriname, geloof ik.'

'U zei eerder dat u hem in Arnhem opzocht. Wist u niet dat hij ook een woning in de gemeente Leersum had?'

De wethouder schudde zijn hoofd. 'Daar heeft hij het nooit over gehad. Vreemd eigenlijk.'

'Zaterdag was er in 't Hoekje brand.'

'Ja, daar ben ik naartoe gegaan. 't Hoekje was kort daarvoor gekraakt. Het leek erop dat er een slaande ruzie zou ontstaan tussen een van de krakers en de heer Vermin. Ik kon merken dat de jongen nogal vals tegen Vermin deed. Ik had de indruk dat hij Vermin langer kende.'

'Van de wijkagent hoorde ik dat Vermin de krakers vorige week al ontmoet had.'

'Nee, dat bedoel ik niet. Ik had de indruk dat de jongen Vermin veel langer kende dan een paar weken. Of het wederzijds was, kan ik niet zeggen. Misschien heb ik het mij ook ingebeeld. De situatie was gespannen. De jongen verweet Vermin de brand gesticht te hebben. Een ernstige beschuldiging, want als het waar is, kan het opgevat worden als een poging tot moord. Overigens kon niet bewezen worden dat er sprake was van opzet.'

'Weet u hoe de krakers heten?'

'Nee. Ze hebben wel hun voornamen genoemd. Ze kwamen in

elk geval niet uit deze streek. Ik heb voor ze geregeld dat ze de nacht van zaterdag op zondag in hotel Vogelesang konden doorbrengen. Daarna zijn ze vertrokken.'

'Weet u waarheen?'

'Nee.'

11.45 uur

In het hoofdkantoor van politiedistrict Heuvelrug in Veenendaal keek John van Keeken getergd naar de papiertjes waarmee zijn bureau bezaaid lag. Bij een inbraak in een woning aan de Munnikenweg in Veenendaal waren de dieven er met verschillende kostbaarheden vandoor gegaan. De excentrieke oude dame die alleen in het huis woonde, had een lijst samengesteld van objecten die zij miste. Dezelfde lijst had bij Bram Petersen vragen opgeroepen, aangezien hij de dame van reputatie kende. Het vermoeden bestond dat zij een handige manier gevonden had om haar AOW aan te vullen. Petersen geloofde dat de vrouw voorwerpen had opgeschreven die ze nooit in het bezit had gehad, waardoor ze hoopte meer van de verzekering te krijgen dan waarop ze recht had. De twee inbrekers waren gezien toen ze ontkwamen. Daarbij had een getuige opgemerkt dat ze geen televisie met zich mee droegen. Toch zou die volgens de mevrouw ook meegenomen zijn.

Het was niet moeilijk haar op deze vorm van oplichting te betrappen, maar het kostte wel een hoop tijd. Ze beweerde dat ze van alle aankopen die ze in de laatste tientallen jaren had gedaan, de kassabon in een kast bewaarde. Na de bedekte beschuldiging van fraude, had ze in woede drie dozen gevuld en die aan Petersen meegegeven. Het moesten duizenden bonnen zijn! Nu zat Van Keeken bonnetje na bonnetje te bekijken en te vergelijken met de lijst. Dat viel niet mee. Eerst was hij het werk in de gemeenschappelijke werkruimte begonnen. Hij was halverwege toen tijdens zijn afwezigheid een van zijn collega's alle bonnen bijeen had geveegd en in de dozen had teruggedaan. Kon hij opnieuw beginnen. Wie het gedaan had, wist hij niet, maar het zou hem niet verbazen als het Petersen was. Die had gemopperd over de rommel die hij ervan maakte.

Uit woede had John van Keeken zich teruggetrokken in een van de projectruimten van het politiebureau. Dit vertrek werd alleen gebruikt bij grote rechercheonderzoeken, en omdat het nu rustig was, kon hij hier ongestoord werken. Het viel niet mee. Veel geprinte letters op de bonnen waren naar verloop van tijd vervaagd zodat ze nauwelijks leesbaar waren. Tot dusver had hij verschillende items op de lijst teruggevonden, ook de televisie. Drie keer. Van Keeken begon daarom te geloven dat de vrouw de bonnetjes van andere mensen verzameld had, zodat het leek alsof ze spullen had gekocht die er nooit waren geweest. Misschien was de inbraak zelfs een vooropgezet plan met een paar buurjongens om de verzekering op te lichten.

Het was een vervelend werkje dat hij verrichtte, waarbij hij zich goed concentreren moest. Typisch het soort klusje waartoe Petersen hem altijd de opdracht gaf. Sinds Van Keeken ruim twee jaar geleden in Veenendaal was gekomen, had hij weinig te beleven gehad. Dat irriteerde hem. Vandaag waren zijn collega's druk met zaken die hem veel interessanter leken. Petersen en Bloem waren naar Leersum voor een moord, en Inge Veenstra was naar Utrecht in verband met een kind dat te vondeling was gelegd. Hij zat nog steeds met die vervloekte bonnetjes! Hij was toe aan een onderbreking.

Omdat geen van zijn collega's aanwezig was, kon hij net zo goed een shagje opsteken. Dat was ook zoiets dat Petersen niet wilde. Belachelijk waar die man zich mee bemoeide. Voor er iemand terugkwam, kon de rook allang weggetrokken zijn. Niemand die er iets van merkte.

Hij had net een shagje gerold, toen de telefoon overging. Onder de berg bonnetjes tastte hij naar de hoorn.

'John, met Bram', hoorde hij Petersen aan de andere kant zeggen. 'Ben je nog steeds met die bonnetjes bezig?'

'Wat dacht je?'

'Ik wil dat je even wat anders voor mij doet. Heb je pen en papier bij de hand?'

'Genoeg papier', mompelde John van Keeken.

'Oké, ik wil dat je bij het testamentenregister navraagt of Jacques Vermin uit Arnhem een testament had. Als dat zo is, wil ik dat je regelt dat we inzage daarin krijgen. Leg het voor aan Griesink, dan zal hij het voorleggen aan de officier van justitie. Ik wil vanmiddag nog weten wat erin staat. Maar eerst wil ik dat je een proces-verbaal voor mij opzoekt. Afgelopen zaterdag was er in Leersum brand in een woning aan de Rijksstraatweg. Zoek het betreffende proces-verbaal voor mij op. Het huis was gekraakt. Er is een kraakrapport opgesteld dat naar de officier van justitie is gegaan. Dat wil ik ook boven water hebben. Ik wil de namen van de krakers en waar ze nu zijn. Zodra je die namen weet, wil ik ze van je horen.'

'Vooruit dan maar.'

'Dan nog iets. Je zult de bonnetjes maar voorlopig moeten laten voor wat ze zijn. Ik wil dat je de komende dagen de antecedenten van een aantal personen natrekt. Ik wil dat je zoveel mogelijk te weten komt over de krakers van dat pand in Leersum. Verder wil ik weten of Jacques Vermin familie had. En ik wil alles weten over Thijs Warnink uit Arnhem. Ik zal je de bijzonderheden geven waarmee je aan de slag kunt. Misschien kun je met Inge onderling de taken verdelen.'

'Inge is er niet', vertelde Van Keeken. 'Ze is naar Utrecht, naar het ziekenhuis. Er is in Maarsbergen vanochtend een kind te vondeling gelegd.'

'Een baby?'

'Nee, een kind van een jaar of drie.'

-

11.50 uur

'Had die Vermin soms een kind?', was het eerste dat Marcel Veltkamp vroeg toen Petersen en Bloem naar Het Hemelse Hof terugkeerden. Hij kwam hen uit het huis tegemoet. In zijn hand hield hij een geel geverfd houten blokje.

'Nee, hoezo?'

'Omdat ik telkens weer op stukken speelgoed stuit. In de werkkamer heb ik onder het bureau een paar blokken gevonden die
daar lagen te slingeren. Ik heb ook een winkelbon gevonden. Hij
heeft gisteren bij de Blokker in Woudenberg onder andere een
speelgoedautootje gekocht. Volgens mij was hij daar te oud voor!'
    Voor Bram Petersen kon reageren, begon zijn mobieltje te pie-
pen. Het was Thijs Warnink die het telefoonnummer van de ex
van Jacques Vermin doorgaf. Petersen noteerde het nummer en
vroeg hem of hij haar op de hoogte had gebracht van de dood van
haar man.
    'Ik? Ik kijk wel uit! Wilt u soms dat ik dat doe?'
    'Nee, ik heb dat liever niet. Wij zullen contact met haar opne-
men. U kunt ons misschien wel met iets anders helpen. Een van
mijn collega's heeft kinderspeelgoed in het huis aangetroffen. Het
lijkt erop dat de heer Vermin hier onlangs een kind heeft gehad.'
    'Een kind?', klonk het verbaasd.
    'Ja.'
    'Bespottelijk!'
    'U sluit dat uit?'
    'Hij had niemand in zijn kennissenkring met kinderen. En ik
heb u eerder gezegd dat hij niet van kinderen hield. Dus dit is
een bespottelijke gedachte. Bovendien, waar is het kind dan nu?'
    'We hebben zojuist ook gehoord van een kind dat in
Maarsbergen te vondeling werd gelegd bij een huis aan de
Woudenbergseweg. Dat is dezelfde weg als waaraan Het Hemelse Hof zich bevindt.'
    'Maar dan nog, Jacques kende geen kinderen.'
    'Misschien,' opperde Petersen hoopvol, 'had hij een andere
vrouw leren kennen, iemand met een kind. Zij kan hier afgelopen nacht gelogeerd hebben zonder dat u het wist. U kwam
doordeweeks nooit op Het Hemelse Hof.'
    'Ik kan me niet voorstellen dat Jacques dat voor mij verborgen
zou hebben gehouden. Uw idee lijkt me daarom vergezocht.
Waar is de vrouw dan?'

12.00 uur

'Bent u de echtgenote van Jacques Vermin uit Arnhem?', vroeg rechercheur Bram Petersen.

'Wie wil dat weten?', klonk een hese vrouwenstem aan de andere kant.

'Mijn naam is Bram Petersen van de recherche. Bent u Veronie Vermin?'

'Ik wil Veronie Posthumus genoemd worden. Om uw eerste vraag te beantwoorden: ja, ik ben zijn echtgenote. Wettelijk, niet in mijn beleving. Waarom belt u? Heeft Jacques iets gedaan dat niet door de beugel kan?'

Het viel Petersen op dat er een geamuseerde klank in haar stem te horen was.

'Zijn huis is gekraakt.'

'In Arnhem?' Ze lachte zachtjes. 'Eigen schuld, moet hij daar maar vaker zijn. Misschien was ik dan bij hem gebleven.'

'Pardon?'

'Ik zat in zijn andere huis, moet u weten. Hij heeft nog een huis, in Leersum. Ik weet niet of Jacques het leuk vindt als ik het u vertel, want het was onze geheime stek. Wat mij betreft was hij daar te vaak. Ik voelde me er niet meer op mijn gemak, want hij bemoeide zich overal mee. Ik bepaal liever zelf wat ik doe. Mannen zijn zulke lieverds, maar ze moeten hun gezicht niet te vaak laten zien.'

'U woonde op Het Hemelse Hof in Leersum?'

'Oh, dat huis kent u al. U gaat mij toch niet vertellen dat dát huis gekraakt is? Dat zou helemaal een goede mop zijn! Jacques' kleine paradijsje gekraakt. Ik zou zijn gezicht nu willen zien. Groen van ergernis natuurlijk.'

'Ik vroeg me af of u afgelopen dagen in Leersum geweest bent', zei Petersen, die de indruk kreeg dat het niet het geval was. De vrouw klonk ook alsof ze nog niets van de dood van haar man wist. Of ze speelde verbluffend goed toneel. Het speet hem dat hij niet bij haar was om te zien hoe ze non-verbaal reageerde. 'Bijvoorbeeld om op een kind te passen.'

'Ik? Daarvoor moet je niet bij mij zijn. Hoe komt Jacques aan een kind? Is er iets waar hij me niet over verteld heeft? Om uw vraag te beantwoorden, nee, ik ben al weken niet meer in Leersum geweest.'

'Zijn er mensen in de kennissenkring van uw echtgenoot die kinderen hebben?'

'U denkt toch niet echt dat Jacques kinderen in Het Hemelse Hof toe zou laten? Dan kent u Jacques niet. Een absurde gedachte. Of, natuurlijk, u zei dat het huis gekraakt is. Hebben de krakers het kind iets aangedaan?'

'Er is inderdaad afgelopen avond of nacht iets gebeurd met dat kind. Kunt u mij vertellen waar u was?'

'Jazeker. Ik was bij Herman, mijn nieuwe loverboy.'

'U hebt geen idee van wie het kind is?'

'Nee, en eerlijk gezegd interesseert het me ook niet. Dat moet Jacques maar uitzoeken. Kan hij het u niet vertellen?'

'Uw echtgenoot is dood', zei Petersen botweg, benieuwd hoe ze zou reageren.

'Ga weg! Dat meent u niet.'

'Vermoord.'

'Ah, jakkes!', riep ze geschokt. 'Oh, u denkt dat ik daar meer van weet. Maar ik heb u gezegd dat ik daar in geen weken geweest ben.'

'U bent waarschijnlijk wel zijn enige erfgenaam.'

'Dat zal dan wel.'

'Weet u of er een testament is?'

'Nee, eerlijk gezegd weet ik dat niet. Ik denk ook niet dat het veel veranderen zal. Jacques zou niet gewild hebben dat ik niets kreeg. Hij wilde dat ik bij hem terugkwam. Als er een testament is, zal hij dat niet veranderd hebben sinds ik hem verlaten heb. Dat is natuurlijk een gigantisch motief, met al dat geld dat Jacques bezat. Maar er zullen vast meer mensen zijn die hem vermoorden wilden.'

'Ik denk dat het goed is als ik u een keer bezoek om hier nader over te spreken', besloot Petersen het telefoongesprek. Hij wilde eerst weten of er inderdaad een testament was, en wat daarin stond. 'Komt het gelegen als ik in de loop van vandaag langskom?'

'Ik blijf de hele dag thuis. Als u aanbelt, kan het zijn dat ik in de tuin zit. U kunt achterom lopen. Ik zou u wel het een en ander over Jacques kunnen vertellen. Hij was een viezerik.'

'Wat bedoelt u daarmee?'

'Ik ga dat niet verder uitleggen. Daar komt u gauw genoeg achter.'

12.10 uur

'Dit is echt genieten!', riep Toine Boon vanachter het stuur. Opgetogen keek hij naar zijn vriendin. Maria van den Brink glimlachte welwillend, hoewel ze geen ontspannen indruk maakte. Ze reden over de dijk. De wind liet haar lange, blonde haren wapperen terwijl de zon haar donkere ogen deed glinsteren. Voor hem bestond er niets mooiers dan het rijden in een fraaie auto, met zo'n lekkere mokkel als Maria naast hem.

Hij begreep best dat zij niet zo'n grote autoliefhebber was als hijzelf. Maar ze moest beseffen dat dit een bijzonder moment was. Ze reden in zijn eigen rode Gibbs Aquada, de eerste auto die met een druk op de knop kon veranderen in een amfibisch voertuig, waarmee je als een speedboot over het water kon scheren. Alleen al de aërodynamische vormgeving maakte deze auto een lust voor het oog.

Sinds deze Britse vinding vorig jaar op de markt was gekomen, had hij zich voorgenomen er een te kopen. Eergisterochtend waren ze naar Birmingham in Engeland gevlogen. Gisteren waren ze doorgereisd naar Nuneaton, waar Aquada Sales Limited gevestigd was. Nadat ze de auto hadden gekocht waren ze naar Harwich gereden om per boot naar Hoek van Holland te varen. In Nederland hadden ze de nacht doorgebracht in een hotel.

Het was een machtig gevoel nu in de Aquada te rijden. In plaats van de snelste route naar huis te nemen, had Toine besloten net voor Utrecht richting Vianen te gaan, om daar de Betuwe in te rijden. Via allerlei binnenwegen waren ze bij Culemborg uitgekomen. Toen Toine er zeker van was dat er geen politie in de nabijheid was, had hij geprobeerd hoe snel hij kon rijden. Met de 2,5 liter V6 motor haalde de auto met gemak de 140 kilometer per uur! Volgens Gibbs Technologies, die de Aquada ontwikkeld had, kon de auto op het water ruim 45 kilometer per uur varen. Dit moest een sensatie zijn!

Inmiddels hadden ze Culemborg achter hen gelaten en naderden ze de veerpont van Beusichem. In de verte was Wijk bij Duurstede te zien.

'We zijn net te laat voor het veer', zei Maria van den Brink. 'Zie maar, hij vaart naar de overkant.'

'Nee hoor!', riep Toine Boon vrolijk. Hij glimlachte breed toen hij zag hoe bleek zijn vriendin rond de neus werd. 'Dit wordt geweldig!'

'Nee, Toine, dit wil ik niet. Niet met mij in de auto!'

'Toe nou, Maria, dit wil je niet missen.'

Toine Boon luisterde niet naar haar protesten. Hij liet de auto naar de waterkant rijden, waar de weg in het water zonk. Op de teller zag hij hoeveel kilometers de auto afgelegd had. Het waren er meer dan hij verwacht had. Waarschijnlijk had iemand van Gibbs de auto ingereden. Als medewerker van het ministerie van Defensie en marinier was Toine bekend met deze gewoonte. Alle nieuwe voertuigen werden eerst ingereden voor ze ingezet werden. Hij had niet veel verstand van de techniek, maar hij wist dat het goed was voor de motor, dan raakten de onderdelen op elkaar ingespeeld.

'Ik wil eruit Toine!', gilde Maria nu.

Hij snapte niet waarom ze ineens zo moeilijk deed. Dit was toch prachtig? Ze stond doodsangsten uit, alsof hij van plan was haar te verdrinken. Waarom had ze niet meer vertrouwen in hem of in de moderne techniek?

'Stop alsjeblieft.'

'Doe niet zo gek, er kan ons niets gebeuren', reageerde hij zelfverzekerd. 'Hiervoor is de auto gemaakt.'

'Wat als de golven er overheen slaan?'

Ze maakte de autogordel los en wilde uitstappen. Maar ze was te laat. Hij had al op de knop gedrukt en een paar seconden later gleed de auto dieper het water in. Eerst voorzichtig, maar toen Toine merkte hoe stabiel de auto in het water lag, gaf hij meer gas.

Een baan van schuimend water achterlatend, schoot de auto over het water.

12.15 uur

Rechercheur Petersen had net een korte wandeling over het terrein gemaakt toen hij een auto hoorde naderen. Even dacht hij dat het de rouwwagen was, die het lichaam van Jacques Vermin voor de sectie naar het Nederlands Forensisch Instituut zou brengen. Vervolgens herkende hij het geluid van de motor van een patrouillewagen en wist hij dat collega's door het bos naar Het Hemelse Hof op weg waren.

Een halve minuut later kwam de wagen met Jongenburger en de wijkagent het achtererf op. De agenten kwamen melden dat ze wisten, hoe de krakers heetten.

'Ze hadden hun namen in het gastenboek staan', vertelde Willem Verhegen, nadat hij en zijn collega uitgestapt waren. De twee agenten waren John van Keeken te vlug af geweest door zelf het proces-verbaal van de brand op te vragen. Daarna waren ze naar Leersum geweest om bij hotel Vogelesang navraag te doen of men wist waar de krakers naartoe waren gegaan. 'De jongen heet Karel Eilering, het meisje Jolanda Dirksen. Ze zijn zondag naar Zeist vertrokken.'

'Hebben jullie het adres?'

'Ze zit in een kraakpand', zei Jongenburger. 'Ken je het voormalige belastingkantoor in Zeist? Vlakbij de flats van Kerckebosch. Ze hebben tegen de hoteleigenaar gezegd dat ze daar naartoe wilden gaan.'

'Goed werk, mannen', zei Petersen, die de wijkagent kameraadschappelijk op de schouders klopte. 'Geef deze namen door

aan John van Keeken. Hem heb ik op het natrekken van de antecedenten van deze mensen gezet.'

'Daar zal hij blij mee zijn.'

—

12.45 uur

Het voormalige belastingkantoor aan de Oranje Nassaulaan
was typisch een bouwwerk dat neergezet was met oog op de
functionaliteit. Met grote ramen en hoekige vormen had het veel
weg van een saai schoolgebouw. Door jarenlange leegstand zagen
het pand en de grasmat ervoor er verwaarloosd uit. Een grote
vlag met een anarchistisch symbool achter een van de ramen
markeerde de aanwezigheid van de krakers die hun intrek in het
gebouw hadden genomen.

Petersen zette zijn blauwe BMW op de parkeerplaats aan de
zijkant van het gebouw en stapte uit. Ronald Bloem volgde zijn
voorbeeld zonder iets te zeggen. Onderweg hadden ze geen
woord gesproken. Petersen had zijn assistent willen vragen, wat
hij dacht van de uitspraak van Veronie Posthumus dat haar man
een viezerik was. Hij had ervan af gezien omdat het erop leek dat
wat de vrouw van Jacques Vermin had gezegd, volledig langs
Bloem heenging.

Ze kwamen bij de zij-ingang van het kantoorgebouw. Twee
jongens speelden met een basketbal. Op een vraag van Petersen
antwoordden ze dat Karel Eilering en Jolanda Dirksen inderdaad
in het oude belastingkantoor zaten.

'Karel is er effe niet', zei een van de jongens. Hij had een slun-
gelachtig postuur en was gekleed in een sporttenue. 'Jolanda is
binnen.'

Ze kwamen in een lange gang met aan weerszijden de ruimten
waarin vroeger het personeel van de belastingdienst werkte. In
het derde kantoor vonden ze Jolanda Dirksen. Ze zat aan een
tafel. Met een keukenmes sneed ze partjes van een appel en at ze
op, terwijl haar hoofd meedeinde met de ruige muziek die door
het bijna kale kantoor schalde.

Jolanda Dirksen was twintig jaar en had donker haar dat ze in dreadlocks droeg. In haar beide wenkbrauwen had ze piercings, net als door haar onderlip. Ze droeg een mouwloos topje met een V-hals met, zoals Petersen het in gedachten noemde, veel inkijk. Aan haar broekriem had ze een draagtasje met een mobieltje. Op haar bovenarm was een tatoeage van een vogeltje aangebracht.

'Komt u hier voor die brand?', vroeg ze, nadat Petersen zichzelf en Bloem voorgesteld had.

'Onder andere.'

'Ik mocht die vent niet, de eerste keer dat hij zijn gezicht liet zien. Ik weet wel waar hij op uit was.' Ze sprak fel. 'Dat zag ik aan de manier waarop hij mij beloerde, terwijl hij met Karel praatte. Ik hoop niet dat hij weet dat we hier zitten. Als hij hier komt, castreer ik die vent eigenhandig!'

Met een onderdrukte kreet stootte ze de punt van het mes in het tafelblad.

'Dat zal niet meer gebeuren', merkte Petersen rustig op. Hij zag dat ze met haar bravoure haar nervositeit probeerde te verbergen. 'De heer Vermin is dood.'

'Vermoord zeker?'

'Waarom denk je dat?'

Schokkerig haalde ze haar schouders op. 'Ik weet niet. Het verbaast mij niet. Hij leek mij het soort man die dat soort dingen over zichzelf afroept.'

'Je vriend Karel heeft hem afgelopen zaterdag willen aanvliegen', bracht Petersen haar in herinnering. 'Gisteravond of vannacht is Vermin vermoord. Waar zijn jullie al die tijd geweest?'

'Hier!', zei ze beslist. 'We zijn niet weggeweest. Ik was bezig met mijn studie. Ik vind het ook raar dat u ons verdenkt. De brand is alweer van vijf dagen geleden. Als Karel wraak had willen nemen, was hij dezelfde dag nog naar Arnhem gegaan.'

'Misschien is hij daar ook naartoe gaan, maar Vermin was daar bijna nooit. Je vriend kan later naar Leersum zijn gegaan.'

'Waarom zou hij dat doen? Het huis was uitgefikt.'

'Vermin had nog een woning in Leersum.'

'Daar weet ik niets van. Zaterdag beweerde die vent dat hij uit Arnhem kwam. We hadden het adres van zijn kantoor omdat we gas en elektra voor het huisje wilden betalen. Ik wist alleen van het huis aan de Rijksstraatweg. Ik dacht dat die vent in Arnhem woonde, niet in Leersum.'

'Gisteren is Karel daar niet naartoe geweest?'

'Nee, hij is de hele avond en nacht hier geweest. Wat Karel gisteren de hele tijd gedaan heeft, moet u hem zelf vragen.'

'Hij is er nu niet?', vroeg Petersen.

Jolanda Dirksen haalde haar schouders op. 'U hebt pech. Hij is kort voor u kwam vertrokken. Naar de universiteit. Ik weet niet wanneer hij terug is. Wilt u blijven wachten?'

'Als je vriend terugkomt, zeg hem dat hij zich moet melden op het districtskantoor in Veenendaal.'

Ze knikte.

In de gang kwamen Petersen en Bloem de slungelachtige jongen tegen, die rondslenterde met de handen diep in de zakken van zijn trainingsbroek. Petersen maakte van de gelegenheid gebruik hem te vragen of Karel en Jolanda gisteren weg waren geweest.

'Karel en Jolanda?', vroeg hij, terwijl hij met een mouw het zweet van zijn voorhoofd wiste. 'Die zijn niet weggeweest. Karel en ik hebben een kast geverfd. Het is niet de bedoeling dat ons kraakpandje een zwijnenstal wordt.'

'Ze hebben gisteravond hard gewerkt', zei een meisje dat bij hen kwam staan.

'Karel en Jolanda?', zei de jongen die met de basketbal buiten was gebleven. Hij dribbelde naar de muur en gooide de bal naar een denkbeeldige basket. 'Karel is gisteren toch naar Arnhem geweest? Ik heb hem nog met de auto naar het station gebracht. Of vergis ik me nou?' De laatste vraag was gericht op de slungelachtige jongen die de twee politiemensen naar buiten gevolgd was. 'Nee, dat was dinsdag natuurlijk.'

'Gisteren heeft Karel mij geholpen de kast in de bergruimte te verven.'

'Ja, nu herinner ik het me', zei de eerste jongen. 'Hij is hier de hele dag geweest.'

13.00 uur

'Zo, ik ben wel aan een goed glas whisky toe', zei Toine Boon. Met een trotse glimlach leunde hij achterover in de bestuurdersstoel van zijn Aquada. Ze zaten nu op de provinciale weg die van de rotonde aan de voet van de Donderberg in Leersum naar Maarsbergen voerde. Vanuit zijn ooghoeken zag hij de fietsers op het parallel aan de weg liggende fietspad die vol bewondering naar zijn glimmende bolide keken. De afkeurende blik van zijn vriendin ontging hem. Hij voelde hoe de wind met zijn haar speelde en moest onwillekeurig lachen.

'Zullen we niet eerst ons kindje ophalen?', vroeg zij.

'Dat kan straks ook nog wel. Eerst moeten we vieren dat we de auto hebben. Trouwens, ik snak naar wat vocht. Heb jij geen droge keel gekregen?'

'Jij denkt altijd aan drank. Heb je gisteravond niet genoeg gedronken?'

'Als jij geen drank wilt, neem je toch een glas limonade.'

'Nee,' sprak Maria van den Brink beslist, 'ik ben al tegen mijn zin de rivier opgegaan. Nu luister je eens naar mij, Toine. We gaan eerst naar Jacques. Ik wil ons kindje ophalen.'

'Maar we kunnen met deze auto niet alle spullen meenemen.'

'Die haal ik later wel op.'

'Al goed!', zei hij knorrig, toen hij merkte dat ze onverbiddelijk was.

Hij had geen zin zijn goede humeur door zijn vriendin te laten verpesten. Eerst zouden ze hun kindje ophalen. Hij hoopte alleen dat ze niet door Jacques naar binnen gevraagd zouden worden. Als hij ergens geen zin in had, was het bij de buurman te zitten, hoewel die een goede smaak scheen te hebben als het om whisky's ging. Straks vroeg hij nog of hij een ritje met de Aquada mocht maken. Maria zou dat natuurlijk gretig aanmoedigen, zolang zij maar niet mee hoefde. Toine begreep nog niet waarom zij zonet zo angstig reageerde toen hij met de Aquada te water ging. Het was toch schitterend? Hij had er in elk geval enorm van genoten! Het was helemaal geweest wat hij ervan verwacht had.

Ze bereikten het begin van de oprijlaan van Het Hemelse Hof. 'Wat is dat?', vroeg zijn vriendin. Ze klonk ongerust.

'Wat?'

'Volgens mij zag ik een lijkwagen. Ja, kijk maar, hij komt ons tegemoet.'

De weg maakte een bocht en toen zag Toine Boon de lijkwagen ook. Ze reden verder door het bos. Toine zag de verontrusting bij Maria toenemen. Reikhalzend keek ze uit naar het huis in de hoop dat ze iets zou zien dat een bevestiging was voor haar onrustgevoelens. Op het moment dat ze de lijkwagen passeerden, probeerde ze een blik naar binnen te werpen, maar de auto was hen voorbij voor ze meer dan een lange houten kist had gezien.

'Wat doen al die auto's hier?', zei Toine verbaasd. 'Dat is de politie.'

'Oh, wat erg.'

'Zou er soms wat met Jacques zijn?'

'Oh nee, er is iets met m'n kindje. M'n kindje!'

De Aquada had het achtererf bereikt. Nog voor de auto tot stilstand kwam, zag Toine hoe zijn vriendin het portier opengooide en uitstapte. Op de neuzen van haar hakschoenen holde ze naar de wijdgeopende voordeur van Het Hemelse Hof. Voor ze naar binnen kon gaan, verscheen er een agent in de deuropening. Ze wilde hem aan de kant duwen maar de agent hield haar vast.

'Laat me los!', gilde ze. 'Ik wil bij mijn kindje!'

-

13.05 uur

'Dat was afgesproken werk', was Bram Petersen van mening. Ze reden Zeist uit. Door de heftige reactie van de vriendin van Karel Eilering had hij de indruk alsof zij al wist dat Vermin dood

was. Doordat de andere krakers de gelederen sloten met hun verklaring over het alibi van Karel, twijfelde hij er niet aan dat die
indruk juist was. Hij vroeg zich af, hoe de krakers het konden
weten. Misschien had iemand hen op de hoogte gebracht, zoals
de eigenaar van dat hotel in Leersum. 'Alleen die jongen buiten
was er niet bij toen het afgesproken werd. Ik vraag me af waarom ze niet willen dat we weten dat Karel weg is geweest.'

Tot zijn blijdschap reageerde Bloem.

'Omdat hij Vermin vermoord heeft', zei z'n collega.

'Ik denk niet dat ze dan zo gereageerd zouden hebben.'

Er viel een stilte. Intussen naderden ze station Driebergen-
Zeist.

Het mobieltje van Petersen begon te piepen.

'Met Marcel', hoorde hij opgewonden aan de andere kant.
'Wat we nu weer meegemaakt hebben. Je bent even weg of we
krijgen een hysterisch krijsende vrouw in huis.'

'Waar komt zij opeens vandaan?'

'Ze kwam met een man aangereden. Freek Jongenburger
heeft ternauwernood kunnen verhinderen dat zij de werkkamer binnenging. Ze probeerde hem in het gezicht te krabben
om los te komen. We wilden haar juist in de boeien slaan toen
ze onwel werd. Ze is in een shock. Ik heb om een ambulance
gevraagd.'

'Ben je wat van de man te weten gekomen?'

'Hij zegt dat ze hun kindje kwamen ophalen.'

'Hoe heet hun kindje?'

'Ik zal het hem vragen. Hij staat hier naast me.' Het werd even
stil. 'Het is een jongetje van bijna vier jaar oud. Emile, zo heet
hij. Ik heb hem gezegd dat er geen kindje is. Hij eist een verklaring. Ik heb hem uitgelegd dat Jacques Vermin dood is en dat we
niet weten waar hun kindje is. Het schijnt dat Emile een paar
dagen bij Vermin gelogeerd heeft, terwijl zijn ouders naar
Engeland waren.'

'Prima', zei Petersen tevreden. 'Kun je ervoor zorgen dat zij en
haar man naar het Diaconessenziekenhuis in Utrecht gebracht
worden? Zeg tegen de man dat we mogelijk zijn zoontje gevon-

den hebben en dat het goed met hem gaat.'

-

13.20 uur

'Ze zitten al in het vliegtuig', kreeg rechercheur Petersen te horen. Ze stonden met zijn blauwe BMW op een parkeerplaats bij station Driebergen-Zeist. Na de melding van Marcel Veltkamp had hij met Inge Veenstra contact gezocht om te horen wat haar in het Diaconessenziekenhuis verteld was. Zij had hem doorgegeven wat het echtpaar gezegd had bij wie Emile te vondeling was gelegd, maar toch waren er enkele punten waarop Petersen meer duidelijkheid wilde krijgen. Van Veenstra begreep hij wel dat hij snel moest zijn om het echtpaar te spreken te krijgen. Daarom had hij het nummer van Schiphol gedraaid. 'U kunt hen beter bellen als ze op hun bestemming zijn.'

'Ik bel in verband met een rechercheonderzoek', legde Petersen uit. 'Het is van vitaal belang dat ik een van hen te spreken krijg.'

'Dat zal niet gaan', hield de vrouw op vriendelijke toon vol. 'Het vliegtuig vertrekt zo.'

'Ik heb begrepen dat DL45 pas om kwart voor twee vertrekt. Misschien kan ik uw chef spreken?'

'Het is echt zeer ongebruikelijk. Goed dan. Ik zal zien wat ik voor u doen kan. Rekent u nergens op.'

-

13.30 uur

Op het moment dat de stewardess bij hen kwam om te vragen of een van hen aan de telefoon kon komen, had Melanie van Schaik de affaire met het kind al grotendeels van zich afgezet. Ze wilde zich concentreren op de vakantie die voor hen lag. Ze had een folder over Memphis uit haar handbagage genomen om haar aandacht af te leiden. Het kind had al meer bij haar losgemaakt dan haar lief was.

In tegenstelling tot Otto werd zij er elke maand aan herinnerd dat ze geen kinderen kon krijgen. Die vernederende ervaring had haar weerslag op haar gemoedstoestand. Uit medisch onderzoek was gebleken dat zij geen kinderen kon krijgen. Waarom kregen anderen vrouwen dan wel kinderen, om ze vervolgens te verwaarlozen of te vondeling te leggen? Ze vond het te pijnlijk om er met bekenden over te praten. Otto zei elke keer dat ze zich er niet voor schamen hoefde, maar hij hoefde deze vernedering niet te ondergaan op de manier zoals zij die onderging.

De manier waarop haar schoonmoeder haar behandelde, had het nog erger gemaakt. Om het pijnlijke onderwerp te vermijden, had Melanie tegen haar gezegd dat ze voorlopig niet aan kinderen dachten. Sindsdien briefde haar schoonmoeder dat aan iedereen door, alsof Melanie alleen maar aan zichzelf en haar carrière dacht. En elke keer kwam ze met suggestieve opmerkingen, over die vriendin van haar die zwanger was of over die buurvrouw verderop die kleinkinderen had gekregen en hoe leuk dat was.

Misschien hadden ze haar in vertrouwen moeten nemen, met het risico dat het onderwerp bij elk bezoek ter sprake zou komen. Met als gevolg dat de hele familie – en kennissenkring – ervan op de hoogte kwam en zich ermee ging bemoeien. Als ze ergens geen behoefte aan had, waren dat goedbedoelde opmerkingen en adviezen, waar ze uiteindelijk toch niets mee kon. Het maakte haar ook nijdig dat ze door haar schoonmoeder nu neergezet werd als een egoïstisch carrièrevrouwtje. Haar schoonzus had wel kinderen. Twee meisjes en een jongetje. Het jongetje deed wel eens vervelend als hij vond dat hij te weinig aandacht kreeg. Haar schoonzus mopperde daar dan over. Maar Melanie dacht dan altijd: wees blij dat je kinderen hebt! Die gedachte sprak ze evenwel niet uit, uit angst dat haar kinderloosheid ter sprake zou komen. Dat ging niemand wat aan behalve haar en Otto. Daarom riep het te vondeling gelegde kind allerlei herinneringen bij haar op, waar ze niet mee geconfronteerd wilde worden.

'Wanneer laat u ons eindelijk met rust?', was het eerste wat ze in de hoorn zei, voor de ander zich had kunnen voorstellen.

'Mijn naam is Petersen.'

'Dat interesseert mij niet. Ik wil dat u ons met rust laat.'

'Er is een verband tussen het kind dat bij u te vondeling werd gelegd en een ernstig misdrijf.'

'Wilt u ons tegenhouden, zodat we niet op vakantie kunnen gaan?', vroeg ze. 'Dat lukt u op dit moment al aardig. Terwijl u mij aan de praat houdt, staat het vliegtuig op het punt te vertrekken. Het heeft al vertraging!'

'Als het moet, zal ik u inderdaad laten tegenhouden', sprak de ander onverbiddelijk. 'Zolang ik er niet zeker van ben dat u niet bij het misdrijf betrokken bent, kan ik u niet laten gaan. Er is een moord gepleegd en het kind dat bij u is gevonden heeft daarmee te maken.'

'Denkt u echt dat wij het kind aangebracht hadden als wij iets met een misdrijf te maken zouden hebben?'

'Het is mijn gewoonte niets uit te sluiten.'

'Hoe vaak,' riep Melanie van Schaik, 'moet ik nog zeggen dat we dat rotkind niet kennen. Iemand heeft ons een misselijke streek geleverd. Daarom moeten jullie ophouden met dit gevraag. U hebt de verklaring die u wilde hebben. Wat u nu doet is niets anders dan iemand moedwillig dwarsbomen.'

'Mijn collega wist niet dat er sprake was van een moord. Er zijn nieuwe vragen bij ons opgekomen. Het enige wat ik van u verlang, is dat u deze vragen beantwoordt. Werkt u mee, dan kunt u uw geplande vakantie voortzetten.'

Melanie zuchtte.

'Toe dan maar.'

'Mijn collega heeft gevraagd naar het tijdstip waarop uw echtgenoot het kind vond. Graag zou ik willen weten hoe laat het kind in elk geval nog niet te vondeling was gelegd. Misschien bent u 's avonds nog buiten geweest en was er op dat moment nog niets gebeurd.'

Ze dacht even na. 'Niet voor elf uur. Toen zijn we naar bed gegaan. We hadden onze bagage al in de kofferbak gelegd, zodat we ons vanochtend niet hoefden te haasten. Niet dat we daar

69

veel aan gehad hebben', voegde ze er cynisch aan toe. 'Otto heeft even voor elven nog gecontroleerd of de auto afgesloten was.'

'Uw echtgenoot ontdekte het kind rond zeven uur vanochtend.'

'Ja, onder de carport.'

'Ergens tussen elf uur gisteravond en zeven uur vanochtend heeft een nog onbekend persoon het kind uit een huis gehaald en bij u gebracht. In het huis waar hij verbleef was een logeerkamer voor het kind ingericht. Daar hebben we speelgoed aangetroffen. Graag wil ik weten wat de dader meegenomen heeft. Wat trof uw man bij het kind aan?'

'Het kinderbedje', herinnerde Melanie. 'Daarnaast stond een weekendtas.'

'Wat zat daarin?'

'Wat je verwachten kunt. Een flesje, peutervoeding, kleding.'

'Hebt u enig idee waarom het kind bij uw huis werd achtergelaten?'

'Nee. Dat zou ik wel eens willen weten. Iemand heeft ons dwars willen zitten.'

'Dan is het iemand die u kent.'

'Ik zou niet weten wie erachter kan zitten.'

'Ik heb nu een hele andere vraag', vervolgde Petersen. 'Hoelang woont u al in Maarsbergen?'

'Zes jaar.'

Ze hadden de voormalige boerderij gekocht met het oog op de ruimte, zowel buiten als binnen. Ze herinnerde hoe opgetogen ze hadden rondgekeken waar ze kamers voor de kinderen konden maken. Door die bittere gedachte, moest ze zich beheersen om niet de hoorn erop te gooien.

'Ik neem aan dat u in die jaren heel wat mensen hebt leren kennen die aan dezelfde weg wonen.'

'Wat wilt u daarmee zeggen? Ja, we weten wie links en rechts van ons wonen. Maar daar is alles mee gezegd. We hebben weinig contact met anderen. Een van onze buren past op het huis terwijl we weg zijn.'

'Zegt de naam Maria van den Brink u iets?'

'Nee. Is zij de moeder van Emile?'

'Toine Boon?'

'Ook die naam zegt mij niets.'

'Jacques Vermin? Thijs Warnink?'

'Nee. Geen van deze namen klinkt bekend.'

'Jolanda Dirksen? Karel Eilering?'

'Nee. Ziet u, ik kan u niet helpen, hoe jammer ik dat ook voor u vind.'

13.55 uur

Op de terugweg naar Het Hemelse Hof reden Petersen en Bloem langs de voormalige boerderij waar Otto en Melanie van Schaik woonden. De Kleine Valkeneng, zoals de boerderij heette, bevond zich aan de N226. Dit was de provinciale weg die vanaf de voet van de Donderberg in Leersum in noordelijke richting via Maarsbergen naar Woudenberg voerde. De boerderij was vernoemd naar een oudere boerderij, Groot Valkeneng, die zich vroeger aan de overzijde van de weg had bevonden, maar waar nu alleen nog bos was. De Kleine Valkeneng was een zogeheten langhuisboerderij, met de kenmerkende doorlopende kap en rechthoekige plattegrond. Door de witgepleisterde voorgevel met grijze plint, de witrode luiken en het rietgedekte dak deed het gebouw pittoresk aan. Het witte zandlopermotief van de luiken maakte duidelijk dat de boerderij van oorsprong bij het landgoed van kasteel Maarsbergen hoorde. Dit kasteel bevond zich even verderop in het bos. Op het achtererf was nog een schuur en een hooiberg te zien. De hooiberg was in gebruik als carport.

De pittoreske uitstraling van de boerderij werd versterkt door de prominente plek die het in de bocht van de N226 had. Van welke kant men ook kwam, de Kleine Valkeneng was goed te zien. Bram Petersen parkeerde zijn auto aan het begin van de oprit van de boerderij en bleef zitten. Hij keek precies tussen het huis en de houten schuur door naar de voormalige hooiberg. Op

71

de bovenste verdieping van het huis stond een raam op een kier open. Waarschijnlijk bevond zich daar de slaapkamer van Otto en Melanie van Schaik.

Petersen had van het echtpaar het adres van het hotel in Cincinnati gekregen waar het stel het eerst naartoe ging. In de komende drie weken zouden de twee naar verschillende plaatsen reizen, maar van tevoren stond niet geheel vast welke. Ze hadden het plan opgevat een camper te huren om daarmee kriskras door Noord-Amerika te reizen. Op verzoek van Petersen zouden ze elke dag naar het hoofdbureau bellen om aan te geven waar ze waren. Mocht de situatie zich voordoen dat Petersen hen meer vragen wilde stellen, dan kon dat op die manier gebeuren. Wat Petersen niet gezegd had, was dat hij er nog rekening mee hield dat het tweetal bij de moord betrokken was, al achtte hij die kans klein. Toch zou het verkeerd zijn om hen bij voorbaat uit te sluiten.

Melanie van Schaik ontkende dat ze een van de andere betrokkenen kende, maar Petersen ging er nooit klakkeloos vanuit dat iemand de waarheid sprak. Eigenlijk had hij haar man dezelfde vragen moeten stellen, dan had hij misschien andere antwoorden gekregen.

Ronald Bloem zag amper iets van de boerderij. Petersen wilde uitstappen, maar hij merkte dat zijn collega alweer wezenloos voor zich uit zat te staren. Dit kon zo niet langer doorgaan.

'Is er wat, Ronald?'

Bloem schudde zich los uit zijn gedachten.

'Nee, ik zat even aan Emile te denken.'

'Zijn er problemen?', vroeg Petersen. 'Persoonlijke problemen?'

'Nee.'

'De zwangerschap?'

'Er is niets.'

'Je weet dat je er met mij altijd over kunt praten.'

'Nee, nee, er is echt niets, Bram', zei Bloem.

'Dan wil ik dat je je aandacht erbij houdt', merkte Petersen op.

Hij geloofde er niets van dat er geen problemen waren. Dat zijn collega er niet over wilde praten, verbaasde hem wel, want ze hadden zelden geheimen voor elkaar. Misschien was Bloem er nog niet klaar voor. Hoe dan ook, het werk ging op dit moment voor en daarom zei hij dat hij met hem van gedachten wilde wisselen. 'Waarom denk je dat degene die Emile te vondeling legde dat juist hier gedaan heeft?

'Hoe zou ik dat kunnen weten?'

'Denk eerst na.'

'Misschien heeft de dader dat gedaan omdat hij of zij er vanuit ging dat het kind bij Otto en Melanie van Schaik welkom zou zijn. Zij hebben immers geen kinderen.'

'Als dat zo is, dan moet de dader hen goed kennen', concludeerde Petersen. 'In dat geval zou het kunnen dat zij loog toen ze zei dat ze geen van de betrokkenen kent. Denk je dat er een andere reden kan zijn?'

Bloem haalde onverschillig de schouders op.

'Kijk goed naar het huis en de omgeving', drong Petersen aan. Enkele tellen keek Ronald Bloem naar de boerderij en de bijgebouwen. Daarna haalde hij zijn schouders nogmaals op. Hij leek moeite te hebben zich op de vraag te concentreren. 'Kijk nog eens goed. Otto van Schaik werd vanochtend gewekt door het gehuil van Emile. Waarom hoorde hij het zo goed?'

Nu zag Bloem het. 'Het raam staat open!'

Petersen knikte. 'Juist. Van Schaik ontdekte het kind naast de auto van zijn vrouw. De andere auto was gepakt voor de vakantie. Met zijn vrouw is hij naar het ziekenhuis gereden en vandaar naar Schiphol. Ze zijn niet meer thuis geweest. Alles is hier nog zoals ze het achtergelaten hebben. Kijk er nu nog eens naar met de ogen van iemand die Emile ergens te vondeling wil leggen. Het is donker. Wat zie je?'

'Het huis staat in de bocht.'

'Juist. Van welke kant je ook komt, de boerderij is goed te zien. De huizen van de beide buren staan wat verder van de weg, zodat die in het donker niet opvallen. Er is ook bos aan de overkant van de weg. Met andere woorden…'

'…geen huizen van waaruit iemand kon zien hoe Emile hier gebracht werd!'

'Inderdaad. Degene die het gedaan heeft, wilde zeker weten dat het kind gevonden zou worden. Maar hij of zij wilde zelf niet gezien worden. Als je van Het Hemelse Hof komt, is dit waarschijnlijk het eerste huis dat je in het donker ziet. Een huis dat vanuit andere huizen niet te zien is. Aan het geopende raam en de geparkeerde auto was te zien dat de bewoners van Klein Valkeneng thuis waren.'

'En,' vulde Ronald Bloem aan, 'degene die Emile hier achterliet, ging in deze richting terug naar huis. Misschien was hij of zij op weg naar de snelweg in Maarsbergen. Dan is het niet iemand uit Leersum.'

14.05 uur

Ze reden over de oprijlaan en waren bijna bij Het Hemelse Hof toen Petersen opzij keek en zag dat de afwezige blik weer in de ogen van zijn jongere collega terug was. Hij had de wenkbrauwen gefronst. Dat Ronald Bloem in gedachten verzonken was, beschouwde Petersen normaalgesproken niet als iets negatiefs. Het hoorde bij hun werk om na te denken. Dat deed hij zelf voortdurend. Maar hij was ervan overtuigd dat zijn collega nu opnieuw niet over het onderzoek nadacht, maar dat persoonlijke problemen hem dwarszaten.

Hij bracht zijn auto tot stilstand.

'Voor we gaan kijken hoever het met het technische onderzoek staat, wil ik eerst weten wat je dwars zit, Ronald.'

'Er zit me niets dwars. Hoezo?'

'Ik kan merken dat je er telkens met je gedachten niet bij bent. Waar zit je aan te denken?'

'Niets. Ga nou maar verder.'

Petersen begreep niet waarom zijn collega zo makkelijk geïrriteerd raakte.

'Luister, Ronald, als je er niet over praten wilt, prima. Maar ik kan zo niet met je samenwerken. Als ik merk dat je er niet bij bent, zal ik Griesink vragen je van het onderzoek af te halen, zodat je je helemaal aan je problemen kunt wijden.'

'Dat meen je niet!'

'Dat meen ik wel. Dit kan zo niet doorgaan. Ik wil dat je je aandacht erbij houdt.'

'Ik heb mijn aandacht erbij', zei Bloem koppig. 'We hadden het over de persoon die Emile te vondeling legde. Hij of zij is in noordelijke richting vertrokken. We weten niet hoe laat het gebeurd is, in elk geval na elf uur. We moeten navraag laten doen of iemand er iets van gemerkt heeft. Een nieuwe vraag voor het buurtonderzoek.'

'Ik heb je een minuut geleden nog iets anders gevraagd. Waarom nam de dader Emile mee?'

'Misschien overwoog hij of zij het kind zelf te houden.'

'Ronald, dit geloof je zelf niet. Kun je niets beters bedenken? Nee? Dan zal ik zeggen wat ik ervan denk. Jacques Vermin woonde afgelegen. Weinig mensen weten dat hij hier woonde. Bijna niemand bezocht hem, uitgezonderd de schoonmaakster Maria van den Brink en zijn vriend Thijs Warnink. De dader moet dit geweten hebben. Hij of zij moet beseft hebben dat als het kind niet weggehaald en ergens te vondeling gelegd zou worden, het mogelijk dood zou gaan. Als de dader niet wist dat Maria van den Brink hier twee keer in de week kwam, kan hij of zij gedacht hebben dat het dagen of zelfs weken zou duren voor Jacques Vermin en daarmee ook Emile gevonden zou worden.'

'De dader wilde Emile niet aan zijn lot overlaten.'

'Wat zegt ons dat over de dader?'

'Hij of zij rekende er niet op dat er een kind zou zijn.'

'En verder?'

'Hij of zij nam het kind mee.'

'Ik heb het over de persoonlijkheid van de dader. Wat nam hij of zij mee uit het huis van Vermin, en wat bleef achter?'

'Er is alleen een kinderzitje en wat speelgoed achtergebleven. De dader heeft wel het kinderbedje meegenomen, waarin Emile werd gelegd. Je hebt zonet nog naar Utrecht gebeld om te vragen wat er in de weekendtas zat. Namelijk een flesje, peutervoeding en kleding.'

'Met andere woorden,' vatte Petersen samen, 'de dader heeft alles meegenomen wat echt noodzakelijk is voor de verzorging van Emile. De rest is achtergebleven.'

'Zou een man die moeite genomen hebben?', vroeg Bloem nu.

Petersen moest glimlachen. Dit was het type vraag dat hij van zijn collega gewend was. 'Misschien niet. Het heeft er alle schijn van dat Emile door een vrouw is meegenomen. Ik kwam zelf op die gedachte, toen jij zonet opeens over de dader sprak. Je zei "hij of zij". Tot nu toe zijn we met verschillende vrouwen in aanraking gekomen. De ex van Vermin, zijn werkster, Jolanda Dirksen uit het kraakpand en Melanie van Schaik bij wie het kind werd achtergelaten. En dan vergeet ik bijna die vriendin van Thijs Warnink. Het staat niet vast dat de dader een vrouw is, maar ik houd het wel in gedachten.'

15.25 uur

Hier krijg ik de balen van, dacht John van Keeken nadat zijn collega's Bram Petersen en Ronald Bloem de projectruimte waren binnengekomen. Petersen had bij zijn binnenkomst direct een opmerking gemaakt over rommel op het bureau van Van Keeken. Waarom moest hij zo nodig deze projectruimte uitkiezen om in te richten voor dat nieuwe onderzoek, want er was nog een projectruimte vrij. En waar maakte die vent zich druk om? Alsof het doorspitten van anderhalve kilo kassabonnetjes geen rotzooi zou opleveren. Het was de zoveelste keer dat John van Keeken zijn woede weg moest slikken. Hij wist dat hij moest uitkijken met wat hij zei, want Petersen zou elke kans aangrijpen om hem eruit te gooien. Daar was hij na ruim twee jaar wel van overtuigd. Afgezien van zijn oudere collega had Van Keeken het in Veenendaal teveel naar zijn zin om zich door hem te laten ringeloren.

76

Vanochtend had Petersen hem gevraagd een proces-verbaal te zoeken, omdat hij de namen van twee krakers wilde weten. Van Keeken was daarmee bezig geweest, toen hij gebeld werd met de mededeling dat de namen al bekend waren. Nadat hij het proces-verbaal uiteindelijk toch boven water had gehaald, had Van Keeken het op het bureau gelegd waar Petersen meestal zat als hij deze ruimte voor een onderzoek in gebruik nam, maar daar had die kale stijfkop nu geen belangstelling voor. Er kon blijkbaar geen complimentje van af.

Bram Petersen trok de aandacht door mijn zijn knokkels op zijn bureau te tikken. John van Keeken zag Inge Veenstra vanachter haar bureau opkijken.

'Omdat Ferry en Steven er niet zijn, vormen wij de kern van het team dat de moord op Jacques Vermin onderzoekt', zei Petersen. 'Ik stel voor dat we elke ochtend voor aanvang van de werkzaamheden de vorderingen bespreken. Daarom verwacht ik dat een ieder van jullie morgen om acht uur aanwezig is, het liefst eerder.'

John van Keeken kreunde.

'Ronald en ik gaan zo meteen naar Ermelo', vervolgde rechercheur Petersen. 'Daar woont de vrouw van Jacques Vermin.'

'In zo'n ritje heb ik ook wel zin', zei Van Keeken.

'Dat zit er niet in, John. Ik heb voor jou en Inge wel een paar nieuwe opdrachten waar jullie de komende dagen in elk geval druk mee zullen zijn. Ik wil dat jullie over nog eens vier mensen informatie verzamelen. Het gaat om Otto en Melanie van Schaik uit Maarsbergen. Inge, jij hebt ze ontmoet. Misschien kun jij je met hen bezig houden.'

'Doe ik. Wie zijn de andere twee?'

'Toine Boon en Maria van de Brink, de ouders van het te vondeling gelegd kind.'

'Tuinboon?', reageerde Van Keeken. 'Wat een naam!'

'Maria van den Brink was de werkster van Jacques Vermin. Behalve het natrekken van hun antecedenten, wil ik dat jullie van al deze personen de alibi's nagaan. Ronald heeft aantekeningen gemaakt over waar al deze personen zich afgelopen nacht zouden hebben bevonden. Ik wil weten of ze de waarheid spreken. Vergeet ook niet navraag te doen bij Nelly van Dijk. Zij is de vriendin van Thijs Warnink die het lichaam van Vermin vond.'

'Verder nog iets?', vroeg John van Keeken.

'Ja, heb jij nog contact gehad met het testamentenregister in Den Haag?'

'Er is een testament. Ik heb bij jou een memo neergelegd, naast het kraakrapport.'

'Ah, ik zie het. Even kijken. Ik zie dat je zelfs contact hebt gehad met de notaris? Hier staat dat uit het testament blijkt dat de vrouw van Vermin alles erft. Er is een legaat voor Thijs Warnink, maar niet meer dan duizend euro. Een schijntje vergeleken bij wat zij krijgt.'

'Er schijnt nog een aanvulling te zijn. Als Veronie Posthumus van Jacques Vermin zou scheiden, of als zij voor hem kwam te overlijden, zou alles naar Thijs Warnink gaan.'

'Ik zie het. Maar daar is nu geen sprake van.'

'Inderdaad', mompelde Van Keeken.

'Goed, Ronald we gaan.'

Ze liepen naar de gang.

'Oh, en John,' zei Petersen, die zich omdraaide, 'goed werk!'

16.30 uur

Op het moment dat rechercheur Bram Petersen voor de tweede maal aanbelde, herinnerde hij zich wat de vrouw over de telefoon gezegd had. Ze stonden bij een dure villa in een buitenwijk van Ermelo, aan de rand van de Veluwse bossen. Veronie Posthumus had haar man ingewisseld voor iemand die in financieel opzicht niet voor Jacques Vermin onderdeed. Hij keek omhoog. De lucht was vol kleine stapelwolkjes waartussen de zon genoeg ruimte kreeg. Het moest minstens achtentwintig graden zijn, want het voelde met zijn colbertjasje warm aan. Op de snelweg naar Ermelo had Petersen het raampje open gehad voor verkoeling. Natuurlijk zat Veronie Posthumus met zulk weer in de tuin, zoals ze ook gezegd had, en daarom liep hij met Bloem in zijn kielzog over het tuinpad naar de andere kant van het huis. Daar zat ze recht overeind op een ligbed. Een parasol bood haar schaduw. Behalve een vuurrode bikini droeg ze niets. Ze zat met de rug naar hen toe, maar toen ze hen op het gazon hoorde lopen, draaide ze zich om.

'Bent u Petersen?'

Hij herkende haar hese stem onmiddellijk. Nu zag hij dat ze een tube notenolie in haar hand had waarmee ze zich insmeerde. Ze was een vrouw met een knap gezicht, donkere ogen, een goed figuur, en lang, pikzwart haar dat ze in een staart droeg. De voorkant van haar lichaam glom van de olie die ze erover uitsmeerde.

'Mooi, u had op geen beter moment kunnen komen. Herman is er nog niet. Wilt u mijn rug insmeren terwijl ik ga liggen?'

Ze giechelde.

'Dit is mijn collega Ronald Bloem', was de reactie van Petersen, die het verstandiger vond haar opmerking te negeren.

'Ik heb de hele middag in de zon gezeten. Ik ben bang dat ik verbrand ben. Kijk maar, mijn huid wordt net zo rood als mijn bikini. Stom natuurlijk, ik had de parasol eerder op moeten zetten. Als u mij helpen wilt, graag! Of doet u het niet? U wordt er natuurlijk niet voor betaald!'

Ze tilde de rechtercup van haar bikinitopje op om ook het grensgebied tussen het bedekte en het onbedekte in te smeren. Daarna volgde de linkercup waarbij ze langdurig Petersen in de ogen keek. Hij zag dat ze ervan genoot hem te provoceren. Maar hij verlegde zijn aandacht naar de perfect aangelegde tuin. De geur van haar parfum, vermengd met die van notenolie, drong zich aan hem op.

'Uw vriend woont hier mooi', zei hij.

'Misschien kan uw jongere collega stoelen pakken, zodat u kunt gaan zitten. Ik zou als ik u was uw jasje uittrekken. Weet u wel hoe heet het is? Zelfs ik heb het heet. Ik probeer Herman ervan te overtuigen een zwembad te laten aanleggen. Het is ook jammer dat de tuin gedeeltelijk in het zicht van de buren ligt, anders zou ik alles uittrekken natuurlijk. Pfff, wat is het warm!'

Even later zaten ze alle drie onder de parasol.

'Over de telefoon hebt u mij verteld dat u gisteravond bij uw nieuwe vriend was.'

'Om preciezer te zijn, we waren aan het begin van de avond in een restaurant hier in Ermelo.'

'De naam van het restaurant?'

'Ramses' Palace.'

'Tot hoe laat was u daar?'

'Negen uur. Daarna zijn we naar huis gegaan.'

'Er waren geen andere mensen hier?'

'Oh jee, dat is zeker niet het meest betrouwbare alibi.'

'Hebt u de rest van de avond nog iets gedaan?'

'Wilt u dat echt weten?', zei ze met een gretige glimlach, waarbij ze een rij prachtig witte tanden ontblootte.

'Misschien hebt u gebeld', zei hij. 'In dat geval kan iemand bevestigen dat u thuis was.'

'Nee, ik heb niemand gebeld. We hebben ons op andere wijze vermaakt.' Ze knikte naar de hand waar zijn trouwring zat. 'U zult daar vast ervaring mee hebben.' Met haar linkerwijsvinger en duim maakte ze een cirkel waar ze haar gestrekte rechterwijsvinger een paar keer in heen en weer bewoog. Opnieuw giechelde ze.

Petersen vond haar ordinair. Had ze dan helemaal geen besef van waar ze mee bezig was? Haar man was vermoord en zij zat zich uitdagend te gedragen alsof ze van de situatie genoot. Zelfs Ronald Bloem was zich hiervan bewust. Hij kon zijn ogen amper van haar beweeglijke lichaam afhouden, en daarmee was dit vandaag de eerste situatie waarin hij zijn aandacht er volledig bij had.

'Wat voor een werk deed uw echtgenoot?'

'Heeft Thijs u dat niet verteld? Jacques had een adviesbureau in Arnhem.'

'Waar adviseerde hij in?'

'Dat interesseerde mij niet.'

'Wat voor een studie had hij gevolgd?'

'Dat zou ik ook niet weten.'

'Waarom noemde u hem over de telefoon een viezerik?'

'Heb ik dat gezegd?' Ze deed alsof ze verwonderd was. Petersen zag dat in haar ogen een sluwe blik geslopen was, waardoor hij begreep dat ze meer wist dan ze zou vertellen. Vlug bekeek ze haar roodgelakte nagels. 'Nee hoor, Jacques was heel lief voor mij. Hij was echt op mij verkikkerd, weet u dat?'

'U erft bijna alles van hem.'

'Staat dat in het testament?'

Petersen knikte.

'Dan heb ik weer eens geluk', zei ze.

'Hoe bedoelt u?'

'Nou, een oom van mij is onlangs gestorven. Van de notaris kreeg ik papieren thuisgestuurd met de vraag of ik de erfenis wilde accepteren of niet. Er was namelijk geen testament en mijn oom is nooit getrouwd geweest.'

'U kreeg een deel van de erfenis?'

'Nee, want ik zag er vanaf. Maar twee nichtjes van me hebben de erfenis wel geaccepteerd. En wat bleek toen? Er waren alleen maar schulden! Daar mochten zij voor opdraaien.' Ze lachte luid. 'Daar ben ik mooi aan ontsnapt. Natuurlijk wist ik dat mijn oom zijn geld verkwistte. Daarom vermoedde ik al dat er niet veel te halen was.'

'Omdat u de erfenis geweigerd hebt, hebben uw nichtjes meer moeten betalen om de schulden af te lossen', merkte Petersen op. Hij dacht aan Thijs Warnink die in een vergelijkbare situatie had gezeten toen zijn dronkaard van een vader overleed en hij achterbleef met schulden. Geen wonder dat hij niet veel op had met de vrouw van Jacques Vermin en dat hij blij was dat ze was vertrokken.

'Eigen schuld!', vond zij. 'Hadden ze maar niet zo stom moeten wezen om de erfenis te aanvaarden. Ze waren veel te hebberig!'

'U aanvaardt wel de erfenis van uw echtgenoot?'

'Ja, heerlijk!', zei ze triomfantelijk. 'Wanneer wordt het huis in

Leersum vrijgegeven? Herman en ik overwegen om in Jacques'
kleine paradijsje te trekken.'

20.10 uur

Na een vermoeiende dag kwam Bram Petersen terug in een stil
huis. Zijn vrouw Magda was er niet en ze zou vandaag ook niet
thuiskomen. Afgelopen voorjaar had hij haar verteld dat hij niet
van plan was deze zomer op vakantie te gaan, omdat ze een
nieuw bankstel hadden gekocht dat meer had gekost dan
beraamd. Eigenlijk had hij niet zoveel zin om weg te gaan, in elk
geval niet voor langere tijd. Als hij zijn vrije dagen wilde opma-
ken, ging hij net zo lief met zijn vrouw een dagje wandelen of
fietsen, wat Magda ook leuk vond. Misschien wilde hij wel een
weekendje met haar weg, naar de Veluwe of naar Zeeland, maar
geen langere tijd. Magda wilde dat wel. Zij wilde naar het buitenland. Uiteindelijk had ze plannen gemaakt om met hun
ongetrouwde dochter Marian tien dagen naar Italië te gaan, wat
Petersen prima had gevonden.

Ze waren nu twee dagen weg. De eerste dag had Petersen
gedacht dat hij moest wennen aan de stilte in huis, en dat hij uiteindelijk vanzelf zou genieten van de vrijheid. Hij kon zelf bepalen wanneer en wat hij ging eten, ook al betekende dat, dat hij
er zelf voor moest zorgen. Maar hij was geen huishoudelijk type,
zoals Magda. Zij kon in een mum van tijd een maaltijd op tafel
zetten. Dit brak hem nu op. Vandaag had hij boodschappen
moeten doen, maar daar was het vanzelfsprekend niet van gekomen. Inmiddels waren de winkels dicht. Hij had er eerder aan
moeten denken. Hij kon ook naar een restaurant gaan, maar dat
trok hem niet. Hij wilde een vlugge maaltijd, omdat hij nog even
naar het bureau wilde om te informeren naar de laatste stand van
zaken van het onderzoek.

In de keuken keek hij peinzend in de koelkast of daar iets lag
waar hij een maaltijd van kon maken. Gisteren had hij een potje
met erwten opgemaakt. Verse groente had hij niet meer in huis.

Aardappels waren er nog wel, maar als hij die nu moest schillen en koken, werd het veel te laat. Zijn blik viel op een conservenblik achterin. Toen hij het omdraaide, zag het dat het bruine bonensoep was. Extra gevulde, stond er op het etiket te lezen. Voor vandaag moest dat goed genoeg zijn.

Terwijl hij met een trekker de laatste restjes uit het blik in de pan schoof, dacht hij terug aan de afgelopen werkdag. Vooral de opmerking van Veronie Posthumus dat haar man een viezerik was, hield hem bezig. De wethouder in Leersum had Jacques Vermin twee keer in Arnhem opgezocht, en afgelopen zaterdag had Vermin beweerd dat hij uit die stad overgekomen was. Petersen had inmiddels ook het kraakrapport en het proces-verbaal van de brand in 't Hoekje ingezien, waarin ook melding werd gemaakt van een woonadres in Arnhem. Maar hij wist van Thijs Warnink dat die het weekend naar Het Hemelse Hof was geweest, want op zaterdag hadden ze de catamaran van Vermin reisklaar gemaakt. De communicatieadviseur, die het grootste deel van de week in Leersum woonde, maar dat tegenover buitenstaanders verzweeg, had gelogen. Veronie Posthumus noemde het huis in Leersum Jacques' kleine paradijsje, zijn geheime stek. Hij had iets te verbergen gehad. Petersen had nog geen idee wat.

Hij was ook onzeker op een ander punt en dat betrof de samenwerking met Ronald Bloem.

Na hun terugkeer uit Ermelo was zijn assistent naar huis gegaan zonder iets te zeggen. Petersen had daarna de aantekeningen doorgenomen die Bloem vanochtend gemaakt had. Hij had een vage herinnering dat Thijs Warnink iets gezegd had, dat van belang was, en hij hoopte dat de aantekeningen zijn geheugen zouden opfrissen. Maar in het notitieboekje van zijn assistent had hij niet gevonden wat hij zocht. Het viel hem sowieso op, hoe weinig Bloem überhaupt genoteerd had.

Dat was de aanleiding geweest om districtschef Theo Griesink aan het eind van de dag te spreken over het verloop van het onderzoek. Hij had hem verteld hoe afwezig Bloem vandaag met zijn gedachten was geweest.

'En je weet zeker dat hij niet over het onderzoek zelf in gedachten is?'

'Ik heb maar een paar keer een zinnige reactie gehoord. Zo kan ik niet met hem samenwerken. Ik ben van hem gewend dat hij meedenkt, dat hij mij helpt mijn gedachten bij te sturen of dat hij met nieuwe ingevingen komt. Nu doet hij dat niet, terwijl hij ergens over zit te kniezen. Ik heb zo niets aan hem. Erger nog, hij leidt mij daarmee af.'

'Heb je hem gevraagd wat hem dwars zit?'

'Verschillende keren. Maar hij doet alsof er niets aan de hand is.'

Griesink had hem aangekeken of het aan hem zelf lag dat Bloem zweeg.

'Ik ben politieman, geen psychotherapeut!', had Petersen hem voor de voeten geworpen.

'Duidelijk.'

'Hij heeft persoonlijke problemen die te groot zijn om van zich af te zetten. Wat die problemen zijn, weet ik niet. Het zal er wel mee te maken hebben dat zijn vriendin in verwachting is. Met een kleintje erbij is hun appartement straks te klein. Ik geloof dat zij in Zeist wil blijven wonen omdat zij daar werkt. Ik denk dat Ronald zich daarover druk maakt. Ik wil daarom dat hij van het onderzoek gehaald wordt, zodat hij zijn zaken kan regelen.'

'Hoe moet het dan verder met jou, Bram?'

'Ik wil Inge vragen om Ronalds plaats in te nemen.'

'Inge Veenstra?'

Bram Petersen had geknikt. 'Ferry Jacobs en Steven Bosma zijn er niet. En John van Keeken vind ik ongeschikt, want wij liggen elkaar niet. Hij heeft een andere instelling dan ik. Daarom wil ik Inge Veenstra vragen. Zij heeft in het verleden bewezen haar mannetje te staan.'

'Dat is waar', had de districtchef gezegd. 'Goed, Bram, ik wil je vragen nog even te wachten. Ik zal eerst een gesprek met Ronald Bloem hebben. In de loop van morgenochtend hoor je wat mijn beslissing is.'

21.20 uur

'Pak even de krabsalade, wil je?', zei Veronie Posthumus.

Tot zijn eigen verbazing deed Thijs Warnink wat ze gezegd had, alsof hij haar knechtje was. Hij had zich er vroeger aan geërgerd hoe Jacques zich uitsloof om haar op haar wenken te bedienen, en nu gaf hij zelf aan haar wensen toe. Ze deed alsof mannen alleen bestonden om het haar naar de zin te maken. Ondertussen bleef ze met haar gat op de tuinstoel zitten, met haar gladgeschoren benen over elkaar en die belachelijke strooien hoed op haar hoofd.

Hij pakte het kuipje met de salade waar zij niet bij kon.

'Oh, en wil je een toast voor mij smeren, lieverd?', vroeg ze meteen daarna.

Thijs besefte dat hij het deed om een goede indruk op haar te maken, in de hoop dat ze zijn verzoek zou inwilligen. Haar nieuwe vriend Herman zat tegenover hem. Aan hem had hij het te danken dat zij uit Leersum was vertrokken, maar hij begreep niet wat ze zag in die dikzak. Die buik van hem bolde over het elastiek van zijn zwembroek heen. Conditie had hij ook niet. In zijn borsthaar glinsterden druppeltjes zweet als kleine pareltjes. Hij had net vijf minuten op de hometrainer gezeten, die op het gazon stond. Om af te vallen, had hij gezegd. Nu slaakte hij een vermoeide zucht. Hij kon niet tippen aan de sportieve persoon die Jacques was geweest.

'Zo, Thijs,' zei ze, nadat ze haar toast had opgegeten, 'wat heb jij de politie verteld?'

'Niet veel', zei hij.

'Vertel het dan maar.'

In het kort deed hij verslag van de ontdekking die hij vanochtend had gedaan en welke indruk die op hem had gemaakt. Nu hij de gebeurtenissen in gedachten herbeleefde, overweldigden de emoties hem meer dan hij had verwacht.

'Ik heb die rechercheurs hier ook gehad. Ik heb ervan genoten, vooral van die oude. Dat is net zo'n stijve gereformeerde zoals je die hier in het dorp ziet. Hij keek zijn ogen uit toen hij mij in mijn bikini zag zitten. Ik dacht: jou zal ik eens lekker opnaaien, opa. Dus ik maak mijn topje los om mijn borsten met notenolie in te smeren. Hij wist niet waar hij moest kijken!'

Haar lach schalde door de tuin. Met een sierlijke beweging van haar hand, pakte ze de rand van haar strooien hoed en keilde de hoed weg. Deze belandde in de struiken aan de rand van het gazon. Hoewel Thijs Warnink vond dat Veronie er aantrekkelijk uitzag, walgde hij meer en meer van haar. Ze was iemand die altijd over haarzelf kakelde, maar nooit belangstelling voor een ander had. Erger nog, ze genoot ervan iemand op te naaien, zoals zij het zelf noemde. En die nieuwe vriend van haar lachte erom als een boer met kiespijn, zonder het lef om haar tegengas te geven.

'Zijn jongere collega kon zijn ogen niet meer van mij afhouden', ging ze verder, met een knipoogje naar haar vriend. 'Hij zat de hele tijd te dromen. Ik weet wel waarover hij zat te fantaseren. Wat een geile hengsten zijn mannen toch!'

Omdat hij geen zin had langer te blijven, besloot Thijs Warnink meteen terzake te komen. Hij vertelde over het geld dat Jacques Vermin hem had toegezegd, als Thijs de opdracht zou krijgen.

'Ik ging vanochtend naar Leersum, in de veronderstelling dat Jacques het in orde zou maken.'

'Je was te laat', zei ze.

'Ja. En jij bent nu zijn erfgenaam.'

'Wat wil je daarmee zeggen?'

'Nou,' ging hij aarzelend verder, 'ik hoopte dat jij misschien dat bedrag wilt geven om mijn studieschuld af te betalen.'

Ze lachte schamper. 'Je zegt zelf dat je de opdracht krijgt en dat het om vijftigduizend euro gaat. Waarom heb je dan nog mijn geld nodig?'

'Het was een aanbod van Jacques.'

'Niet van mij.'

Hij zag aan haar dat ze voet bij stuk zou houden. Daarom hield hij ook aan.

'Je ontvangt miljoenen van hem. Als die scheiding was doorgezet, had je niets gekregen. Het gaat om niet meer dan tienduizend euro. Dat is genoeg om mijn studieschuld af te lossen. Jacques beloofde het mij en hij zou hebben gewild…'

Ze viel hem in de rede. Met een kille blik in de ogen keek ze hem aan.

'Nee, ik heb recht op die erfenis. Dat heeft de wet zo bepaald.'

'Maar Jacques heeft mij beloofd…'

'Nou, daar weet ik niets van!'

Vrijdag 23 juli

6.45 uur

Er ging een schok door zijn lijf op het moment dat de radio zichzelf inschakelde en muziek de slaapkamer vulde. Hij boog zijn hoofd opzij om op de wekkerradio te kijken hoe laat het was, en liet tegelijkertijd zijn hand het toestel tot zwijgen brengen. De stilte voelde weldadig. Het liefst zou hij zich omdraaien om opnieuw te gaan slapen. Opeens herinnerde hij zich iets van gisteravond en daarom draaide hij zijn hoofd de andere kant op en zag dat Dominique naast hem lag. Toen hij laat thuis kwam, was zijn vriendin er tot zijn verbazing niet. Ze was vertrokken en had hem niet gebeld om te vertellen waar ze naartoe was, en ze had ook niet een briefje achtergelaten. De gedachte was even bij hem opgekomen dat zijn vriendin hem verlaten had, maar daarna was hij bij zinnen gekomen. Dit was haar flat, niet de zijne. Trouwens, ze had niets meegenomen.

Gisteren had hij haar overdag verschillende keren gebeld of ze al meer wist, tot ze uiteindelijk haar mobieltje had uitgeschakeld. De laatste keer dat ze elkaar hadden gesproken, had ze gezegd dat zij hem zou bellen. Bij zijn thuiskomst had hij zich voorgenomen niet naar bed te gaan voor Dominique terug was. Uiteindelijk had de vermoeidheid het van het voornemen gewonnen en was hij op de bank ingedut. Toen hij om een uur 's nachts wakker werd, stijf van de ongezonde houding waarin hij gezeten had, had hij het bed opgezocht. Zelfs op dat moment was ze er nog niet. Dominique moest in alle stilte en diep in de nacht thuisgekomen zijn.

Nu sliep ze door, terwijl ze anders altijd door zijn wekkerradio wakker werd. Misschien deed ze alsof ze sliep. Misschien wilde ze niet langer met hem praten, omdat zij toch wilde doen wat ze allang voorgenomen had voor ze hem op de hoogte bracht van de situatie. Ze had geen begrip voor het feit dat hij er moeite mee had.

Ronald Bloem lag op zijn rug en zuchtte. Bij niemand kon hij het momenteel goed doen. Niet bij Petersen die terecht constateerde dat hij zijn gedachten niet bij het onderzoek had, en niet bij zijn vriendin. Dominique verweet hem dat hij er niet bij was op de momenten dat het er voor haar toe deed. Ze had in de derde maand van haar zwangerschap in het Diaconessenziekenhuis in Utrecht een echo laten maken. Door drukte op zijn werk had hij daar niet bij aanwezig kunnen zijn. Achteraf hoorde hij dat Dominique hoogstwaarschijnlijk in verwachting was van een jongetje. Maar er was meer, waarover ze in eerste instantie niet wilde praten.

Dagenlang was ze in een sombere stemming, terwijl hij begon met het inrichten van de kinderkamer. Uiteindelijk had ze hem de waarheid verteld omdat ze wel moest. Ze had hem verweten dat hij er vanuit ging dat hun kindje geboren zou worden. Hij begreep er niets van dat ze zo reageerde. Maar daarna was hem duidelijk geworden dat ze een besluit had genomen. Zij wilde hun zoontje laten weghalen. Het kindje dat ze verwachtten, had het Downsyndroom.

Hij had het ziekenhuis gebeld om de arts te spreken die de echo had uitgevoerd. Zelfs toen zij bevestigde wat hij van Dominique had gehoord, had hij moeite het te geloven. Maar zijn reactie op het bericht was anders dan van zijn vriendin. Hij had geen begrip voor haar eenzijdige besluit om de foetus te laten verwijderen. Ze had nooit met hem overlegd.

'Het is ons kind!', had hij geprotesteerd. 'Je laat ónze zoon toch niet weghalen?'

Zij had hem door elkaar geschud, alsof hij diep in slaap was geweest. 'Ronald! De vrucht is niet goed. Het is een Downie. Het is zwaar gehandicapt!'

'Maar het is wel ons kind.'

'Het zal geen leven hebben. Het zal diepongelukkig zijn. Wil jij je kind in een vreselijk inrichting stoppen? Voor de rest van zijn leven? Want dat staat hem te wachten! Of wil je zelf voor hem zorgen? Maar dan moet je wel je baan opzeggen, want ik ga dat niet doen.'

Hij had meer tijd nodig om erover na te denken. Later, nadat ze allebei tot bedaren waren gekomen, had hij haar uitgehoord over wat er precies bij de echo was gebeurd. Tijdens de nekplooimeting was de dikte van nekplooi van het ongeboren kind gemeten. Bij hun zoontje bleek de nekplooi dikker te zijn dan normaal. Dat kon duiden op een chromosoomafwijking, zoals het Downsyndroom. Maar de methode gaf geen absolute zekerheid. Omdat hij moeite had met haar eenzijdige besluit hun kind weg te laten halen, had hij gevraagd naar een andere methode om meer zekerheid te krijgen. Dominique had hem toen verteld over de vruchtwaterpunctie.

'Maar Ronald, luister, dat wil ik niet ondergaan. Dat is niet nodig.'

Hoewel ze er niets van wilde weten, had Ronald Bloem net zolang volgehouden tot ze met de vruchtwaterpunctie had ingestemd. Drie weken geleden was dit gebeurd. Sindsdien wachtten ze op de uitslag, terwijl ze elkaar amper spraken. Hij hoopte dat zij door het uitstel dat hij met de vruchtwaterpunctie had bedongen, milder in haar oordeel zou zijn. Hij had in elk geval uitgebreid de tijd gehad om over hun situatie na te denken. Hij vreesde dat alleen als de uitslag gunstig zou zijn, Dominique op andere gedachten gebracht kon worden. Die kans was gering. Eind deze week zou de uitslag komen, daarom had hij gisteren een aantal keren zijn vriendin gebeld in de hoop eindelijk zekerheid te krijgen.

Inmiddels wist hij dat er instellingen waren, waar hun zoontje heel goed opgevangen kon worden. Zonder dat Dominique het wist had hij afgelopen zaterdag zo'n instelling bezocht. Het was daar totaal niet zoals Dominique het had afgeschilderd. Hun zoontje kon daar best een goed leven hebben. Na afloop had hij haar erover verteld, een gesprek dat zij had afgekapt. Zijn vriendin wilde überhaupt niet nadenken hoe ze hun levens konden aanpassen voor hun zoontje. Het kind mankeerde wat, en dus moest het weg, alsof hij een sta-in-de-weg was. Het viel hem van haar tegen, vooral omdat hij een andere mening had. Hij had besloten dat hij het kind wilde laten komen, ongeacht de consequenties voor de toekomst. Daarom zag hij op tegen het komende weekend. Hij had haar beloofd het vrij te houden, zodat ze de uitslag konden bespreken en een besluit nemen. Het zag ernaar uit dat het zou uitlopen op ruzie.

Toen hij gisteren hoorde over de vrouw die Jacques Vermin had vermoord en daarna de moeite had genomen Emile te vondeling te leggen om hem zo te redden, had hij onwillekeurig aan zijn vriendin moeten denken. Zou Dominique in dezelfde situatie hetzelfde gedaan hebben? Misschien wel. Hij was zo teleurgesteld in haar, dat hij nu moest uitkijken dat hij zijn vertrouwen in haar niet volledig verloor. Als dat gebeurde, dan was het misschien beter als er geen kind was dat daarvan de dupe kon worden.

8.00 uur

Gapend liep John van Keeken de projectruimte van het districtskantoor binnen. Hij zag dat zijn drie collega's op hem zaten te wachten. Bram Petersen keek op.

'Ah, daar ben je eindelijk, John. Ga zitten.'

Het enige wat er nog aan ontbrak, was dat hij opmerkte dat ze hadden zitten wachten, want dat leek zijn gezicht te zeggen.

Gelukkig zei hij het niet. Petersen mocht blij zijn dat hij zo vroeg was gekomen, ook al zag hij het nut er niet van in. Waarom overleggen, als het er toch op neerkwam dat hij de vervelende klusjes moest opknappen? Dan kon hij net zo goed later komen en dan aan het eind van de dag langer doorwerken. Dan hoefde hij niet zo vroeg zijn bed uit.

Zijn meerdere begon het werkoverleg vervolgens met een samenvatting van wat er tot nu toe over de dood van Jacques Vermin bekend was. Alsof ze niet allang wisten dat die vent tussen zeven uur eergisteravond en vier uur gisterochtend was vermoord. En dan moest Petersen ook zo nodig zeggen dat hij er vanuit ging dat het moord was, tenzij de sectie anders zou uitwijzen.

John van Keeken wreef de slaap uit zijn ogen. Na de laatste opmerking viel hij zijn meerdere in de rede.

'Natuurlijk is het moord!', zei hij.

'Ik houd liever een slag om de arm', zei Petersen.

'Als ik het zo hoor, is het echt geen zelfmoord.'

'Als je het niet erg vindt, John, ga ik zonder onderbrekingen verder.'

Er volgde een nieuwe opsomming van feiten die al bekend waren. John van Keeken was gisteren er niet bij toen het onderzoek in Leersum van start ging, maar hij had in de wandelgangen het een en ander opgevangen. Dat gold ook Inge Veenstra. De enige die deze opfrissessie waarschijnlijk nodig had, was Ronald Bloem, die met een suf gezicht erbij zat. Het leek er alleen op dat niets tot hem doordrong. Van Keeken zou het liefst de monoloog onderbreken, zodat ze het eindelijk konden hebben over wat hij en Inge Veenstra gisteren hadden bereikt. Petersen ging onverstoorbaar door over het kind dat tussen elf uur en zeven uur te vondeling was gelegd en waarom dat van belang was voor het onderzoek. Van Keeken gaapte.

'Ik vind het wel vreemd', zei Inge Veenstra toen Bram Petersen eindelijk ophield. 'Hij zou op het zoontje van zijn werkster gepast hebben. Ik kan me dat niet voorstellen bij hem. Hij hield niet van kinderen.'

'Dat is zeker een punt waarop ik helderheid wil krijgen van de ouders van het kind. Later vanochtend ga ik naar Leersum om er met hen over te praten. Goed, we weten nu wat er ongeveer gebeurd moet zijn. Gisteravond heb ik nog geïnformeerd naar de stand van zaken van het buurtonderzoek. Helaas is daarbij niets aan het licht gekomen wat we nog niet wisten. Geen van de buren wist blijkbaar wie Het Hemelse Hof bewoonde. Veel mensen dachten dat er een groot gezin woonde. Er staan namelijk twee afvalcontainers bij het begin van de oprijlaan, langs de provinciale weg. Als het een ophaaldag was, waren die tot over de rand gevuld.'

'Vreemd.'

'Inderdaad. Ook daar hebben we nog geen verklaring voor.'

'Misschien ontving hij veel mensen', opperde John van Keeken. 'Als je een feestje geeft, krijg je een boel afval.'

'We hebben gehoord dat Vermin niemand in zijn huis in Leersum ontving. Hoe dan ook, jullie hebben ook een aantal zaken uitgezocht. Ik wil nu horen wat we tot dusver aan de weet zijn gekomen. Hebben Otto en Melanie van Schaik al vanuit Cincinnati gebeld?'

'Ja', zei Inge Veenstra. 'Hun vliegtuig is uiteindelijk om 13.53 uur vertrokken. Bij aankomst in hun hotel hebben ze gebeld.'

'Mooi. Heb je hem of haar gesproken?'

'Hem. En ik heb hem ook de vragen gesteld die je wilde. Maar hij zegt dat hij niemand van de betrokkenen kent, dus ik denk dat we hen van onze lijst kunnen schrappen.'

'Wat weten jullie inmiddels over Vermin?'

Inge Veenstra had zich aan het eind van gistermiddag ook daarmee beziggehouden. Ze vertelde dat Jacques Vermin de enige zoon was van Pierre en Marieke Vermin. Hij was achtendertig jaar geleden geboren. Hij was opgegroeid in Deventer. Zijn vader was vijf jaar geleden overleden, zijn moeder een aantal jaren daarvoor. Of er familie van zijn moeders kant was, had Veenstra niet kunnen ontdekken. Pierre Vermin had een broer gehad, die nog bleek te leven.

'Heb je contact met hem gehad?'

'Ik heb hem gebeld. Maar hij zegt dat hij al minstens tien jaar geen contact met zijn broer Pierre of met Jacques gehad heeft. Hij beweert dat Pierre Vermin een rotzak was die hem en zijn vrouw een keer belazerd heeft. Sindsdien wilde hij niets meer met zijn broer te maken hebben. Pierre Vermin heeft vroeger voor de kinderbescherming gewerkt. Marieke Vermin was tot haar trouwen doktersassistente. Wat Jacques Vermin deed, blijft onduidelijk. Volgens de belastingsdienst was hij zelfstandig ondernemer. Hij was pas een half jaar met Veronie Posthumus getrouwd, waarvan ze alleen de eerste maanden bij hem woonde. Verder heb ik ontdekt dat Jacques Vermin van huis uit Rooms-katholiek was.'

'Daar deed hij niets mee volgens Thijs Warnink', merkte Petersen op.

'Zoals de meeste Rooms-katholieken', zei John van Keeken. 'Mijn moeder was ook Rooms-katholiek. Ik moet er niets van hebben, het is allemaal poppenkast en die paus is een kwijlende man in een apenpak. Maar wat heeft dit met het onderzoek te maken?'

'Dat valt op dit moment nog niet te zeggen', zei Petersen. 'We moeten ons een zo breed mogelijk beeld vormen van het slachtoffer. Later zien we wel wat daarvan van belang is. Hoe staat het met het natrekken van de antecedenten van de andere personen?'

'Ik heb navraag gedaan over de krakers', zei Van Keeken. 'Daarbij heb ik iets ontdekt. Jolanda Dirksen heeft een strafblad. Ze is blijkbaar geen lieverdje. Ze is een jaar geleden betrapt bij een inbraak in een bedrijf. Daarvoor had ze al winkeldiefstallen gepleegd.'

'Maar zij heeft Vermin niet in Arnhem opgezocht, toch?', merkte Inge Veenstra op.

'Nee. Dat was haar vriend. Maar ze hadden allebei een motief. Zij vond bij de brand bijna de dood. Als de brand inderdaad door Vermin is aangestoken, kan zij besloten hebben het Vermin betaald te zetten.'

'Zij heeft een alibi. Karel Eilering niet.'

'Misschien is het de bedoeling dat wij dat denken. De aandacht wordt gevestigd op Karel, die weggeweest zou zijn. Naar Arnhem nota bene. Straks blijkt dat Karel Eilering helemaal niet in Arnhem geweest is. Dan denken wij dat hij onschuldig is, terwijl het zijn vriendin was die Vermin opzocht.'

'Jij denkt aan een afleidingsmanoeuvre', zei Petersen. 'Het is iets om in de gedachten te houden. Wat weten jullie al over Maria van den Brink en Toine Boon?'

'Tuinboon en zijn vriendin heb ik ook gedaan', zei John van Keeken. 'Tuinboon is een marinier. Zijn rang is die van luitenant-kolonel. Tot eind vorig jaar was hij gelegerd op Curaçao in de marinierskazerne Suffisant. Hij is in december met Maria van den Brink in Leersum komen wonen, omdat hij op het ministerie van defensie is komen te werken. Overigens kwam hij in 1975 bij het korps. Hij was toen gelegerd in de Braam Houckgeestkazerne in Doorn. Zijn vriendin is bijna twintig jaar jonger. Veel meer feiten heb ik momenteel niet.'

'Zijn hun alibi's al nagetrokken?', vroeg Petersen.

'Nee, nog geen tijd gehad.'

'We mogen op voorhand niemand uitsluiten. Juist zij behoren tot het selecte groepje mensen dat wist waar Jacques Vermin woonde. Wat weten we over Otto en Melanie van Schaik?'

Inge Veenstra nam het woord.

'Ik heb niets kunnen ontdekken waaruit blijkt dat zij Vermin kenden. Zij werkt als directiesecretaresse voor een bedrijf in Ede. Hij heeft een topfunctie bij een bank. Ze wonen aan dezelfde weg als Vermin, maar daarmee houden de overeenkomsten op.'

'Zij hebben de moord ook niet gepleegd', zei John van Keeken vol overtuiging. 'Het is óf een van de krakers óf de ex van Vermin. Wat die ex betreft, haar gegevens heb ik nog niet verzameld. Jullie zijn gisteren bij haar geweest.' Hij knikte naar Petersen en Bloem. 'Hoe was zij?'

'Tot negen uur 's avonds was ze met haar nieuwe vriend in een restaurant in Ermelo. Ronald en ik zijn na afloop van het gesprek daar langs geweest. Dat deel van hun alibi klopt. De rest van de avond en nacht zijn ze thuis geweest.'

'Dus zij kan het gedaan hebben.'

'Waarom sluit je Thijs Warnink als dader uit?' vroeg Petersen. Hij keek John van Keeken aan.

'Van jou moet ik natuurlijk een slag om de arm houden', zei hij. 'Maar hij had toch een alibi? Hij was bij Nelly. Ik moest het alibi controleren. Nou, zij bevestigt het helemaal. Aan het eind van de middag was hij al bij haar geweest. Hij bracht haar de catalogus die hij bij Vermin had gekopieerd. Zij had aangeboden het zaakje te bundelen. Daarna is hij naar zijn kamer gegaan om te werken. Om half elf kwam hij opnieuw langs om wat te drinken. Hij is niet meer weggegaan.'

'Wat heeft ze nog meer verteld?'

'Ze zei dat ze Vermin gekend heeft. Volgens haar had Warnink veel aan hem te danken. En ze beweert dat ze nooit in Leersum geweest is. Van Warnink had ze wel gehoord dat Vermin een huis in Leersum had, omdat hij er soms een weekend naartoe ging.'

'Maar,' onderbrak Inge Veenstra hem, 'zij heeft toch een relatie met Thijs Warnink? Dan is het vreemd dat zij nooit met hem meeging naar Leersum.'

'Volgens mij denkt zij dat het dik aan is tussen hen beide, maar denkt hij daar anders over. Per slot van rekening is zij hem na haar studie achterna gereisd, niet andersom.'

-

9.15 uur

'John, nu heb je nog niet je bureau op orde gemaakt', sprak Petersen afkeurend. 'Wat had ik laatst gezegd over de rotzooi? Als je de bonnetjes in de dozen doet, wordt het bureau een stuk overzichtelijker. De bonnetjes waarmee je klaar bent doe je in de ene doos, de overige bonnetjes in de andere. En zet de dozen dan opzij, want zo kan iemand erover struikelen.'

John van Keeken liet een zucht horen, maar hield verder zijn mond.

'Ronald?', ging Petersen onverstoorbaar verder. 'Ronald? Wil jij naar Griesink gaan? Hij wil je spreken.'

De opmerking dat hij bij de districtschef verwacht werd, rukte Ronald Bloem uit zijn gedachten los.

'Wat is er?'

'Dat zal hij je wel vertellen.'

Behalve voor functioneringsgesprekken was Bloem slechts een keer bij Griesink geroepen. Dat was jaren geleden toen hij in zijn enthousiasme een blunder had begaan die bijna het leven van een jonge vrouw had gekost. Die gebeurtenis stond hem nog levendig bij en hij moest er onmiddellijk aan denken, terwijl hij naar het kantoortje van Theo Griesink slenterde. Hij vroeg zich af wat er nu aan de hand kon zijn, maar hij had geen gerust gevoel.

'Ronald, sluit de deur en ga zitten', zei de districtschef van achter zijn bureau. Hij gebaarde naar de stoel aan de andere kant daarvan. Zoals altijd was het warm in het kantoortje. Bloem voelde het zweet onder zijn oksels kriebelen. 'Heeft Bram je verteld waarom ik je wil spreken?'

'Nee.'

'Hij wil dat ik je van het onderzoek af haal.'

'Wat? Waarom heeft hij me dat niet gezegd?'

'Kennelijk omdat jij hem ook niet alles vertelt. Volgens hem belemmer je momenteel het onderzoek meer dan dat je eraan bijdraagt. Je bent er met je gedachten niet bij. Vanochtend vroeg zou je bij een werkoverleg je mond helemaal niet opengedaan hebben. Bram zegt dat je er als een zombie bij zat.'

Het zweet brak nu in alle hevigheid bij Bloem los. 'Ik heb wel geluisterd.'

'Met een half oor. Als ik Bram mag geloven, heb je problemen, waarover je niet met hem wilt praten. Klopt dat?'

Bloem knikte.

'Wat je mij vertelt, zal niemand anders te horen krijgen. Wat zit je dwars?'

In het kort vertelde Ronald Bloem over zijn zwangere vriendin en het vooruitzicht dat ze een kind met Downsyndroom zouden krijgen. Terwijl hij hardop over de situatie vertelde en zag hoe de districtschef erop reageerde, begon hij meer en meer te beseffen dat hij gevoelloos naar Dominique toe gereageerd had. Ze had gelijk toen ze zei dat ze zijn steun had gemist. Dominique had hem ook verteld dat ze in het ziekenhuis als vanzelfsprekend aannamen, dat zij hun kind weg zou laten halen. Hij had erbij moeten zijn, om te laten zien dat hij haar steunde, ongeacht de situatie. Stelde ze zich onverzettelijk op omdat hij haar teleurgesteld had? Ze wist toch dat hij van haar hield en dat hij haar nooit zou laten vallen?

'Waarom heb je dit Bram niet verteld?', vroeg Griesink toen hij uitverteld was.

'Omdat Bram nooit veel met Dominique opgehad heeft.'

'Ik denk dat hij wel begrip zal hebben voor deze situatie. Ik raad je aan met hem open kaart te spelen. Denk je dat hij nooit iets naars in zijn leven heeft meegemaakt om te kunnen begrijpen wat je doormaakt?'

'Het gaat hem gewoon niet aan.'

'Ik wil me niet met je thuissituatie bemoeien, Ronald', zei Theo Griesink. 'Bram heeft gelijk als hij zegt dat hij wil dat je je gedachten erbij hebt tijdens het werk. We werken aan een belangrijk onderzoek. Daarom ben ik van plan je een aantal dagen verlof te geven. Zorg dat je deze zaak regelt.'

'En Bram dan?'

'Ik regel het verder met hem.'

'Ik wil niet met verlof. Als ik thuis zit, ga ik alleen maar piekeren.'

'Maar dat doe je op je werk ook. Je bent daardoor niet productief.'

'Dus ik word afgemeten aan mijn productiviteit', zei Bloem, feller dan hij bedoelde. 'Word ik dan aan de kant geschoven als ik even niet meer meekomen kan met de rest? Ben ik dan net als een kind met Down, dat er niet bij hoort?'

'Rustig maar, Ronald. Het is voor een paar dagen. Daarna zullen we de situatie opnieuw bekijken.'

'Maar ik wil geen verlof. Geef me nog een kans!'

Griesink keek hem een ogenblik indringend aan. Daarna knikte hij.

'Goed dan. Maar ik verwacht dat ik vanaf nu geen klachten over je hoor. Anders wordt het alsnog een verlof. Overigens zul je niet meer met Bram op pad gaan. Vanaf nu zullen je taken hier liggen, op het districtsbureau.'

'Begrepen. Bedankt.'

9.50 uur

'Ik heb erover nagedacht,' zei Griesink tegen Bram Petersen, 'en besloten dat het beter is als John van Keeken je vanaf nu assisteert.'

'John?'

Verbijsterd keek Bram Petersen naar zijn meerdere. Dit had hij totaal niet verwacht. John van Keeken was sinds zijn komst naar Veenendaal, ruim twee jaar geleden, een apart geval geweest. Na seksuele intimidatie van vrouwelijke collega's in het korps van Zeeland had hij ontslagen moeten worden. Maar omdat hij familie was van de korpschef, was men bang geweest voor negatieve publiciteit. Daarom was hij overgeplaatst.

Petersen herinnerde zich nog goed hoe Griesink John van Keeken op een kamer had geplaatst bij Natasja Schuurman. Dat was nog in het oude districtskantoor, met kantoortjes voor twee personen. Dat is de kat op het spek binden, had Petersen gezegd. De volgende dag was gebleken dat hij gelijk had. Natasja was haar beklag komen doen nadat Van Keeken naaktposters aan de muur had gehangen.

'Wat is er mis met John?', merkte Griesink op.

'Hij heeft geen verantwoordelijkheidsgevoel. In de weekenden is hij vaak onbereikbaar als hij opgeroepen wordt.'

'Dan wordt het hoog tijd dat jij hem dat verantwoordelijkheidsgevoel bijbrengt, Bram', zei de districtchef streng. Vriendelijker voegde hij daar aan toe: 'Als ik iemand ken die ik dat kan toevertrouwen, ben jij dat.'

'Ik heb altijd gedaan wat ik het beste vond. Hij heeft een harde hand nodig om hem in het gareel te houden. Jij vond dat twee jaar geleden ook het beste. We vonden allebei dat hij voornamelijk bureauwerk moest doen, zodat we hem in de gaten konden houden.'

'Je bent inderdaad hard voor hem, Bram. Je had hem ondertussen meer vrijheid kunnen geven.'

'Ook dat heb ik gedaan. Ik heb hem verschillende keren met Ferry Jacobs op pad gestuurd. Zelfs met Inge. Inge kan ik dat wel toevertrouwen. Als hij haar lastigvalt, zal hij er gauw spijt van krijgen.'

'Denk je niet dat jij je oordeel laat beïnvloeden door je eigen gevoelens? Jullie zijn tegenpolen. Hij heeft zijn minder goede kanten. We zijn het er allebei over eens dat hij daaraan moet werken. Dat zal ik zeker met hem bespreken, maar heb je je wel eens afgevraagd waarom hij zo geworden is?'

'Ja. Maar zoals ik gisteren zei, ben ik geen psychotherapeut.'

'Duidelijk.'

'Hij heeft een moeilijke jeugd gehad. Als dat zijn functioneren als politieman in de weg staat, had hij nooit tot het korps toegelaten mogen worden.'

'Je velt een hard oordeel over hem, Bram. Ik betwijfel steeds meer of jouw houding ten opzichte van hem het beste voor zijn ontplooiing als rechercheur is. Hij heeft meer in zijn mars dan hij nu kan laten zien. Als hij wil, is zijn bureauwerk uitstekend, maar hij kan meer. Het is voor hem demotiverend dat hij geen kans krijgt. Dat heeft hij mij zelf verteld.'

'We weten allebei dat hij in Zeeland ontslagen had moeten worden.'

'Sindsdien is hij hier gekomen. Als agent heeft hij zich hier nooit aan seksuele intimidatie schuldig gemaakt. Na de eerste maand hebben mij geen klachten bereikt, of jij moet meer weten.'

'Ik hoef hem niet als assistent', hield Petersen stug vol. Ondertussen vroeg hij zich af waarom Van Keeken geen overplaatsing had aangevraagd, als hij zich zo gedemotiveerd voelde. 'We passen niet bij elkaar. Dat zal hij zelf ook zeggen. Als collega heb ik hem altijd getolereerd. Dat vind ik voldoende.'

'Ja, getolereerd. Maar niet geaccepteerd zoals hij is. En zo voelt hij het ook. Zoals je met hem bent omgegaan, is niet goed voor de teamgeest. Eén van de leden van je team telt niet volledig mee.'

'Natuurlijk telt hij wel mee. Ik bepaal alleen wat hij doet.'

'Misschien,' begon Theo Griesink bedachtzaam, 'wordt het tijd dat je op een andere manier leiding geeft, Bram. Samen overleggen om samen te bepalen wie wat doet, in plaats van dat jij alles bepaalt. Democratisch leiderschap.'

'Zo heb ik nog nooit gewerkt', reageerde Petersen geïrriteerd. Alsof Griesink zo democratisch te werk ging door John van Keeken aan hem op te dringen! Straks ging hij nog zeggen dat hij te oud werd voor dit vak, bedacht hij bitter. Tegelijkertijd vroeg hij zich af of hij Van Keeken inderdaad te hard had behandeld, zodat deze een wrok was gaan koesteren. Er waren een paar momenten geweest, waarin Petersen had gezien dat Van Keeken meer in zijn mars had. Tot nu toe had Petersen geloofd dat vooral het karakter van zijn collega hem in de weg stond om zich te ontplooien. Daarom moest zijn karakter gevormd worden. Bij Ronald Bloem had dat vijf jaar geleden gewerkt.

'Mijn manier van werken heeft altijd vruchten afgeworpen', zei hij.

'Maar geeft dat je collega's ook evenveel voldoening?'

'Ik heb hen nooit horen klagen.'

'John van Keeken wel.'

'Hij heeft altijd wel iets om over te klagen.'

'Bram, ik verwacht dat je hem onder je hoede neemt.'

Petersen wilde opnieuw reageren. Hij zag echter dat Griesink zijn besluit genomen had en daarom nam hij zich voor niets meer te zeggen.

'Er is van hem nog een prima rechercheur te maken', zei de districtschef tenslotte. 'Onder wiens hoede kan ik hem beter plaatsen, dan onder de jouwe? Je hebt nog een paar jaar tot je pensioen. Maak werk van hem!'

-

10.45 uur

Als een automatisme pakte John van Keeken het pakje shag uit zijn broekzak. Opeens bedacht hij zich.

'Ik mag in de auto zeker geen peuk opsteken?', vroeg hij aan Petersen.

'Inderdaad', klonk het stroef.

Ze zaten op de provinciale weg, de N226, tussen Maarsbergen en Leersum. Straks zouden ze het erf van Maria van den Brink en Toine Boon oprijden, die de buren van Jacques Vermin waren. Ze woonden een paar honderd meter van het begin van de oprijlaan van Het Hemelse Hof.

'Dit is je kans om te laten zien dat je meer kunt dan alleen bureauwerk', had de districtschef een half uur geleden gezegd. Van Keeken had er een hard hoofd in. Petersen had geen vertrouwen in hem. Dat had hij Griesink duidelijk gemaakt. 'Nou, bewijs dan dat je dat vertrouwen waard bent! Je hebt het mede ook aan Petersen te danken dat je twee jaar geleden niet uit het korps bent verwijderd.'

Van Keeken geloofde Griesink niet. Hij wist nog maar al te goed dat Petersen wilde dat hij ontslag nam, nadat hij in Veenendaal was gekomen. Toch nam hij de raad van zijn meerdere ter harte. Dit was een kans om te bewijzen wat hij waard was!

—

10.50 uur

Het huis van Toine Boon en Maria van den Brink bevond zich in het bos, op zo'n vijftig meter van de provinciale weg. Kolossale rododendronstruiken onttrokken het aan het zicht van het voorbijrazende verkeer. Er was een oprijlaan die een halve cirkel beschreef, zodat er twee ingangen waren. De laan werd omzoomd door de rododendrons en was bedekt met een dikke laag grind dat onder de wielen van de blauwe BMW knarste. Petersen zag goedkeurend dat de tuin netjes was aangelegd.

Aan het eind van de oprijlaan stond een hagelwitte bungalow waarop een merkwaardig kleine bovenbouw was met schuin dak. Het leek van een afstand alsof een klein kamertje boven op het dak van de bungalow was gezet. Er stond een sportauto voor het huis geparkeerd. In de deuropening werden ze opgewacht door Boon. Hij was een lange man, met gemillimeterd haar, een gladgeschoren gezicht en een mager postuur.

'Mager als een tuinboon', hoorde Petersen zijn nieuwe assistent mompelen.

Nadat ze waren uitgestapt, kwam Boon hen tegemoet. Hij vertelde dat hij in verband met de moord vrij had genomen. Vervolgens ging hij hen voor, het huis in.

In de woonkamer van het huis troffen ze Maria van den Brink aan. Ze was een vrouw van rond de dertig met lang, blond haar en een levendig gezicht. Bij hun binnenkomst begon haar gezicht meteen te stralen. Ze zat op de bank met Emile op haar schoot. De peuter sliep.

'Ik ben zo blij dat we ons kindje terughebben', zei ze. 'Ik wil u daarom nog bedanken voor wat u gedaan hebt, meneer Petersen.'

'Wat ik deed, stelde niets voor', zei hij.

'Wilt u misschien iets drinken?', vroeg Toine Boon. Hij was naar een buffetkast gelopen en haalde een paar glazen eruit. 'Whisky? Een biertje? Of iets zonder alcohol?'

'Met dit warme weer heb ik geen bezwaar tegen iets fris'

'En u, meneer Van Keeken?'

'Euh, doe maar fris. Hebt u er bezwaar tegen als ik rook?'

'Liever niet binnen', zei Boon. 'Sorry. Ik haal even het fris.'

Petersen nam tegenover Maria van den Brink plaats, waarna John van Keeken zijn voorbeeld volgde. Petersen had hem van tevoren gezegd dat hij van hem verwachtte dat hij aantekeningen ging maken. Toen hij zag dat zijn assistent een notitieblokje tevoorschijn haalde, bracht hij het gesprek op het werk dat Maria van den Brink voor Jacques Vermin had gedaan. Hij vroeg haar of ze bij hem terechtgekomen was omdat zij zijn buurvrouw was. Maar zo was het niet gegaan. Ze had gereageerd op een advertentie in een plaatselijke krant waarin om een werkster werd gevraagd. In die advertentie stond alleen een voornaam en een telefoonnummer, zodat ze geen idee had dat hij haar buurman was. Ze had tot dan toe niet geweten wie Het Hemelse Hof bewoonde.

Toen zij en haar man in december hier kwamen wonen, hadden ze geprobeerd contact te leggen met de buren. Met de bewoners van het huis direct naast hen was dat gelukt, maar niet met de ander. Ze zagen Jacques Vermin nooit omdat hij dieper in het bos woonde. De huizen stonden zelfs te ver uit elkaar om te kunnen horen als de buurman muziek draaide. Naar aanleiding van de advertentie belde Maria van den Brink naar het nummer en vertelde ze waar ze woonde. Vermin toonde belangstelling en zei dat hij bij haar langs zou komen voor een gesprek. Daarna nam hij haar aan.

'Vond u het niet vreemd dat hij hier kwam voor een gesprek?', vroeg Petersen.

'Ik vond het wel makkelijk. Hij zei dat hij het deed, omdat hij wilde zien hoe ik mijn eigen huis onderhield. Als ik hier er een rommeltje van maakte, wilde hij me niet hebben. Dat vond ik wel slim van hem bedacht.'

'Waren er andere sollicitanten?'

'Niet dat ik weet.'

'Vertelde hij u meteen dat hij naast u woonde, of pas nadat hij u aangenomen had?'

'Dat weet ik niet meer. Volgens mij was het pas later. Wat bof ik, dacht ik nog.'

'Maar het was financieel helemaal niet nodig dat Maria bij hem ging werken', zei Toine Boon, die met een fles cola de kamer binnenkwam. Hij schonk twee glazen vol en zette ze de rechercheurs voor. 'Ik verdien meer dan genoeg.'

'Geld is voor mij nooit de motivatie geweest, Toine. Dat weet jij net zo goed.' Ze keek Petersen aan. 'Ik verveelde me. Tegenwoordig werkt iedereen, terwijl ik thuis zat. Ik merkte het aan de buren. Die zijn er overdag nooit. En als ze er wel zijn, hebben ze geen tijd voor je. Ik ben het zo anders gewend. Op Curaçao waren we met een clubje vrouwen die altijd bij elkaar over de vloer kwamen. Het was een hele gezellige tijd.'

'Waarschijnlijk kent u niemand in deze streek.'

'We hadden in het begin alleen contact met Dennis Vreeland', antwoordde Maria. 'Hij woont een paar huizen verderop, in de richting van Maarsbergen. Hij is badmeester bij het Bosbad in Leersum. Hij is zo aardig Emile privé zwemles te geven. Elke donderdagavond gaan we naar het zwembad.'

'Dus u zocht een baantje omdat u er tussenuit wilde. Was dat niet lastig met uw kind?'

'Daarom zocht ik iets voor enkele uren. Desnoods vrijwilligerswerk. Voor Emile zou ik een oppas regelen. Maar bij Jacques Vermin bleek Emile geen probleem te zijn. Hij zei onmiddellijk dat ik hem mee kon nemen.'

'Dan had u het goed getroffen. Wanneer begon u voor de heer Vermin te werken?'

'Laat me denken.'

'Het was begin april', bracht haar vriend haar in herinnering.

'Hoe vaak kwam u bij hem over de vloer?', vroeg Petersen verder.

'Twee keer in de week. Op maandag en op vrijdag. Ik ging er om negen uur naartoe. Maar als hij er zelf niet was, omdat hij in Arnhem moest zijn, hoefde ik niet te komen. Toch werd ik dan doorbetaald. Dat maakte voor hem niets uit.'

'Een ideale werkgever dus.'

'Is dat de reden dat u hem op Emile liet passen?', vroeg John van Keeken opeens.

'Ja. Hij had al eens eerder op ons kindje gepast.'

Petersen wilde een vraag stellen, maar hij was hem kwijt. Ondertussen hoorde hij zijn collega opnieuw het woord nemen.

'Ik hoor dat anderen beweren dat hij niet met kinderen overweg kon.'

'Integendeel, hij was een echte kindervriend. Hij zei altijd dat kinderen zo onschuldig zijn. Ze nemen geen blad voor de mond.'

Opeens herinnerde Petersen zich de vraag die hem ontschoten was. Maar de antwoorden op de vragen die John van Keeken had gesteld, riepen andere vragen op. Even twijfelde of hij de nieuwe vragen zou stellen, of naar het oorspronkelijk onderwerp zou terugkeren. Hij besloot tot het laatste.

'U vertelde dat u op maandag en vrijdag werkte. Hebt u Thijs Warnink daarbij ontmoet?'

'De vriend van Jacques? Nee. Maar ik heb Jacques wel over hem horen praten. Ze gingen vaak in het weekend stappen. Op maandag kreeg ik de verhalen daarover te horen. We hebben heel wat afgelachen. Maar die vriend was er nooit als ik kwam.'

'Wat vond u van Jacques Vermin?', vroeg John van Keeken aan Toine Boon.

'Ik?'

'Ik dacht dat ik u geïrriteerd zag kijken toen ik het met uw vriendin over het oppassen had.'

'Dat is waar', zei hij. 'Ik moest niets van Vermin hebben. Ik had een keer een vrije dag. Ik heb toen Maria met de auto naar het huis gebracht. Vervolgens zagen wij hem naakt in de tuin zitten, in de zon. Dat wil ik niet als Maria daar komt werken!'

Petersen trok de aandacht door te gaan staan.

'We houden een korte rookpauze', zei hij, waarbij hij naar de hal liep.

11.15 uur

'Het werkt zo niet', zei Bram Petersen tegen zijn jongere collega toen ze buiten stonden. Van Keeken had zijn shagje tevoorschijn gehaald. Met de aansteker stak hij hem aan. 'Ik stel de vragen. Dat doe ik met een bepaalde opbouw. Ik werk van de ene vraag naar de andere toe. Jij hebt me tot twee keer toe onderbroken door op een ander onderwerp over te gaan. Dat werkt niet.'

'Ik wil ook vragen stellen', zei Van Keeken, verontwaardigd rook uitblazend. 'Griesink zegt dat dit mijn kans is te bewijzen wat ik kan. Ik doe mijn best.'

'Je moet begrijpen dat het verwarrend is als je naar een ander onderwerp gaat. Ik had het over Maria die bij Vermin werkte, terwijl jij het opeens had over het oppassen op Emile.'

'Ik dacht dat je klaar was met dat ene onderwerp.'

'Nee, ik dacht na.'

'Duurt dat zolang?'

'Luister, John, dat je mij assisteert, is de keus van Theo Griesink. Maar je bent assistent. Daarom wil ik dat je je meer afzijdig houdt. Ik stel de vragen, jij maakt notities.'

'Stel ik dan geen goede vragen?'

'Jawel', gaf Petersen toe. 'Maar die kan ik ook bedenken. Ondertussen leid je mij af.'

'Nou,' zei John van Keeken gepikeerd, 'dan houd ik voortaan mijn mond wel.'

'Laten we afspreken dat ik de vragen stel, en als ik laat merken klaar te zijn, kun jij altijd nog je opmerkingen kwijt. Goed, doe nu je sigaret uit, dan kunnen we verder gaan.'

-

11.20 uur

'Ontving Jacques Vermin mensen op Het Hemelse Hof?', vroeg Petersen aan Maria van den Brink na de onderbreking. Ze had Emile op de grond gezet. Liggend onder de salontafel was de peuter met het autootje aan het spelen dat het slachtoffer kort voor zijn dood voor het kind had gekocht. Zo te zien had het joch niets aan de gebeurtenissen van gisteren overgehouden.

'Nee, ik denk het niet. Ik heb daar nooit iemand gezien. Hij was er wel vaak.'

'U hebt misschien wel gehoord dat hij een vrouw had.'

Maria van den Brink knikte. 'Ze was al bij hem weg toen ik daar kwam werken. Hij had het vaak over haar. Hij was helemaal weg van haar. Maar tussen de regels door kon ik wel merken wat voor een type zij was. Ze zat er de hele week, tenzij ze zin had om in Arnhem of in een andere stad te winkelen. En ze deed nooit wat. Daarom had hij een werkster nodig.'

'Zij heeft een nieuwe vriend met wie ze in Ermelo samenwoont.'

'Dat had Jacques mij verteld.'

'In zijn testament laat hij haar alles na. Dit testament is kort na zijn huwelijk met Veronie Posthumus opgesteld. Heeft hij ooit hierover iets losgelaten? Bijvoorbeeld dat hij zijn testament wilde veranderen?'

'Natuurlijk. Hij had het de hele tijd over haar. Hij was er slecht over te spreken dat ze hem in de steek had gelaten. Hij kon dat moeilijk verkroppen. Maar hij was ook blij als ze weer kwam, want ze kwam soms onverwachts langs. Niet als ik er was hoor, maar vooral 's avonds. Hij dreigde haar naam in een volgend testament te schrappen in de hoop dat hij haar zo terug kon krijgen. Uit alles wat ik over haar gehoord heb, mocht hij blij zijn dat ze verdwenen was.'

'Ik heb een heel andere vraag', zei Petersen. 'U had het er al over dat uw werkgever soms in Arnhem moest zijn. Weet u waarvan hij leefde?'

'Hij heeft mij verteld dat hij adviseur was. Ik heb een tijdje gedacht dat hij kunstenaar was.'

'Waarom dacht u dat?'

'Vanwege de gipsen beeldjes die hij in huis heeft. Het was heel aandoenlijk hoe voorzichtig hij daarmee was. Ik dacht dat hij ze beschilderde en dan verkocht. Er was namelijk een beeldje dat ik mooi vond, en een week later was het weg. Hij zei dat hij het verkocht had. Misschien was het een hobby.'

'Waar had hij het beeldje verkocht?'

'Ik heb geen idee.'

'U hebt ook een beeldje van hem gekregen of gekocht?', merkte Petersen op, waarbij hij knikte in de richting van een zwart geschilderd borstbeeldje van Napoleon dat op de schoorsteenmantel stond.

'Oh, ja', zei ze aarzelend. 'Ja, dat heb ik gekregen.'

Toine Boon mengde zich in het gesprek.

'U had het over wat voor een werk Vermin deed. Het zou mij niet verbazen als hij iets met oude kleding deed.'

'Waarom denkt u dat?', vroeg Petersen verbaasd.

'Omdat ik hem een keer met die stationwagon van hem heb zien rijden. Hij reed de oprijlaan op. Ik zag dat hij achterin minstens vier vuilniszakken had staan. Gevulde.'

108

'En die nam hij mee naar huis?'

'Juist, ja. Ik kon me niet voorstellen dat er huisvuil in zat. Het enige wat ik kon bedenken, was dat hij oude kleding verzamelde. Misschien voor een goed doel, hoewel mij dat van hem mee zou vallen. Het kan ook zijn dat hij voddenkoopman was.'

11.35 uur

'Jacques Vermin heeft Het Hemelse Hof toch twee jaar geleden gekocht?', vroeg John van Keeken toen ze in de auto stapten.

'Ja? En?' Petersen trok de gordel aan.

'En er waren weinig mensen die wisten dat hij daar woonde.'

'Ja, dus het aantal mensen dat hem daar eergisteren opgezocht kan hebben, is gering.'

'Nou,' vervolgde Van Keeken, 'dan vraag ik mij af wie Vermin eerder als werkster heeft gehad. Maria van den Brink werkte er pas sinds april. Veronie Posthumus was in maart al weg, maar zij deed niets. Dan zal hij een andere werkster gehad hebben voor hij Maria aannam. Dan is er nog iemand die wist waar hij woonde. Ik zou wel eens willen weten waarom zij gestopt is. Werd ze ontslagen, of nam ze zelf ontslag?'

Petersen keek Van Keeken scherp aan. 'Waarom zeg je dat nu pas?'

'Ik moest mijn mond toch houden?', wreef deze hem onder de neus.

'Sorry, John. Ik geloof dat we elkaar niet bepaald liggen.'

'Nou, dat kun je wel zeggen.'

'Loop jij even terug, en vraag haar of zij meer weet.'

Met duidelijke tegenzin stapte John van Keeken uit. Een minuut later kwam hij terug.

'Katrien Houtsman. Zo heette de vorige werkster. Maria van den Brink zegt dat Vermin haar ontslagen had, omdat ze zich voor ieder wissewasje ziek meldde. Als ze er wel was, kletste ze meer dan ze werkte. Katrien Houtsman woont in Leersum, aan de Nieuwe Steeg.'

'Bedankt voor deze informatie, John.'

11.45 uur

De Nieuwe Steeg vormde de zuidelijke begrenzing van de bebouwde kom van Leersum. Aan de zuidzijde bevonden zich weilanden, afgewisseld met een enkele woning of boerderij. Aan de andere kant waren rijen huizen.

De woning van Katrien Houtsman had een prachtig vergezicht over de weilanden in de richting van Wijk bij Duurstede. De voormalige werkster van Jacques Vermin bleek thuis te zijn. Petersen schatte haar leeftijd op vijftig. Ze liet duidelijk merken dat ze ongelegen kwamen. Ze had krulspelden in het haar zitten en ze droeg een schort. Aan haar handen kleefden stukjes geraspte wortel. Dat ze meer kletste dan werkte, was niet te merken, maar dat kwam waarschijnlijk omdat ze nerveus was nu er twee rechercheurs voor haar stonden. Haar handen trilden in elk geval, wat ze trachtte te verbergen door met de armen over elkaar in de deuropening te staan.

Op het nieuws dat Vermin dood was, reageerde ze met neusophalen.

'Mmm', zei ze. 'Jullie komen vanwege Vermin? Mmm.'

'U hebt voor hem gewerkt?'

'Vanaf dat hij hier kwam wonen tot begin dit jaar.'

'Was dat voor zijn vrouw bij hem wegging, of daarna?'

'Daarna.'

'Hoe bent u bij hem in dienst gekomen?'

'Daar wil ik niet over praten.'

Petersen keek haar niet-begrijpend aan.

'Ik denk liever helemaal niet meer aan hem', sprak ze vinnig.

'U zult daar uw redenen voor hebben. Maar alles wat u ons kunt vertellen, kan ons helpen bij het onderzoek.'

'Hij kwam hier, om te keuren of ik geschikt was.'

'Keuren?'

'Daar leek het wel op. Mmm.'

'Begin dit jaar bent u weggegaan.'

'Omdat ik ontslag nam.'

'U nam ontslag? Waarom?'

'Omdat hij zich aan oneerbaar gedrag schuldig maakte. Meer wil ik er niet over kwijt. Ik vond hem een akelige vent. Zie maar wat hij met 't Hoekje gedaan heeft.'

'U denkt dat hij die brand gesticht heeft?'

'Dat weet ik wel zeker!'

12.00 uur

'Wat doen we nu?', vroeg John van Keeken. Hij keek op zijn horloge. 'Het is lunchtijd.'

'Ik rijd naar het centrum want ik wil eerst naar de supermarkt, boodschappen doen. Je hebt een kwartier om bij een snackbar iets te halen, voor ons beiden, daarna gaan we door naar Het Hemelse Hof.'

'Ik dacht dat jij iemand was die zijn vrouw het huishouden liet runnen.'

'Mijn vrouw is er momenteel niet.'

'Ze heeft je verlaten?'

'Nee, hoe kom je erbij? Ze is met onze dochter op vakantie. Gisteren heb ik vergeten inkopen te doen, en nu denk ik eraan. Dus als jij iets haalt, ga ik naar de supermarkt.'

Ze reden naar een grote parkeerplaats in het centrum van het dorp en gingen allebei een andere kant op. Toen Bram Petersen na een kwartier naar zijn auto terugkeerde, stond er een papieren zak op de bijrijderstoel, maar Van Keeken was er niet. Bij het openen van het portier kwam de geur van verse patat en mayonaise hem tegemoet. Nadat hij zijn boodschappen in de kofferbak had gedaan, nam Petersen plaats achter het stuur, startte de motor en toeterde twee keer. Even later zag hij zijn nieuwe assistent met een tijdschrift in de hand uit de plaatselijke boekhandel slenteren. Hij toeterde nog een keer en reed de parkeerplaats af.

'We eten de patat daar wel op', zei hij toen zijn collega was ingestapt. 'Gisteren heb ik over het terrein gelopen en toen heb ik nog een klein gebouwtje gezien waarvan de deur gesloten was.

111

Marcel heeft op het lichaam van Vermin de sleutelbos gevonden. Ik wil binnen een kijkje nemen.'

'Ik heb anders wel zin in iets.'

'Niet in de auto. Je krijgt er vette vingers van. Jij bent nog niet in het huis van Vermin geweest. Wil je niet rondkijken?'

Van Keeken haalde onverschillig de schouders op. Hij sloeg het tijdschrift open. Even schrok Bram Petersen omdat hij dacht dat zijn kersverse assistent een blootblad had gekocht om te provoceren, maar het viel mee. Het was een sportmagazine.

'Het kan heel leerzaam zijn', zei hij. 'Hoe je woont, zegt iets over je persoonlijkheid.'

'Je bent hoe je woont.'

'Precies.'

'Dan vraag ik me af hoe jij woont. In een bunker, waarschijnlijk.'

'Wil je naast me wonen dan?'

'Ik?' Van Keeken lachte luid. 'Voor geen goud! Het eerste wat jij zou doen, is een kanon op het dak van je bunker monteren.'

Het kleine gebouwtje waar Petersen het over had, kon bereikt worden door een paadje dat tussen het huis en de garages begon. Het voerde door een bos van sparren en rododendrons naar een open plek. Hier stond een aanhangwagen beladen met boomstammen. Kort gezaagde berkenstammen lagen ernaast opgestapeld.

Terwijl zijn assistent met een zak patat achteraan kwam sukkelen, liep Petersen onverstoorbaar door. Ze kwamen bij het gebouwtje waarvan de deur overschaduwd werd door de uitstekende rand van het dak. Aan de dakgoot hing een bloempot waar niets in zat. Bram Petersen had de sleutelbos gekregen die op het lichaam van Jacques Vermin was aangetroffen. Het was de vijfde sleutel die hij probeerde, die paste. Voorzichtig opende hij de deur. Een rotte lucht sloeg hem in het gezicht. John van Keeken deinsde direct met een grove vloek achteruit.

'Wat goor!'

'John, ik wil niet dat je vloekt.'

'Nou, het is echt smerig. Ik ga daar niet naar binnen. Bah, ik heb geen zin in eten meer.'

Petersen probeerde zich zo min mogelijk van de lucht aan te trekken. Die geur kon van alles betekenen. Het was de geur van verrotting op een afgesloten plaats. Het eerste wat door het hoofd van Petersen schoot, was de gedachte dat hier een ontbindend lijk lag.

'Ik zie geen lichtknopje. John, loop naar de auto en haal een zaklamp en latex handschoenen.' Hij wierp zijn collega de autosleutels toe. 'Ze liggen in de kofferbak.'

Aanvankelijk leek het alsof hij een donker hol betrad. Het bleek dat het schuurtje uit twee delen bestond, met in het midden een open ruimte. Omdat er in het rechterdeel een raampje zat, zag hij in het licht dat hier een werkplaats was ingericht. Op de werkbank lag gereedschap. De ondraaglijke lucht bleek uit het linkerdeel van het gebouwtje te komen. Er was geen lijk, maar Petersen zag wat wel de oorzaak van de vieze lucht was. Er stonden minstens vijf volle vuilniszakken. Toen hij dichterbij kwam, vloog een aantal vliegen op. Hij zag dat er etiketten op de zakken zaten, waarop met een pen letters en cijfers geschreven waren. Petersen herkende de codes meteen van de aantekeningen in het boekje dat Vermin bij zich had gehad en begreep dat hij een belangrijke ontdekking had gedaan.

John van Keeken kwam terug met de lamp en de handschoenen. Met de zaklamp onder zijn oksel geklemd, liep rechercheur Petersen naar de zak met de code WB ROZ 4/20 en scheurde hem met beide handen open. Wat eruit barstte, was afval. Hij kreeg een smurrie over zijn handen, en er viel troep op de grond. Uit de zak viste hij een envelop. Hij zag een adres in Rozendaal, Alteveerseweg nummer 4. De naam sloot aan bij de letters op het etiket. Dit was niet de vuilniszak van Jacques Vermin, dit was het afval van de heer W. Bos.

Zonder de andere zakken te openen, zag Bram Petersen dat het daarmee niet anders gesteld was. Er waren andere initialen, maar bij vier van de vijf zakken waren de laatste twee cijfers gelijk. Het was de datum waarop Vermin deze zakken uit Rozendaal had meegenomen. Het was op dinsdag 20 juli gebeurd. Blijkbaar was dat de ophaaldag voor het huisvuil in Rozendaal.

Petersen begaf zich naar buiten.

'John, bel Marcel op. Ik wil de technische recherche hier hebben.'

12.15 uur

Ze had al drie keer aangebeld en nog deed hij niet open. Nelly van Dijk twijfelde er niet aan dat haar vriend thuis was en daarom was ze niet van plan het op te geven. Uiteindelijk zou hij naar beneden komen om haar binnen te laten, al was het maar om van het aanbellen af te zijn. Sinds hij gisteren naar Leersum vertrok, had ze niets meer van hem vernomen. Onder normale omstandigheden was dat niet vreemd. Als hij inspiratie had, kon hij zich dagenlang terugtrekken. Meestal zag ze die periodes van tevoren aankomen en wist ze dat ze hem zijn gang moest laten gaan, want anders zou hij zich aan haar ergeren. Hij had rust nodig om volledig in zijn werk op te kunnen gaan.

Dit keer was het anders. Ze had gistermiddag telefoon gekregen van de politie die haar vertelde dat Jacques vermoord was. Thijs had zijn lichaam ontdekt. De rechercheur die ze aan de lijn had gehad, had haar gevraagd waar zij en haar vriend de voorgaande avond en nacht waren geweest. Ze had de man meteen duidelijk gemaakt dat Thijs niets met de moord te maken had, omdat hij vanaf half elf 's avonds bij haar was geweest. Na dat telefoontje had ze haar vriend meermalen gebeld, zonder dat hij haar oproep beantwoordde.

Sindsdien had ze zich zorgen gemaakt. Ze kende Thijs en vermoedde welke impact de ontdekking in Leersum op hem maakte. Ze vroeg zich af, waarom hij niet onmiddellijk haar had opgezocht. Als zijn vriendin had ze recht om te weten wat zich in zijn leven afspeelde, zodat ze hem kon ondersteunen. Maar zoals het altijd bij hem ging, zo zou het nu ook gaan. Ongetwijfeld had hij zich in zijn kamer teruggetrokken om te zitten somberen.

Ze belde voor de vierde maal aan. Achter haar in de winkelstraat wandelden mensen gezellig babbelend voorbij. Als het nog lang duurde, zou ze bij zijn hospita aanbellen om binnengelaten te worden. Nog steeds had hij haar geen sleutel gegeven, terwijl ze daar een aantal keren om gevraagd had. Hij had haar nooit meegenomen voor een weekendje in Leersum. En nu verzweeg hij dat zijn beste vriend was vermoord. Hield hij van haar?

Ze had laatst die vraag eens hardop gesteld, waarna hij haar zijn liefde had verklaard. Hij had dat met zoveel overtuigingskracht gedaan, dat ze op dat moment geen enkele twijfel had gehad dat hij van haar hield. Later was ze er niet zo zeker van. Ze had het gevoel dat hij zijn liefdesverklaring vol overtuiging had uitspoken, omdat hij het wilde geloven, omdat hij zelf behoefte had aan liefde. Toevallig kon hij die liefde bij haar vinden. Ze was daarom bang dat hij haar zou laten vallen zodra het hem iets ging kosten.

Een ander zou Thijs allang gedumpt hebben, zoals een vriendin van haar had aangeraden. Maar zij had haar hart aan hem verloren.

Ze wilde voor de laatste keer aanbellen. Op dat moment hoorde ze een vertrouwd geluid aan de andere kant van de deur, waardoor ze wist dat hij eindelijk naar beneden was gekomen. Even later ging de deur op een kier open. Door de opening zag ze het sombere gezicht en de verwarde haardos van haar vriend. Hij had alleen zijn ondergoed aan. Ze duwde de deur verder open en stapte naar binnen. Ze kuste hem vluchtig op de wang, maar dat leek nauwelijks tot hem door te dringen. Hij draaide zich om en ging haar voor naar boven.

'De politie heeft me gebeld', zei ze.

'Oh?'

'Over de moord op Jacques.'

Ze hield haar mond nu ze merkte dat ze geen reactie kreeg. Ze kwamen op de overloop waar hij zonder omkijken zijn kamer binnen slenterde. Dit vertrek gebruikte hij als slaapkamer en als atelier. In een oogopslag zag Nelly dat haar vriend vandaag niet gewerkt had, hij had in bed gelegen. De gordijnen waren gesloten en er hing een bedorven lucht in de kamer, als in een huis dat dagenlang niet gelucht is. De middagzon brandde tegen de gordijnen.

Nadat Thijs op het bed was neergeploft, nam ze naast hem plaats, sloeg een arm om hem heen en vroeg wat er was gebeurd. Haar vriend liet zijn hoofd hangen. Na een ogenblik stilte begon hij te vertellen. Hij eindigde met het nieuws dat Veronie Posthumus alles zou erven, maar dat zij de belofte van Jacques niet na wilde komen.

'Wie kan het gedaan hebben?', vroeg ze.

'De politie verdenkt mij.'

'Waarom?'

'Omdat bijna niemand wist dat Jacques in Leersum woonde.'

'Dan is Veronie ook verdacht.'

Thijs hief zijn hoofd op en keek haar aan met een blik alsof hij daar nog niet aan gedacht had. Haar suggestie lag zo voor de hand, dat zijn reactie haar verbaasde. Opeens stond hij op en zei dat hij iets moest uitzoeken. Hij begon zich aan te kleden.

'Wat dan?', vroeg ze.

'Dat heeft hiermee te maken.'

-

13.45 uur

Marcel Veltkamp kwam glunderend uit schuurtje gestapt. Het witte mondkapje dat hem tegen de ergste stank moest beschermen, had hij afgedaan. Hij keek naar Petersen en Van Keeken die de verrichtingen van de technische recherche volgden. In zijn hand had hij een grote verzendenvelop waaruit hij een videoband haalde met daarop een pornofilm.

'Weet je wat voor videootjes Wouter Bos in zijn vrije tijd kijkt?'

'Hou maar op, Marcel', sprak Petersen afkeurend. 'Dit is walgelijk.'

'Die band stinkt als een goot', zei Van Keeken met een vies gezicht.

'Bos heeft zeker zijn videocollectie vervangen door dvd's,' vervolgde Veltkamp. 'Volgens mij is dit verboden spul. Als ik die meisjes zie, dan zijn ze niet ouder dan veertien. Moet je kijken naar hun borstjes! Weten ze bij de PvdA dat hun fractievoorzitter in de Tweede Kamer kinderporno kijkt? Ben ik blij dat ik niet op hem gestemd heb!'

Rechercheur Petersen nam de envelop van de technische rechercheur over.

'De band is helemaal niet naar Wouter Bos gestuurd.'

'Jawel, dat staat op de envelop.'

'Ten eerste woont hij niet in Rozendaal.'

'Misschien verdient hij zoveel dat hij zich daar een tweede huis kan veroorloven', zei Veltkamp. 'Politici zijn toch allemaal zakkenvullers.'

'Ten tweede staat er niet Wouter Bos, maar Walter Bos. Dat is de projectontwikkelaar. Hij was betrokken bij de reconstructie van de Arnhemse binnenstad. Maar loop niet te koop met dit materiaal, Marcel.'

'Ik kan wel raden wat die Vermin hiermee van plan was.'

'Hij chanteerde!', zei John van Keeken.

'Het verklaart waarom hij zoveel vuilnis aan de kant van de weg zette', zei Petersen. 'Sommige buren dachten dat hier een gezin woonde. Hij doorzocht de zakken op chantabel materiaal, en de rest gooide hij weer weg.'

'Ik heb tot nu toe drie zaken geopend, allemaal van mensen in Rozendaal', zei Marcel Veltkamp weer. 'Rozendaal is een van de duurste gemeentes van Nederland. Daar valt heel wat geld te halen als je dit soort videobanden uit het vuilnis weet te vissen. Ik heb ook een vuilniszak van een bekende Nederlander uit Bennekom gevonden.'

'Wie?', wilde Van Keeken weten.

'Dan moet je binnen komen kijken, Johnny.'

'Liever niet.'

'Kom de verfrissende parfum van de allerrijksten opsnuiven.'

'Een sterke lucht is het zeker', zei Petersen. 'Dat muggenspul van jou van gisteren ruik ik niet meer. Maar even serieus nu. Hier zouden we wel eens het motief voor de moord kunnen hebben.'

'Dat weet ik wel zeker', zei Veltkamp.

'Hoezo?'

'Weet je nog dat er een dossierkast in de werkkamer van Vermin stond? Nou, die is leeg. Maar er zitten tabbladen in waaraan je kunt zien dat daarin dossiers hebben gezeten, over de mensen die Vermin wilde chanteren. De dossiers zijn door de moordenaar eruit gehaald.'

'Ik wil dat er een lijst wordt gemaakt van alle namen.'

'Nou, Walter Bos dus. En dan een politicus uit Bennekom met de initialen G.J.B., die herken je vast wel, Bram. Brouwer is zijn achternaam.'

'Is dat niet de oud-minister? Hij krijgt toch binnenkort een hoge functie?'

Veltkamp knikte. 'Vermin zal op hem vast geen grip gekregen hebben. Brouwer heeft een onkreukbaar imago.'

'Daar zou ik niet zo zeker van zijn', merkte Petersen ernstig op. 'Die initialen herken ik uit het notitieboekje. GJB 22/07/1000 stond er op een van de bladzijden. Jacques Vermin had met hem een afspraak.'

'Op welke dag?'

'Gisterochtend, om tien uur.'

14.10 uur

De achterdeur stond wijd open en hij zou ongemerkt naar binnen kunnen sluipen. Veronie Posthumus lag op haar buik op een ligbed in de tuin, met haar gezicht van hem afgewend. Vanuit het struikgewas keek Thijs Warnink toe. Hij wachtte al een kwartier. Wat hij wilde weten, was of Veronie alleen was. Als dat zo was, kon hij met een gerust hart in actie komen, want hij wilde niet het risico lopen die vriend van haar tegen het lijf te lopen. Bij zijn aankomst had hij daarom eerst gekeken of er een auto voor het huis geparkeerd stond. Dat de inrit verlaten was, was geen garantie, want Herman kon zijn auto in de garage gezet hebben.

Het bleef volkomen stil.

Na nog eens vijf minuten gewacht te hebben, besloot hij het te wagen. Hij zou zich prettiger hebben gevoeld, als hij nu zijn imitatierevolver bij zich had gehad. Mocht Herman hem betrappen, dan kon hij het wapen trekken en ontsnappen. Hij had het willen meenemen, als Nelly het vanmiddag niet had gezien en het in beslag had genomen. Volgens haar zou hij zich alleen maar verdachter maken als iemand hem ermee zou zien, en natuurlijk had ze wat dat betreft groot gelijk. Vroeg of laat zou de politie hem in Arnhem komen opzoeken.

Hij had zijn schoenen uitgetrokken om zo min mogelijk geluid te maken. Op zijn blote voeten wandelde hij over het gazon. Als een van de buren hem zou zien, zou het lijken alsof hij een gast was die de verkoeling van het huis opzocht. Met een halve blik hield hij in de gaten of Veronie op zou kijken. Zoals hij verwacht had, bleef ze roerloos liggen.

Sinds hij gisteren gehoord had dat er in het huis van zijn vriend waarschijnlijk een kind was geweest, was hij zich gaan afvragen van wie het kind was en wie het weggehaald had. Dat Jacques een kind in huis had gehad, was een bewijs dat hij zijn vriend minder goed had gekend dan hij altijd had gedacht. Uiteindelijk had hij geconcludeerd dat het kind van de werkster was. Hij herinnerde zich vaag dat Jacques eens had gezegd dat zij een kind had. Of zij ook degene was die 's nachts naar Het Hemelse Hof was geweest, kon hij zich niet voorstellen. Waarom zou zij haar kind toevertrouwen aan Jacques, om hem midden in de nacht weer weg te halen?

Door wat zijn vriendin tegen hem zei, had Thijs ingezien dat een andere verklaring meer voor de hand lag. Natuurlijk was het Veronie geweest. Tegen de politie had ze gezegd, dat ze 's nachts in Ermelo was geweest, maar dat loog ze. Daarom was hij hier naartoe gekomen, om bewijs te vinden. Het zou fantastisch zijn als hij dat verwaande mens eens op haar nummer kon zetten.

Hij liep de trap op en ging eerst naar de slaapkamer. Veronie leek hem het type vrouw dat een dagboek bijhield. Als hij die kon vinden, was dat perfect, want dan had hij een geschreven bekentenis. Wat hij ook wilde weten, was of ze iets uit het huis had meegenomen. Eerst voelde hij onder de hoofdkussens, daarna zocht hij in de nachtkastjes. Het leverde niets op.

Hij wierp een blik naar buiten en zag dat ze zich nog niet verroerd had. Hij draaide zich om en zag haar kaptafel met de vele potjes crème, bussen lak, flesjes parfum en allerlei snuisterijen. Hij zag een haarkam die ze op een borstel had gestoken en waarin een paar van haar zwarte haren vastgeklemd zaten. Toen ontdekte hij de Napoleon. Had ze die eergisternacht uit het huis meegenomen, of had ze die eerder van Jacques gekregen?

-

15.10 uur

'Waarom wandelen we door het bos?', hoorde Petersen zijn collega klagen. Hij had de auto aan het begin van de oprijlaan geparkeerd en daarna waren hij en Van Keeken langs de provinciale weg richting Leersum gelopen. Op de plek waar een pad begon, waren ze over een hek geklommen en het bos ingegaan. Bij elke splitsing van paden, had Petersen gekozen voor de route die het dichtst bij het terrein van Vermin bleef. Ze waren bezig een rondgang om het terrein te maken. Maar nergens konden ze zo dichtbij komen om meer dan een glimp van het huis op te vangen. Een hekwerk, afgewerkt met prikkeldraad, versperde hun de weg.

Nu klaagde Van Keeken dat hij nog nooit zo'n eind gewandeld had.

'We wandelen hier om na te denken', antwoordde Petersen hem. 'En om te zien hoe goed Vermins huis te zien is.'

'Kunnen we dit niet met een terreinwagen doen?'

Bram Petersen schudde het hoofd. 'Het is mogelijk dat mensen uit Leersum hier wandelen. Ik wil weten of het mogelijk is dat iemand toevalligerwijs erachter gekomen kan zijn, dat Vermin hier woonde. Tevens versterkt deze wandeling de indruk die ik van het slachtoffer begin te krijgen. Wat is jouw indruk van Jacques Vermin?'

'Hij wilde zich zoveel mogelijk van de buitenwereld afzonderen.'

Het pad had het hoogste punt van de Darthuizerberg bereikt en begon weer te dalen. Hier waren de funderingen die eens van een brandtoren waren geweest. Met die toren kon vroeger in het zomerseizoen uitgekeken worden of er ergens in de natuur een bosbrand was ontstaan. De toren moest ook een onbelemmerd zicht op het erf van Jacques Vermin hebben gegeven. Maar Petersen wist dat de toren al tientallen jaren geleden was gesloopt.

Ze waren nu achter het terrein gekomen, westelijk van de gebouwen. Het pad was niet meer dan een smal spoor, dat gedeeltelijk door de regen tot een diepe sleuf was uitgeslepen. Bij een hevige regenbui moest hier het water naar beneden gutsen. De doorgang werd verder bemoeilijkt door hemlocksparren die op het pad groeiden of er half overheen bogen. Petersen was hier eerder geweest, jaren geleden, toen hij met zijn vrouw op een zondagmiddag een wandeling maakte. Toen was het pad nog goed begaanbaar. Het was een corridor tussen twee privéterreinen door. Rechts was het terrein van Jacques Vermin, links het terrein van een andere particuliere eigenaar. Om de een of andere reden was dit pad tussen twee verboden terreinen in onbruik geraakt.

Van de gebouwen van Het Hemelse Hof was weinig te zien. Behalve het hekwerk van gaas en prikkeldraad, was er over de gehele lengte van het pad een strook sparren gepoot. Dat moest nog door de vorige eigenaar zijn gebeurd. De bomen waren zo groot geworden, dat de onderste takken afgestorven waren en er een doorzicht ontstaan was. Zo konden ze de schuur zien, waar de technische recherche aan het werk was.

Het huis zelf was amper te zien. Achter de strook sparren stonden de flink uit de kluiten gewassen rododendrons. Daar bovenuit was nog een stuk van het dak van de garages en het dak van het huis te zien. Het achtererf zelf was volledig aan het zicht onttrokken.

Petersen en Van Keeken naderden het einde van het smalle pad. Hier waren grote boomstammen geplaatst die de doorgang grotendeels afsloten.

'Iemand heeft opzettelijk dit pad afgesloten', merkte Petersen op. Hij wees zijn collega op een metalen bordje waarop stond, dat het pad verboden terrein was.

'Zo'n bordje stond niet bij het andere eind van het pad.'

'Iemand heeft deze jaren geleden geplaatst, maar die boomstammen zijn van later.'

'Dat zal Vermin dan wel gedaan hebben.'

'Kennelijk lag het in de bedoeling dit pad dicht te laten groeien. Dat is al aardig gelukt. Jacques Vermin wilde geen pottenkijkers.'

Ze waren op een breed, zanderig pad gekomen. Op het hekwerk was een metalen plaatje aangebracht, waarop de naam van een bedrijf in Hengelo stond. Ook dat bevestigde het beeld dat Petersen van het slachtoffer had. Er waren ook bedrijven in deze regio die dit soort hekwerken maakten. Net als met het tuinonderhoud, liet Vermin niets aan het toeval over. Hij wilde voorkomen dat iemand in deze regio wist waar hij woonde. Daarom koos hij Maria ook als werkster. Zij had hier kind noch kraai. Uit het feit dat Vermin Maria opzocht om te kijken of ze geschikt was om werkster te worden, bleek hoe belangrijk hij het vond dat niemand wist waar hij woonde. Pas toen hij haar had leren kennen en haar aannam, gaf hij zijn adres. Het Hemelse Hof was een plek waar hij niet gestoord wilde worden, waar hij zich terug kon trekken. De wandeling bevestigde dat het onwaarschijnlijk was, dat veel mensen door toeval wisten dat Vermin hier woonde.

Tot dusver wisten ze dat Maria van den Brink, Toine Boon, Thijs Warnink en Veronie Posthumus op de hoogte waren. En de voormalige werkster, die het aan half Leersum doorverteld kon hebben. Als Vermin iets wilde voorkomen, was het dat een van zijn chantageslachtoffers zou ontdekken dat hij hier woonde. De vraag was dus interessant of bijvoorbeeld Walter Bos of Brouwer wisten van dit oord.

Deze gedachten deelde Petersen met zijn assistent.

'Je vergeet het bedrijf dat dit hekwerk maakte en het tuiniers-bedrijf', merkte Van Keeken op. 'Werklui kunnen bij een snack-bar in het dorp gegeten hebben. Het kan best zijn dat mensen in Leersum op die manier wisten van Vermins verblijfplaats.'

'Dat is mogelijk', zei Petersen met een goedkeurend knikje.

'Er staat een telefoonnummer op het bordje.'

'Goed, bel jij?'

'De werklui hadden lunch bij zich', vertelde John van Keeken nadat hij het gesprek beëindigd had. 'Wat ook interessant is, is dat het hek cash betaald is. Ik vraag me af of ze dat uit de boeken gehouden hebben.'

17.45 uur

Hij bladerde de telefoongids door in de hoop dat Jacques Vermin er iets tussen gestoken had aan de hand waarvan hij verder kon rechercheren. Al waren zijn verwachtingen niet hooggespannen, toch speet het hem dat hij niets vond. Bram Petersen klapte het boek dicht en duwde hem terug in de la. Vervolgens trok hij de prullenmand naar zich toe. Deze was nauwelijks gevuld. Aan de vol gesnoten zakdoeken en snoeppapiertjes had hij niets.

Hij zakte achterover in de bureaustoel en keek het Arnhemse kantoor rond. Het was niet meer dan een ruimte waarin Jacques Vermin zijn chantageslachtoffers kon ontvangen. Het kantoortje was ingericht met het bureau, een paar stoelen, een kopieerapparaat en een dossierkast die daar alleen stond om indruk te maken, want hij was helemaal leeg. De laden van het bureau hadden behalve een paar telefoonboeken het enige opgeleverd dat tot nu toe interessant was: een geladen pistool met demper. Die had Vermin ongetwijfeld klaarliggen voor lastige klanten. Er was hier niets waaruit viel af te leiden, wie deze ruimte huurde. Afgezien van een ingelijste foto van een zeilschip op zee die aan de muur hing, was hier niets persoonlijks te vinden.

123

Er was geen computer en dat viel op. Ook in het huis in Leersum had niemand een computer aangetroffen, terwijl die er wel moest zijn. Vanochtend had Petersen opnieuw met Thijs Warnink gebeld en die had gezegd dat zijn vriend een laptop had. Kennelijk had de moordenaar het apparaat meegenomen vanwege de belastende informatie die het mogelijk bevatte. Er was nog geen back-up van die informatie gevonden.

Rechercheur Petersen keek op zijn horloge. Het viel hem mee dat John van Keeken mee wilde, toen hij aan het eind van de middag voorstelde om naar Arnhem te rijden. Met Ronald Bloem zou het gegarandeerd tot een discussie hebben geleid. Petersen wist niet wat de districtschef tegen zijn nieuwe assistent had gezegd, maar het had geholpen. Van Keeken had zelfs niet gemopperd dat het bijna etenstijd was. Eerst waren ze samen naar het appartement van Vermin gegaan, waar ze behalve een bed, een kledingkast en een prachtig uitzicht over de Rijn en de Veluwe niets gevonden hadden. Een kwartier geleden had hij Van Keeken afgezet in een zijstraat van de weg waaraan Nelly van Dijk woonde. Zijn assistent was daar nu om onopvallend te informeren of het opgegeven alibi van Thijs Warnink klopte.

Petersen stond op. Hier zou hij niets vinden. Dit kantoor en het appartement waren niets anders dan een façade waarachter het slachtoffer zich had verscholen. Het leek alsof hij hier werkte, het leek alsof hij in het appartement woonde, maar waar hij werkelijk was, hield hij verborgen. Als er problemen waren, dan kon hij die hier achterlaten. Dat er wel eens problemen waren, had Petersen inmiddels van de buren gehoord. Eén keer was er in het kantoor ingebroken. Een andere keer, op Hemelvaartsdag, had iemand hem bij de ingang van het appartementencomplex opgewacht en in elkaar geslagen.

Zaterdag 24 juli

6.20 uur

Hoewel hij zijn wekker had ingesteld om klokslag zeven uur te gaan piepen, werd Bram Petersen na een woelige nacht met een schok wakker. Na een paar warme dagen was de temperatuur in huis fors opgelopen. Omdat Magda weg was, had niemand overdag het zonnescherm omlaag gedraaid. 's Avonds was hij zo laat thuis gekomen, dat hij het huis amper had kunnen uitluchten voor hij naar bed ging.

Ondertussen had hij in bed liggen peinzen over het onderzoek naar de gewelddadige dood van Jacques Vermin. Met name de samenwerking met John van Keeken zat hem dwars. Na een dag was zijn vrees bewaarheid. Ze sloten qua karakters niet op elkaar aan. Een poging van Petersen om een vriendelijke opmerking te maken, had alleen een hatelijke reactie tot resultaat gehad over een kanon op een bunker.

Maar Theo Griesink had ook gelijk, moest Bram Petersen toegeven. John van Keeken had meer in zich dan zijn onverschillige houding en dwarsheid deden vermoeden. Dat had hij bewezen door het opsporen van de voormalige werkster. En in

Arnhem had hij zich ook van zijn goede kant laten zien. Misschien moest hij hem de kans geven initiatieven te ontplooien, door hem vragen te laten stellen.

De slaap wilde niet meer komen.

Nadat hij zich aangekleed had, ging hij naar beneden om een ontbijt klaar te maken. Hij nam het geopende pak melk van het aanrecht, en wilde een pannetje volgieten. Maar er kwam alleen water en witte drab uit, tegelijk met een zure lucht. Hij had gisteren vergeten het pak in de koelkast terug te zetten.

Hij goot de pan en het pak in de gootsteen leeg. Het pak vouwde hij keurig op en hij wilde het in de vuilnisbak onder het aanrecht gooien, maar die bleek tot de rand toe volgepropt te zijn. Een onfrisse lucht kwam hem tegemoet. Meteen trok hij de zak eruit en knoopte hem dicht. Het lege melkpak liet hij op het aanrecht liggen. Dat kwam later wel.

Wie de vuilniszak nu nog openmaakte en doorpluisde, moest niet goed snik zijn, en daarom dacht hij opnieuw aan Veronie Posthumus. Een viezerik had ze haar man genoemd. Nu wist hij waarom. Ongetwijfeld waren er vele mensen die opgelucht waren dat hij nu dood was.

-

6.45 uur

Dominique kon haar oren nauwelijks geloven toen ze wakker werd van de wekkerradio van haar vriend. Het was onvoorstelbaar. Hij nam wel de moeite om de radio uit te schakelen, maar in plaats van zich om te draaien om weer te gaan slapen, sloeg hij het dekbed van zich af en stapte uit bed. Dat hij zich door de radio liet wekken, was geen vergissing. Hij was van plan naar zijn werk te gaan alsof ze geen afspraak hadden.

'We zouden praten', zei Dominique.

'Er valt niet te praten', antwoordde hij terwijl naar de douche slofte. 'Geen uitslag.'

'Dat doet er niet toe, we hadden een afspraak.'

'Er is een moord gepleegd en daarom heeft niemand vrij.'

Zonder verdere verklaring verliet haar vriend de slaapkamer. Ze wilde hem uitschelden voor mongool. In plaats daarvan trok ze het dekbed over zich heen zodat hij bij terugkomst niet zou zien dat ze huilde. Het ging zo niet verder. De manier waarop haar vriend met de situatie rond haar zwangerschap omging, beloofde niet veel goeds voor de toekomst. Hun relatie liep ten einde. Ze wilde hem echter niet kwijt. Toen ze bij de echo hoorde dat haar kind waarschijnlijk een mongooltje zou worden, had Dominique hiervoor al gevreesd. Ze kende Ronald Bloem lang genoeg om te weten dat hij niet zou kunnen kiezen tussen zijn verantwoordelijkheid als vader en als politieman, net zoals hij haar als partner vaak teleurstelde. Alleen als zij een keer haar poot stijf hield, luisterde hij een tijdje naar haar. Maar dat vervloekte werk trok altijd aan hem. Daarom had ze zich na de echo voorgenomen het kind weg te laten halen.

Na zijn vertrek stond ze op. De slaap zou niet meer komen en van blijven liggen en piekeren kwam ze niet tot rust. Zonder zich om te kleden ging ze naar de woonkamer en knielde neer bij het aquarium. Met een algensteker probeerde ze vervolgens de groene aanslag van de ruiten te poetsen, zodat het aquarium er straks helder uit zou zien. Zulke klusjes brachten haar meestal tot rust. Maar vandaag lukte het niet. Ze kon haar aandacht er niet bij houden.

Ze was doordrongen van het feit dat Down in haar familie voorkwam. De zus van haar vader had een kind met Down gehad. Er waren uit andere takken van de familie vergelijkbare verhalen bekend. Dominique wist daarom vooraf dat ze een verhoogde kans op een Downie had, wat de reden was waarom ze eigenlijk geen kinderen wilde. Haar zwangerschap kwam onverwacht. Ze had haar familiegeschiedenis ter sprake gebracht op het consultatiebureau, de eerste keer dat ze daar kwam.

Ze had Ronald nooit durven vertellen dat dát de reden was waarom ze de nekplooimeting in het Diaconessenziekenhuis had ondergaan. Daarom was zo ontzettend boos geworden toen ze hoorde, dat hij zijn collega's al van haar zwangerschap had verteld. Zij wilde dat geheimhouden tot ze zeker wist dat het kind gezond was. Wekenlang had ze tegen de echo opgezien, terwijl ze tegenover haar vriend deed alsof ze alleen blij was. Dat zou ze ook geweest zijn als de meting anders was uitgevallen. De uitslag dat er een verdikte nekplooi van circa 45 mm was, was een klap in het gezicht geweest. Ze had zich opstandig gevoeld. Tegen haar familie, tegen Ronald, tegen zichzelf.

Haar vriend had haar willen sussen, alsof het nog lang niet zeker was dat het kind een mongooltje zou worden. Maar zij was ervan overtuigd en ze kon Ronald gewoon niet vertellen waarom. Ze vond het zo beschamend. Alsof er iets niet aan haar deugde. Het kind zou allerlei negatieve gevolgen voor haar leven hebben. Het kind zou haar geluk afnemen. Ronald had dan wel beweerd dat hij wilde dat het kind geboren zou worden, of het gezond was of niet, maar uiteindelijk zou hij haar laten vallen. Hij had geen idee hoe het was om een Downie te krijgen.

Met tegenzin had ze met de vruchtwaterpunctie ingestemd, in de hoop dat haar vriend daarna in zou zien dat de zwangerschap beëindigd moest worden. In de aanloop naar de vruchtwaterpunctie voelde ze zich steeds beroerder worden. De dag zelf stond in haar geheugen gegrift. Ze was misselijk geworden bij het zien van de naald, die zonder verdoving in haar buik gestoken werd voor de punctie. Vervolgens was er een beetje vruchtwater opgezogen voor onderzoek. Haar hart had in haar keel gebonsd. Na afloop had ze van de prik een branderig gevoel in haar buik overgehouden. Het was een vernederende ervaring geweest, die ze voor Ronald over had gehad.

Maar juist hij was ook bij die gelegenheid niet aanwezig geweest, omdat hij zogenaamd op zijn werk nodig was. Ze had hem wel kunnen vervloeken. Waarom gaf hij geen steun? Hij had zo makkelijk praten. Hij hoefde dit niet te ondergaan en hij was niet de veroorzaker van het Downsyndroom. Dat hij zo reageerde, was dat hij het niet aankon, dus dat begon al goed. Wat hij tot nu toe had gezegd, was grootspraak. Alsof hij wel zorgtaken met haar zou delen! Het was belachelijk.

Zodra de uitslag er was, zou ze Ronald zeggen dat ze de vrucht zou laten afdrijven.

\-

8.05 uur

Rechercheur Petersen opende het overleg op zaterdagochtend met het verwelkomen van Steven Bosma. Hun collega was uit Nijmegen teruggekeerd met het Vierdaagsekruisje. Omdat Petersen hem gisteravond had gebeld, was Bosma in grote lijn op de hoogte van het onderzoek naar de dood van Jacques Vermin. Daarom kwam Petersen meteen ter zake.

Het eerste dat aan de orde kwam, was het rapport van de sectie die op het lichaam van het slachtoffer was verricht. Dat Vermin op de linkerslaap getroffen was door een urn, was geen verrassende uitkomst. In de wond waren scherven van de urn teruggevonden. Wat nieuw was, was de constatering dat de urn niet stukgeslagen was op het hoofd, maar gegooid. Hierdoor kon niet met zekerheid vastgesteld worden, dat de dader handelde met het oogmerk de ander te doden. De urn kon gegooid zijn in een boze bui. Door de klap waarmee de urn tegen hem aankwam, sloeg Vermin met zijn rechterslaap tegen de deurpost. Hierdoor raakte hij onmiddellijk buiten bewustzijn, hoewel het nog enkele minuten duurde voor hij aan de gevolgen van een interne bloeding overleed. Het slachtoffer had ook een schram op zijn voorhoofd, die mogelijk veroorzaakt was door een klap die hij opliep voor hij de urn tegen zijn hoofd kreeg.

Het verslag bevatte verder aantekeningen over de lichamelijke gesteldheid van het slachtoffer op het moment van overlijden. Een onderzoek van zijn maaginhoud toonde aan dat hij geruime tijd na de warme avondmaaltijd was gestorven, en dat hij in de uren voor zijn dood enkele glazen wijn had gedronken. De hoeveelheid alcohol in zijn bloed was echter te gering om ervan uit te gaan dat hij beneveld was.

Nadat Petersen het sectieverslag had afgehandeld, vertelde hij wat hij en Van Keeken gisteren in Arnhem hadden ontdekt. Sindsdien had hij uitgezocht of Jacques Vermin aangifte had gedaan van de mishandeling en van de inbraak. Dat bleek niet het geval. Hij had vervolgens nog eens met Thijs Warnink gebeld, om te vragen of Vermin meer had gezegd over zijn aanvallers. Maar Warnink kon hem niet verder helpen.

John van Keeken meldde nu dat hij in de wijk waar Warninks vriendin woonde, navraag had gedaan. Een paar buren hadden hem verteld, dat Thijs Warnink inderdaad om half elf bij Nelly van Dijk aankwam en dat hij 's nachts niet weg was geweest. In elk geval was zijn auto op dezelfde plaats blijven staan.

'Daarom ga ik er vanuit dat hij in Arnhem was, toen het kind nog te vondeling gelegd moest worden', zei Petersen.

'Walter Bos kunnen we ook schrappen als verdachte', zei Inge Veenstra.

'Je hebt hem gesproken?'

'Nee, want hij is op vakantie.'

'Hoe zit het met dat hoveniersbedrijf dat de tuin bijhield, heb je daar contact mee gehad?'

'Die kwamen altijd op dinsdagen, als Vermin er niet was. Ik denk niet dat zij iets met de moord te maken hebben. Dat geldt ook voor de voormalige werkster die hij ontsloeg. Ik heb niets gevonden dat tegen haar pleit. Ik heb Willem Verhegen gevraagd om in Leersum te peilen of iemand wist dat Vermin Het Hemelse Hof bewoonde, maar tot nu toe heeft dat niets opgeleverd. Dus die voormalige werkster is misschien toch niet zo'n kletstante als we dachten. Daarom denk ik dat we ons volledig moeten richten op het notitieboekje. Iemand die door Vermin gechanteerd werd, heeft een duidelijk motief.'

'Zoals die Brouwer', zei John van Keeken.

Inge Veenstra had zich met het notitieboekje beziggehouden. Ze had de initialen van bijna vijftig personen gevonden, en daarvan zou ze vijf namen kunnen vaststellen aan de hand van de vijf vuilniszakken die in de schuur waren gevonden. Dat onderzoek liep nog. Omdat Vermin op donderdagochtend een afspraak met Geert Brouwer had gehad, was hij volgens haar hoofdverdachte.

Petersen knikte instemmend. 'Ik heb contact met hem gehad. John en ik gaan vanochtend naar hem toe. Probeer ondertussen zoveel mogelijk te weten te komen over de andere personen in dat boekje. Ronald, jij richt je op de achtergronden en de alibi's van de verdachten. Ik heb nog niets gezien over Maria en Toine. Hoewel dat notitieboekje prioriteit heeft, wil ik niets uitsluiten. Houd ook Veronie Posthumus nog in gedachten. En voor jou, Steven, heb ik een andere opdracht. Ik wil dat jij je verdiept in de financiële situatie van het slachtoffer. Misschien kunnen we aan de hand daarvan boven water krijgen, wie geld aan hem afdroeg. Let er vooral op, of er iemand is die volgens het aantekenboekje zou moeten betalen, maar dat niet deed.'

'Komt in orde.'

'Hoe staat het eigenlijk met Otto en Melanie van Schaik? Hebben zij vanuit Amerika gebeld?'

'Daar is iets over bekend', antwoordde John van Keeken. 'Ik zal het even nakijken.'

Hij sprong op en liep naar zijn werkplek. Net voor hij er was, viel hij met een klap voorover. Met een grommend geluid kwam hij overeind.

'Wie heeft deze dozen hier neergezet?'

'Dat heb ik gedaan', zei Ronald Bloem. 'Bram had gezegd dat ze in de weg stonden, daarom heb ik ze aan de kant geschoven.'

'Maar je hebt alle kassabonnen door elkaar gegooid. Sukkel, nou kan ik opnieuw beginnen.'

'Sorry.'

'Blijf er voortaan vanaf.' Van Keeken krabbelde overeind en boog zich over het bureau. 'Oké, hier heb ik een memo van de wachtcommandant. Otto en Melanie van Schaik hebben nog niets van zich laten horen. Ze hadden gisteravond volgens afspraak moeten bellen. De wachtcommandant heeft naar hun hotel in Cincinnati gebeld, maar daar waren ze al vertrokken, zonder aan te geven waar naartoe.'

9.05 uur

'Hier ben ik al', zei iemand die op dat moment de projectruimte binnenkwam. Het was Marcel Veltkamp die een plastic draagtas op de vergadertafel neerlegde, daarna een stoel omdraaide en erop plaatsnam, met de armen over de rugleuning. 'Ik had niet gedacht dat jullie me zo snel zouden missen. Maar daarvoor hoeven jullie de wachtcommandant niet in te schakelen!'

'Wat heb jij voor ons, Marcel?', vroeg Bram Petersen.

'Ik kan beter vertellen wat ik hád kunnen hebben. Als die schuur er gisteren niet bij was gekomen, had ik jullie vandaag het rapport van het onderzoek in de werkkamer kunnen overhandigen. Maar dat zal moeten wachten tot volgende week. Ik ben tot gisteravond laat in dat stinkhok bezig geweest. Het was zo erg, dat zelfs de muggen me vannacht met rust hebben gelaten, zelfs mijn vrouw wilde niets van me weten. Tja, je moet wat voor je vak overhebben. De uitslag zal pas komen als jullie allemaal kleinkinderen hebben, ben ik bang. Ik heb die vuilniszakken meegenomen om te doorzoeken. Als er een liefhebber is, mag hij of zij het van mij overnemen. Is het niet wat voor jou, Ronnie?'

'Ik heb al genoeg te doen.'

'Is dat alles wat je ons komt melden, Marcel?', vroeg Petersen. 'Ik had gehoopt dat je ons meer kon vertellen over het mobieltje van Vermin. Die had je gevonden.'

'Dat is ook al zoiets. Geen tijd gehad. Heeft het prioriteit, Bram?'

'Alles heeft prioriteit', zei John van Keeken.

'Dan heeft dus niets prioriteit, Johnny. Wat is het belangrijkst?'

'Die vuilniszakken', besliste Petersen.

'Zoals je weet, heb ik er al vluchtig ingekeken. Ik heb iets gevonden dat je misschien interesseert en dat heb ik bij me, hier in deze tas. Wat dacht je hiervan, Bram?' Veltkamp overhandigde een foto die uit een krant was geknipt. Iemand had met een stift een kruis precies over het gezicht getrokken, waardoor het een doodsverklaring leek. 'Ken je deze politicus? Iemand heeft hem deze foto gestuurd. Degene die het deed, is niet bepaald een fan.'

9.10 uur

Ze bekeek zichzelf in de spiegel om te zien of de wijde bloes haar zwangerschap verhulde. Ze had niet moeten wachten, ze had niet naar Ronald moeten luisteren, maar moeten doen wat haar hart haar ingaf. Wat haar betrof had de ingreep allang plaatsgevonden. Inmiddels begon de zwangerschap voor vrienden en familie zichtbaar geworden. Gelukkig kon ze dankzij het zomerweer wijde kleding dragen zodat nog niemand de juiste conclusie had getrokken. Als iemand zou weten dat ze in verwachting was, zouden er na de abortus vervelende vragen komen, en die wilde ze vermijden. Niemand hoefde te weten dat zij een Downie had voortgebracht.

Als het even kon, wilde ze er niet meer aan denken. Maar ze wist dat door de vertraging die Ronald had veroorzaakt, een curettage niet meer mogelijk was. Als ze van de vrucht afwilde, moest er een voortijdige bevalling opgewekt worden. Ze zag er gigantisch tegenop.

De telefoon begon te rinkelen.

Met een zucht liep Dominique naar de woonkamer.

'Hoi Domi!'

Ze herkende de stem van Marjolein Kuijt. Zij was een van haar vriendinnen die ze al heel lang kende. Door haar relatie met Ronald was er meer afstand tussen hen gekomen, omdat ze minder tijd voor haar vriendin had, maar ze hadden altijd contact gehouden. Marjolein had geen vriend, hoewel ze regelmatig aan de bak kwam, zoals ze het zelf noemde. Ze was altijd boordevol energie en levenslust. Dominique en Ronald hadden van het voorjaar nog een weekendje bij haar gelogeerd. Marjolein had hen van de ene uitgaansgelegenheid naar de andere gesleept. Dominique had zich op een gegeven moment afgevraagd wat er vermoeiender was. Het nachtleven, of haar vriendin.

Marjolein kende geen vermoeidheid en daarom had Dominique geen zin om op dit ogenblik met haar te praten. Maar als ze liet merken dat ze niet goed in haar vel zat, zou haar vriendin daar onmiddellijk op ingaan. Hun contact was altijd openhartig geweest. Daarom besloot Dominique opgewekt te reageren.

'Oh, hoi Marjolein, wat ontzettend leuk dat je belt!'

'Hé, hoe gaat ie?'

'Ja, euh, goed.'

'Hé, wat is er met jou, joh?', klonk haar vriendin opeens bezorgd.

'Niets, hoor. Het gaat prima met mij. Met jou?'

'Sinds wanneer hebben wij geheimen voor elkaar, Domi? Je weet dat je met mij toch alles kunt bepraten? Wat is het? Heeft Ronald je een loer gedraaid?'

'Nee, het ligt niet daaraan.'

'Wat dan?'

'Ik heb wat problemen.'

Zonder er omheen te draaien, vertelde Dominique over de situatie waarin ze verkeerde.

'Wat akelig!'

'Ik dacht dat Ronald het zou begrijpen', zei ze tegen Marjolein. 'Dat hij het met me eens zou zijn om het kind weg te halen. We kunnen de samenleving toch niet opzadelen met een gehandicapt kind? Het kind merkt er niets van. Als je het al een kind kunt noemen.'

'Het is een klompje vlees.'

Dominique moest slikken. Ze zag de foto van de echo voor zich. Toen was er al een klein mensje te zien geweest, met armpjes, beentjes en een hoofdje, en nu was het kindje weer zoveel weken gegroeid. Meer dan een klompje vlees. Daar moest ze maar niet aan denken, ze wilde het toch weg hebben.

'Wat heeft het aan het leven, als het geboren wordt?', zei ze tegen haar vriendin.

'Niets, Domi. Het kind zou voor de rest van je leven een blok aan je been zijn. Je leeft maar een keer, Domi. Als je aan kinderen begint, zorg dan dat ze gezond zijn. Tegenwoordig kun je dat allemaal laten onderzoeken.'

'Je doet er erg luchtig over, Marjolein. Ik zie soms zo op tegen de ingreep, dat ik ga twijfelen.'

'Maar je moet doorzetten, hoor. Als ik iets voor je doen kan, zeg het dan. Als je een tijdje bij mij wilt logeren, de logeerkamer heb ik altijd gereed voor jou.'

'Dank je.'

'Als je vriend je niet steunt, zal ik je steunen.'

'Zo erg is het ook nog niet.'

'Maar hij begrijpt niet goed wat je doormaakt. Mannen zijn allemaal zo.'

'Dat is het nou net. Zullen we het over een ander onderwerp hebben. Ik word er gewoon naar van. Hoe gaat het met jou?'

'Goed. Weet je met wie ik onlangs een nacht in een hotel heb doorgebracht?'

Dominique moest onwillekeurig lachen. Dit was typisch Marjolein.

'Is hij getrouwd?'

'Ha, jij wilt aanwijzingen! Ja, hij is getrouwd.'

'Ken ik hem?'

'Je hebt hem vast wel eens op tv gezien.'

'Oh, wat spannend. Ik zou het echt niet weten. Vertel! Vertel!'

'Je moet me zweren dat je het aan niemand verder vertelt.'

'Ook niet aan Ronald?'

'Zeker niet aan hem. Zweer het, Domi!'

'Oké, ik zal het niemand vertellen. Nou, wie is het!'

'Hij wordt binnenkort de nieuwe commissaris van de koningin in Drenthe.'

'Ja?'

'Hij heet Geert...'

-

9.30 uur

'Ik geloof dat dit van u is?', zei rechercheur Petersen met zijn blik gericht op de man tegenover hem.

Brouwer, de bekende politicus, was een gedrongen man die altijd met een pak van uitstekende snit gekleed ging. Ongetwijfeld kocht hij zijn pakken en stropdassen in winkels waar Petersen van de prijskaartjes zou schrikken. Maar hij was iemand die het zich kon veroorloven. Hij was een man die een flitscarrière had gemaakt. Eerst had hij zich bij Unilever omhoog gewerkt, voor de VVD hem benaderde in de hoop dat hij een ministerspost in het tweede kabinet Kok zou aanvaarden.

De entree van Brouwer in de landelijke politiek was niet ongemerkt voorbij gegaan. Hij had zich in korte tijd populair gemaakt door op zijn ministerie de werksfeer te verbeteren. Hij had erop gestaan dat iedereen hem bij zijn voornaam noemde, zodat het gevoel van gelijkwaardigheid versterkt werd, ten koste van de sterk hiërarchische mentaliteit die er altijd geheerst had. Helemaal onervaren was hij als politicus niet. In Ede, de gemeente waarvan zijn woonplaats Bennekom ook deel uitmaakte, was hij jarenlang parttime wethouder geweest. Hij was vermaard om zijn integriteit. Van zijn privéleven was weinig bekend.

Brouwer strekte automatisch zijn hand naar het aangebodene uit, tot hij zag wat het was. Een schok ging door hem heen.

'Hoe komt u erbij dat dit van mij zou zijn?'

'Is deze foto niet van u?', vroeg Petersen verwonderd. Hij bekeek de foto nu zelf. Brouwer stond erop afgebeeld in de tijd dat hij minister was. 'U hebt deze niet weggegooid?'

'Ik? Hoe komt u eraan?'

'Gevonden bij een wederzijdse kennis.'

'En dat is?'

'Jacques Vermin, uit Arnhem. U zou eergisteren een gesprek met hem hebben. Bent u naar Arnhem geweest?'

'Ja. Maar hij kwam niet opdagen. Zijn kantoor was gesloten.'

'Waarom had hij met u afgesproken?'

'Hij zou een donatie geven voor een goed doel. Mijn vrouw werkt als fondsenwerver. Omdat ik hem persoonlijk ken, had zij mij gevraagd hem te benaderen.'

'Waarom kwam hij niet opdagen?'

'Dat weet ik niet.'

'Dat zal ik u zeggen. De heer Vermin werd vermoord op de avond of in de nacht van woensdag op donderdag. Momenteel bezoeken wij iedereen die hem gekend heeft in de hoop dat iemand ons iets kan vertellen. Hebt u hem woensdag nog gesproken?'

'Woensdag was een bijzondere dag voor mij en mijn vrouw', zei Brouwer. 'Het was twintig jaar geleden dat wij ons verloofden. We zijn 's middags naar Zandvoort gereden, waar we de hele avond en nacht hebben doorgebracht in hotel Zeeblik. Uiteraard heb ik onder die omstandigheden de heer Vermin niet gebeld.'

'Gefeliciteerd met uw jubileum.'

'Dank u. Ik mag blij zijn dat ik de datum onthouden heb. We hebben het indertijd in onze ringen laten graveren, net als later de trouwdatum. Het uitje was een verrassing voor mijn vrouw.'

9.40 uur

'Geert Brouwer? Die naam zegt mij niets.'

'Als hij dat maar niet hoort! Hij is zelfs een tijdje minister geweest.'

'Sinds wanneer houdt politiek jou bezig?'

'Helemaal niet, Domi. Maar ik vind hem wel een heel interessante en leuke man. Ik hoop dat ik hem nog een keer aan jou mag voorstellen. Je begrijpt natuurlijk wel dat we dat niet in het openbaar kunnen doen, want als dit uitkomt, is dat slecht voor zijn imago. Dat is eigenlijk ook de reden waarom ik je bel. We hebben jouw hulp nodig.'

'Mijn hulp?', reageerde Dominique verwonderd.

'Zijn vrouw weet niets van mij af. Maar nu dreigt het toch uit te komen en dan kan zijn nieuwe functie in gevaar komen. Je moet hem helpen, Domi.'

'Hoe kan ik helpen?'

'Er is iets vreselijks gebeurd', zei Marjolein op verontruste toon. 'Er is iemand die van onze relatie afweet en die het kan bewijzen. Hij heeft gedreigd om Geert aan de schandpaal te nagelen als hij niet met geld over de brug komt. Geert wilde betalen. Maar het dreigt toch helemaal verkeerd te gaan, want die man is nu vermoord. Het is gebeurd in dezelfde nacht waarin Geert en ik in Zandvoort waren. Hoe konden we weten dat die hufter in dezelfde nacht vermoord zou worden? Als hij het had geweten, was Geert met zijn vrouw naar Zandvoort gegaan, niet met mij. Dus je kunt je wel voorstellen dat hij in een moeilijk parket zit.'

'En die vrouw van hem weet van niets?'

'Helemaal niets. Geert is bang dat zijn naam opduikt en dat ze hem en zijn vrouw gaan vragen waar ze waren. Zijn vrouw zal zeggen dat ze alleen thuis was. Hij is ook bang dat er bij die hufter het bewijs wordt gevonden.'

'En hij heeft die moord niet gepleegd?'

'Ik zweer het, Domi! Wij waren in Zandvoort. En zijn vrouw weet helemaal niet dat dit speelt. We hebben echt helemaal niets met die moord te maken. Geert wil alleen voorkomen dat hij ermee in verband gebracht wordt. Als Geerts naam bekend wordt, dan weet ik al hoe de pers over hem zal schrijven. Ze maken hem kapot!'

'Ik begrijp niet hoe ik zou kunnen helpen.'

'Het is in Leersum gebeurd. Ronald is bij het onderzoek betrokken. Kun je hem vragen of de naam van mijn vriend is opgedoken?'

'Dan weet Ronald meteen dat er iets mis is.'

'Vertel hem dan wat ik jou verteld heb. Maar het mag beslist niet uitlekken, dat moet je zweren, Domi!'

10.15 uur

Vandaag kon Ronald Bloem beter zijn zorgen van zich afzetten dan de afgelopen dagen. In het weekend hoefde hij niet te verwachten dat het ziekenhuis belde, waardoor hij zich beter op zijn werk kon concentreren. Op het moment dat Petersen en Van Keeken uit Bennekom terugkeerden, had hij zich al urenlang in de achtergronden en alibi's van Toine Boon en Maria van den Brink kunnen verdiepen. Niet dat er iets boven water was gekomen, dat van belang leek te zijn. Met een half oor luisterde hij naar het gesprek dat Petersen en Van Keeken voerden toen ze de projectruimte binnenkwamen.

'Die vent liegt', zei John van Keeken.

'Niemand geeft toe gechanteerd te worden', zei Petersen. 'Hij hoopt dat wij niets hebben waarmee we het tegendeel kunnen bewijzen. En zolang zijn alibi overeind staat, kunnen we hem niets maken.'

'Is hij de moordenaar?'

'Daar zullen we achter komen.'

Terwijl John van Keeken naar een van de computers liep, zag Bloem zijn meerdere op zich afkomen. Een ogenblik later vroeg die of hij de achtergronden van Veronie Posthumus en haar nieuwe vriend al had nagetrokken.

'Ik wist niet dat het nog gedaan moest worden', verontschuldigde hij zich.

'Wat ben je dan aan het doen?'

'Ik ben met Toine en Maria bezig.'

In het kort vertelde hij wat hij de afgelopen uren had gedaan. Eerst had hij naar Engeland gebeld, waar het bedrijf waar de sportwagen was gekocht, de koop bevestigde. De sleutels waren op woensdag overhandigd. Boon had beweerd dat hij daarna met de boot naar Hoek van Holland was gegaan, en dat hij daar met zijn vriendin de nacht in een hotel had doorgebracht. Inmiddels had Bloem bevestiging van dat hotel gekregen. De receptioniste kon zich het stel zelfs goed herinneren, omdat Toine Boon zich aan het begin van de avond laveloos had gedronken in de bar van het hotel.

'En zijn vrouw?', vroeg Petersen.

'Die zal bij hem geweest zijn, neem ik aan.'

'Je hebt niet expliciet naar haar gevraagd? Zoals we donderdag al zeiden, is het heel goed mogelijk dat de dader een vrouw is. Dat moeten we in het achterhoofd houden. Maria van den Brink kan woensdagavond weg zijn geweest terwijl haar man zich in de bar bedronk. Ze kan de nieuwe auto gebruikt hebben.'

'Waarom zou zij Vermin vermoorden? In het bijzijn van haar zoontje!'

'Haar motief kennen we niet. Is dat er wel, dan was dit wellicht de laatste kans. Vermin zou op donderdagmiddag op vakantie gaan. Ik zeg niet dat het zo gebeurd is. Als ze het gedaan heeft, dan wil ik weten waarom ze het risico nam om haar eigen kind te vondeling te leggen. Afgezien daarvan wil ik van tevoren niets uitsluiten. Het enige wat ik momenteel vreemd vind, is dat ze van Hoek van Holland niet meteen naar huis gingen. Ze waren al vroeg op de avond in Nederland.'

Ronald Bloem zuchtte.

'Je wilt dat ik dit nog eens naga?'

'Ik wil dat je naar Hoek van Holland gaat. Maar eerst heb ik iets wat belangrijker is. Ik wil dat je natrekt of Geert Brouwer inderdaad de nacht van woensdag 21 op donderdag 22 juli in hotel Zeeblik in Zandvoort heeft doorgebracht.'

'Ik zal naar het hotel bellen.'

'Ik heb liever dat je naar Zandvoort rijdt en met het personeel praat.'

Ronald Bloem knikte enthousiast. Dit was zijn kans om te bewijzen dat het terecht was dat hij nog aan het onderzoek mee-werkte.

'Ik ga meteen!'

10.20 uur

Met grote tegenzin ging Dominique akkoord en zei dat ze Marjolein zou helpen. Wat haar niet beviel, was dat ze nu Ronald om een gunst moest vragen. Aan de andere kant, nu zou moeten blijken of hij haar loyaal was, of dat hij toch voor zijn werk koos. Ze was er allerminst zeker van hoe hij zou reageren. Als hij Marjolein hielp, zette hij zijn werk op het spel.

Haar vriendin was overgegaan op een minder gevoelig onder-werp, maar Dominique luisterde er nauwelijks naar. Ze vroeg zich af, hoe ze het verzoek van Marjolein aan Ronald kon over-brengen. Als hij vandaag thuis was geweest, zou het zoveel mak-kelijker zijn. Ze moest een gelegenheid zien te vinden.

Nadat ze Marjolein had aangehoord, rondde ze het gesprek af

en nam afscheid. Ze had de hoorn amper neergelegd, of de telefoon ging opnieuw over. Even dacht ze dat het haar vriendin was, om iets te vertellen wat ze vergeten was, maar zij was het niet. Tot haar verbazing kreeg ze iemand van het ziekenhuis aan de lijn met de uitslag van de vruchtwaterpunctie.

-

10.35 uur

Ronald Bloem vroeg zich af of hij dit ritje te danken had aan het feit dat hij zich weer op het werk gestort had. Het was in elk geval een leuk tochtje. Nadat het vanochtend eerst bewolkt was geweest, was de lucht helemaal opengetrokken zodat de zon volop scheen. Hij zou rond het middaguur in Zandvoort zijn. Dan kon hij daar mooi een terrasje meepikken voor de lunch.

Hij was op de A2 ter hoogte van Breukelen toen zijn mobieltje begon te piepen.

'Ronald,' hoorde hij de huilerige stem van Dominique, 'het zit fout. Ik heb een Downie. Oh, Ronald, kom gauw.'

-

11.05 uur

Zijn mobieltje speelde het riedeltje van zijn beltoon op het moment dat Thijs Warnink de vettige houtskool van zijn handen probeerde te wassen. Hij had geprobeerd aan een nieuwe tekening te werken, maar op de een of andere manier wilde het vanochtend niet lukken. De dood van zijn moeder, de dood van zijn vader en tenslotte ook de dood van de tante die bij hen had ingewoond, hadden hem in de afgelopen jaren allemaal geïnspireerd. De dood van zijn vriend Jacques Vermin niet.

Op de display zag hij dat het de politie was. Met een poetsdoek nam hij het mobieltje op en luisterde naar wat rechercheur Petersen te zeggen had. De politieman vertelde over nieuwe ontdekkingen die hij in Leersum had gedaan en dat daaruit bleek dat Jacques zich met chantage bezighield. Vervolgens vroeg hij of

Thijs ervan wist. In de klank van zijn stem hoorde Thijs de achterdocht.

'Ik weet daar al van', zei hij.

'Waarom hebt u mij dat niet eerder verteld?'

'Omdat ik het niet verheffend vind. Had ik moeten zeggen dat mijn vriend zich met zulke dingen bezighield, terwijl ik er niets van moest hebben? Ik heb er geen behoefte hem postuum door het slijk te halen. Bovendien, Jacques had mij over zijn activiteiten verteld, omdat hij wilde dat ik begreep dat dat de manier was waarop hij aan het geld kwam waarmee hij mij financieel steunde.'

'U had daar geen bezwaar tegen?'

'Hij stal van de rijken, en deelde uit aan de armen.'

'U schaart uzelf onder de armen, neem ik aan. Dit is in het belang van het onderzoek. U had het moeten vertellen.'

Petersen legde uit wat hij in het schuurtje gevonden had.

'Ja, daar wist ik van, hoewel Jacques mij nooit in het schuurtje toeliet. Hij heeft mij wel gevraagd mee te doen. Samen zouden we meer kunnen bereiken. Hij wilde dat ik me op het westen van het land zou concentreren. Wassenaar, Den Haag, Bloemendaal. Er zou veel geld hierin te verdienen zijn. Ik weigerde.'

'In zijn werkkamer vonden we een lege dossierkast. Iemand heeft zijn dossiers weggehaald. Hieruit leiden wij af dat de moord met deze chantagepraktijken te maken heeft. Maar de dossierkast kon niet afgesloten worden. Daarom betwijfelen wij of hij hier ook de gevoelige informatie en bewijsmateriaal bewaarde. Hebt u enig idee of er een andere bewaarplaats is? Misschien een kluis?'

'Nee, daar weet ik niets van', zei Warnink, terwijl hij zich afvroeg waar Jacques een kluis kon hebben. 'Ik zou het niet weten. Ik vermoed dat hij de gevoelige informatie ergens op Het Hemelse Hof bewaarde. Daarom wilde hij dat niemand wist dat hij daar woonde. Bij zijn kantoor en in zijn huis in Arnhem is namelijk al verschillende malen ingebroken. Een keer is er een computer gestolen.'

'Is daar aangifte van gedaan?'

'Dat weet ik ook niet. Jacques kennende, denk ik het niet.'

'Weet u wie hij chanteerde?'

'Nee, maar Jacques heeft mij wel verteld dat hij in zijn kantoor politici, muzikanten en andere bekende mensen ontving. Hij heeft nooit namen genoemd. Dat vond hij niet nodig en ik ook niet. Natuurlijk waren het allemaal mensen die veel te verliezen hebben. Als ik hoorde welke bedragen er in omgingen, verbaasde mij dat niets.'

'U weet echt geen enkele naam?'

'Nee, echt niet. Behalve Herman.'

'Welke Herman?'

'Herman de Bruijn. Dat is die nieuwe vriend van Veronie. Jacques vertelde me dat hij probeerde iets te vinden waarmee hij zijn vrouw kon dwingen bij hem terug te komen. Ik denk dat hij iets gevonden had. Hij zei een keer tegen mij dat Herman een dief is.'

'Wat steelt hij?'

'Dat weet ik niet.'

'Hij kan dus ook bedoeld hebben, dat Herman zijn vrouw gestolen had.'

'Zou kunnen, maar ik denk het niet.'

11.40 uur

Dominique kwam hem vanuit de woonkamer tegemoet, op het moment dat hij de hal van hun appartement betrad. Ze viel hem met tranen in de ogen om de hals. Hoewel hij wist dat de kans op een kind met het Downsyndroom aanzienlijk groter was geworden na de nekplooimeting, had het nieuws hem geschokt. Zijn laatste hoop was daarmee de grond in geslagen. Toch deed het hem goed dat zijn vriendin net zo geschrokken was van het nieuws.

Ze ploften neer op de bank. Hij sloeg een arm om haar heen en vroeg waarom het ziekenhuis in het weekend had gebeld, waarop Dominique vertelde dat er een fout was gemaakt.

Donderdag was de uitslag er al geweest, maar de assistente van de dokter die zou bellen, had dat vergeten te doen. Vanochtend was ze erachter gekomen en daarom had ze haar fout rechtgezet.

'Wat slordig!'

'Kun jij je daar druk over maken? Ik ben in verwachting van een Downie, Ronald! Zeg liever wat we moeten doen.'

'We laten het komen, natuurlijk.'

'Natuurlijk? Ik hoopte dat je eindelijk in zou zien dat we zo niet verder kunnen.'

'Waarom niet? Als we voor ons kind zorgen?'

'Ben jij bereid je baan op te zeggen?'

Ronald Bloem zweeg. Ze hadden deze discussie al zo vaak gevoerd. Als hij zou zeggen dat hij een dag in de week minder zou werken, zou zij zeggen dat het niet voldoende was. Dan zou zij haar baan moeten opzeggen. Dat deed ze nooit. Als hij zou zeggen dat er opvang geregeld kon worden, zou zij spottend opmerken dat hij zijn kind wilde wegstoppen.

'Zeg, luister,' ging Dominique verder, 'ik ga niet nog eens maanden met een kind lopen dat niet goed is, alleen omdat jij er zolang over doet voor je inziet dat het niet gaat. Daarom wil ik een abortus ondergaan.'

'Jij gaat er al vanaf het begin van uit dat je ons zoontje laat weghalen.'

'Ik heb de gynaecoloog al gebeld voor een afspraak.'

Hij stond plotseling op, alsof hij een afkeer van haar had. De werkelijke reden was dat hij met dit gesprek toch niet opschoot, terwijl ondertussen van hem verwacht werd dat hij naar Zandvoort ging. Maar Dominique werd boos. Ze verweet hem dat hij altijd wegliep als er beslissingen genomen moesten worden. Zijn uitleg maakte het vervolgens nog erger.

'Altijd jouw werk!', riep ze woedend. 'Het lijkt alsof er niets belangrijker voor jou is. Het is zaterdag, Ronald. Je hebt het bericht van het ziekenhuis gehad. In plaats van dat je mij in deze periode steunt, vlucht je weg. Ik heb je nodig.'

'Maar…'

'Ik zie gigantisch tegen de abortus op.'

'We praten later wel. Als ik niet ga, word ik van het onderzoek afgehaald.'

'Dat zou niet erg zijn.'

'Ik kom terug als ik in Zandvoort klaar ben.'

'Gaat het over Geert Brouwer?', vroeg Dominique opeens.

'Hoe weet je dat?'

'Ik heb Marjolein gesproken.'

'Marjolein Kuijt?'

'Ze vertelde me dat ze een nieuw vriendje heeft.'

Ronald Bloem keek haar scherp aan. 'Geert Brouwer?'

Met stijgende verbazing hoorde hij aan wat ze te vertellen had. Met wat hij nu hoorde, hoefde hij niet meer naar Zandvoort te gaan. Hij hoefde alleen Bram Petersen te bellen, dan kon hij naar Bennekom gaan om de vrouw van Brouwer mee te nemen voor verhoor. Die Geert Brouwer moest stapelgek zijn, dat hij het als bekend persoon gewaagd had om een hotel te boeken en vervolgens zijn minnares door te laten gaan voor zijn vrouw.

'Jouw vriendin heeft hem aan een alibi geholpen!'

Dominique schudde haar hoofd.

'Ze wisten niet dat die vent vermoord zou worden. Hij werd door hem gechanteerd. Nu is hij bang dat jullie erachter komen dat hij een motief had om die vent te vermoorden, en dat jullie ontdekken dat hij met Marjolein in Zandvoort was.'

'Zijn vrouw kan naar Leersum zijn gegaan.'

'Natuurlijk niet. Hij werd door die Vermin gechanteerd omdat hij een buitenechtelijke relatie heeft gehad. Brouwer was bang dat Vermin niet alleen zijn carrière, maar ook zijn huwelijk kapot wilde maken. Wat jij suggereert, is dat mevrouw Brouwer de kastanjes voor hem uit het vuur gehaald zou hebben! Hij wil helemaal niet dat zijn vrouw ervan hoort!'

'We weten al dat hij donderdag een afspraak met Vermin had.'

'Dat heeft er niets mee te maken. Marjolein wil niet dat uitkomt dat zij met Brouwer in Zandvoort was. Begrijp je wat dit voor haar betekent? Als jij bekendmaakt dat Brouwer gelogen heeft, komt alles uit. Dit wordt net zoiets als die rel van Bill Clinton met Monica Lewinsky, want dit wordt breed in de media uitgemeten. Dan kan hij zijn aanstelling als commissaris van de koningin vergeten en staat Marjolein voor schut. Je moet haar helpen, Ronald.'

Er viel een stilte waarin Ronald Bloem op zijn vriendin neerkeek. Hij voelde er veel voor om weg te lopen, maar Dominique verwachtte nu een reactie van hem. Hij besefte heel goed hoeveel ze van hem vroeg. Ze kon niet van hem eisen dat hij tegen Bram Petersen ging liegen over het alibi van Brouwer en diens vrouw. Maar als hij wilde helpen, kwam het daarop neer. Als dan uitkwam dat de vrouw van Brouwer wel met de moord te maken had, had hij een groot probleem. Uiteindelijk besloot hij tot een tussenoplossing. Eerst wilde hij met mevrouw Brouwer spreken om erachter te komen of zij inderdaad van niets wist. Als dat zo was, zou hij tegen zijn meerdere zeggen dat het alibi van Geert Brouwer klopte.

'Maar om eerlijk te zijn, heb ik moeite te geloven dat er niets achter zit.'

-

19.00 uur

Nadat Petersen de voordeur van zijn woning had geopend, meende hij een onaangename, zure lucht te ruiken. Hij sloot de deur en liep van de hal naar de woonkamer. De geur leek hier sterker te hangen. Hij keek om zich heen, wat de oorzaak kon zijn. Omdat de deur naar de keuken open stond, ging hij verder. Op het aanrecht zag hij waardoor de lucht veroorzaakt werd. Hij had vanochtend vergeten het melkpak waarin de geschifte melk had gezeten, op te ruimen, omdat hij geen tijd had gehad om een nieuwe vuilniszak in de emmer onder het aanrecht te doen.

Dat was niet de enige huishoudelijke taak die hij verwaarloosd had. Nog zes dagen en dan zou Magda thuiskomen. Hij keek er al naar uit. De afwas van de afgelopen dagen stapelde zich op en hij had wasgoed liggen. Hij zou daar nu eerst wat aan doen, zodat de machine kon draaien terwijl hij het eten klaarmaakte. Later zou hij proberen Magda in haar hotel te bellen.

Terwijl hij de wasmachine vulde, waren zijn gedachten bij het onderzoek. Na de ontdekking die ze gisteren in de schuur hadden gedaan, was er niet veel vooruitgang geboekt. Er was altijd een risico dat een onderzoek na enkele dagen stagneerde door gebrek aan nieuwe informatie. Maar ze waren ook onderbezet en daarom lieten ze steken vallen. Het enige positieve punt dat Petersen kon bedenken, was dat John van Keeken een groot deel van de dag niets had gedaan waar hij zich aan ergeren kon.

Ondertussen hadden ze ook nog steeds niets van Otto en Melanie van Schaik gehoord. Waarom belden zij niet, zoals de afspraak was? Maar Petersen keek ervoor uit hieruit te snel conclusies te trekken, want hij herinnerde zich nog al te goed de irritatie die Melanie van Schaik had getoond toen ze vanuit het vliegtuig aan de telefoon was gekomen. Slechts met tegenzin werkte ze mee.

En dan was er nog Karel Eilering. Donderdag had zijn vriendin Jolanda Dirksen gezegd dat haar vriend zich zou melden op het districtskantoor. Hij was nog niet op komen dagen. Petersen verweet het zichzelf dat hij er helemaal niet meer aan gedacht had.

Zondag 25 juli

02.00 uur

Op een paar nachtelijke bosgeluiden na, was het doodstil rond het huis. Met planken onder de armen kwam iemand vanuit de schaduw van de rododendrons dichterbij, liep om het gebouw heen en maakte een keuze uit de ramen. Wat nu moest gebeuren, zou lawaai veroorzaken, maar er was geen andere mogelijkheid. De buren waren gelukkig ver weg en als het goed was, sliepen ze nu, zodat niemand het hoefde te horen. In elk geval was er nergens een politieman te bekennen die de wacht hield.

Met een luide knal spatte het glas van het werkkamerraam kapot. De persoon sloeg daarna de laatst glasresten uit de sponningen en klom naar binnen. De meegebrachte planken werden op de grond gelegd, zodat de inbreker er overheen kon lopen.

Het glas was niet het enige dat kapot ging. De inbreker nam het ene na het andere borstbeeldje en smeet het stuk. In een mum van tijd was er in de werkkamer een ravage aangericht waarbij de eerdere asbestuiving niets leek.

Maandag 26 juli

8.10 uur

Voor Bram Petersen de bespreking startte, informeerde hij bij Ronald Bloem naar Dominique. Afgelopen zaterdag had zijn collega naar de districtschef gebeld, om te zeggen dat hij vanwege persoonlijke omstandigheden niet naar Veenendaal zou terugkeren. Petersen had dat vervolgens van Griesink te horen gekregen, hoewel die niet had willen zeggen wat die omstandigheden dan waren. Het had iets met Dominique te maken. Rechercheur Petersen voelde feilloos aan dat er veel meer achter zat. Maar van Griesink kreeg hij verder alleen te horen, dat Bloem naar Zandvoort was geweest en dat hij daarna naar huis was gegaan. Nu hij bij Bloem informeerde, werd Petersen niets wijzer.

Hij besloot de zaak te laten rusten en begon de werkbespreking. Het was de vierde sinds het begin van het onderzoek. Zaterdag had Petersen nog kort overlegd, zodat ze zondagochtend allemaal vrij konden krijgen. Hij opende de bespreking met het verzoek aan Bloem om samen te vatten, wat zijn rit naar Zandvoort had opgeleverd. Maar zijn voormalige assistent verontschuldigde zich met de opmerking dat hij nodig naar het toilet moest, en daarom deed Petersen het woord.

Het stond nu vast dat Geert Brouwer daadwerkelijk de nacht van woensdag 21 op donderdag 22 juli in hotel Zeeblik had doorgebracht. Ronald Bloem had met het personeel gesproken en daarom kon er geen twijfel zijn, ook niet over het feit dat hij vergezeld werd door zijn vrouw. Brouwer was waarschijnlijk wel gechanteerd, maar hij kon van de lijst van verdachten geschrapt worden. Tenzij, en dat was een mogelijkheid die Petersen niet over het hoofd wilde zien, hij iemand ingeschakeld had om het vuile werk te doen. Maar dat achtte hij niet waarschijnlijk omdat Brouwer dan opnieuw gechanteerd zou kunnen worden.

'Daarvoor was die afspraak in Arnhem', zei Petersen terwijl hij toekeek hoe Bloem weer op zijn stoel plaatsnam. 'Hij zou betalen.'

Steven Bosma knikte met zijn kaalgeschoren hoofd. Hij had zich in de financiële situatie van het slachtoffer verdiept, en had daarbij ontdekt dat Vermin niets aan goede doelen gaf. Het verhaal dat Brouwer met hem had afgesproken om te praten over een donatie aan een goed doel, was volledig uit de lucht gegrepen. Brouwer zou niet toegeven dat hij gechanteerd werd, want dan zou hij moeten vertellen wat Vermin tegen hem gebruikt had.

Inge Veenstra stelde voor om Otto en Melanie van Schaik ook niet meer als verdachten aan te merken. Het stel had gisteravond gebeld. Doordat ze onderweg pech met hun camper hadden gekregen, was het bellen er een paar keer bij ingeschoten.

'Het zou voor hen een opluchting zijn, als ze niet meer hoeven te bellen.'

'Akkoord.

'Dan geef ik het aan de wachtcommandant door.'

Bram Petersen gaf nu het woord aan Steven Bosma, die verder verslag deed van zijn onderzoek naar de bankzaken van het slachtoffer. Hij had een verrassende ontdekking gedaan. Vrijwel niets van wat Vermin leek te bezitten, was officieel van hem. Het Hemelse Hof was gekocht door een bedrijf dat zich gevestigd had op de Kaaimaneilanden. Dat bedrijf verhuurde aan hem ook het kantoor en het appartement in Arnhem. Bij datzelfde bedrijf was Vermin in loondienst geweest. Elke maand kreeg hij acht-duizend euro op zijn rekening bijgeschreven. Het enige dat Vermin bij zijn overlijden bezat, was het kleine huisje in het centrum van Leersum. Dat had hij verkregen voor het symbolische bedrag van één euro, waarschijnlijk van een van zijn slachtoffers.

Bosma verzamelde nu informatie over het bedrijf, maar het was volgens hem zeker dat het slechts een rechtspersoon was dat door Vermin zelf was opgericht. Zijn afpersslachtoffers betaalden hem op de een of andere manier, waarna het geld doorgesluisd werd naar een bank op de Kaaimaneilanden. Het werd daarom lastig om vast te stellen, wie geld aan Vermin afdroeg. Er was tot nu toe geen enkel papieren spoor gevonden.

Petersen vestigde daarom zijn hoop op Inge Veenstra. Zij had met het aantekenboekje minimale vooruitgang geboekt. Ze had één van de initialen gedecodeerd. HDB ERM 7 stond voor Herman de Bruijn, de nieuwe vriend van Veronie Posthumus. Het huisnummer van zijn woning in Ermelo was zeven. Nu duidelijk was dat de eerste drie letters de initialen van de persoon waren, de volgende drie letters de beginletters van zijn woonplaats en dat het getal het huisnummer was, nam Veenstra dat als uitgangspunt voor verder onderzoek. Ze had intussen een lijst opgesteld met plaatsnamen die in aanmerking kwamen. Nu was ze bezig met een lijst van mogelijke slachtoffers, de luxe cliëntèle waar Thijs Warnink het over had. Ze hoopte dat hun adressen overeenkwamen met de huisnummers in het notitieboekje.

Ronald Bloem zou zich gaan bezighouden met de achtergronden van de personen in het boekje, te beginnen bij Veronie Posthumus en haar vriend. Dat Herman de Bruijn daadwerkelijk gechanteerd werd, stond niet vast. De pagina in het notitieboekje was op de code na helemaal leeg. Het enige wat ze hadden, was de opmerking van Warnink dat Herman de Bruijn volgens Vermin een dief was.

Aan het eind van de bespreking meldde rechercheur Petersen dat hij zelf nog navraag had gedaan naar de kraker Karel Eilering, die zich allang had moeten melden. Gisteren was hij naar Zeist geweest waar hij te horen kreeg, dat Eilering weer niet aanwezig was. Hij zou het weekend naar zijn ouders in Purmerend zijn. Zijn vriendin had hem verontschuldigd, omdat zij vergeten had tegen hem te zeggen, dat hij zich in Veenendaal moest melden.

'Daar geloof ik niets van', zei John van Keeken onmiddellijk.

'Het lijkt erop dat hij ons ontloopt', vond Inge Veenstra.

'Misschien is dat zo. Laten we vandaag afwachten of hij komt.'

'Ik ben er al', zei een andere stem. Het was Marcel Veltkamp die met een brede grijns de projectruimte binnen kwam. 'Oh, bedoelen jullie mij weer niet?'

'We hadden het over een haveloos geklede kraker', zei Petersen die wees op de afknipte spijkerbroek van zijn collega. De slierten hingen naar beneden. 'Je voldoet aan de beschrijving. Zullen we je een dagje in de cel zetten?'

'Te laat, ouwe jongen, ik kom jullie projectruimte bezetten.' Hij trok een stoel bij. 'Ik ben weer te laat voor jullie onderonsje, maar ik heb wel nieuwe informatie. Dat rapport over de schuur komt zo spoedig mogelijk. Het rapport over de werkkamer heb ik bijna klaar. Ik moet alleen nog wat puzzelen met scherven. Zal ik vertellen wat ik al wel met zekerheid kan melden?'

'Ga je gang.'

'Zoals je weet, waren er voetsporen in de werkkamer. Ik weet nu om welk type schoenen het gaat. Ze zijn van het merk Nike, maat 39. Bart heeft een foto van het profiel gemaakt. Die zul je inmiddels in je mailbox hebben. We hebben ontdekt dat het gaat om het model Nike Air Max Mobile, een herenmodel.'

'Dan is de dader toch een man', merkte Inge Veenstra op.

'Daar ben ik niet zeker van', zei Veltkamp. 'Ik heb ook sportschoenen. Omdat mijn vrouw vrijwel dezelfde maat heeft, draagt zij die soms.'

'Wil zij in de zweetschoenen van jou?', sprak Van Keeken lachend.

'Kun je nagaan hoe gek ze op mij is!'

'We kunnen inderdaad niet uitsluiten dat de schoenen door een vrouw zijn gedragen', zei Petersen. 'En het is een kleine maat, die past beter bij een vrouw.'

'Er is nog een reden om te denken aan een vrouw. Ik heb twee lange, zwarte haren gevonden. De ene vond ik in de werkkamer, de andere in de slaapkamer van Emile Boon. Wat ik er nog bij moet vermelden, is dat de haar geverfd is. Eigenlijk heeft de vrouw rood haar.'

'Kennen we iemand met lang, zwart haar?', vroeg Inge Veenstra.

'Ja', zei Petersen. 'Veronie Posthumus.'

'Maar heeft zij ook geverfd haar?'

'Dat zoeken we uit.'

11.25 uur

Bij het opengaan van de deur wist Ronald Bloem zeker dat mevrouw Brouwer in het huis van Jacques Vermin was geweest. Hij was net terug uit Hoek van Holland. In het hotel waar Toine Boon en Maria van den Brink waren geweest, had hij hun alibi gecontroleerd. Een medewerker van het logement wist heel zeker dat Maria die avond ook aanwezig was geweest. Ze was op de hotelkamer gebleven, terwijl haar vriend zich laveloos gedronken had. Toen hij door het personeel naar zijn kamer gedragen was, had Maria van den Brink de deur geopend. Op haar aanwijzingen had men Toine Boon op het bed achtergelaten, waar hij zijn roes uit kon slapen. Maria van den Brink viel daarmee af.

De vrouw van Geert Brouwer niet. Ze had lang, zwart haar. Ze droeg het in een scheiding, en daar was te zien dat ze haar haren geverfd had. De oorspronkelijke haarkleur was rood. Meteen besefte hij, hoe stom hij was geweest om tegen Griesink te zeggen dat hij in Zandvoort was geweest. Hij had het gedaan om de vriendin van Dominique te helpen, om te voorkomen dat iemand in zijn plaats naar dat hotel zou worden gestuurd. Nu zag hij zijn vergissing in.

Hij wist dat hij verstandiger had moeten zijn. Vanaf het moment dat hij hoorde dat Marjolein in Zandvoort was geweest, had hij moeite te geloven dat de vrouw van Geert Brouwer van niets wist. Het was ook merkwaardig dat Brouwer gechanteerd werd vanwege een vroeger liefje, en dat hij vervolgens een andere affaire was begonnen met Marjolein. Waarschijnlijk had Dominique's vriendin zich laten gebruiken, zodat de vrouw van Brouwer een alibi had.

Bloem wist dat hij dit zaterdag al had moeten ontdekken. Hij was naar Bennekom gegaan als zijn vriendin hem niet had tegengehouden. Het hele weekend was hij daarom thuisgebleven. En dat had ook niets opgeleverd. Dominique hield voet bij stuk, terwijl hij een stap in haar richting had gedaan. Hij had haar gezegd dat, als zij bereid was de zwangerschap uit te dragen, hij parttime zou gaan werken om voor hun kind te zorgen. Twee of misschien zelfs drie dagen zou hij inleveren. Hij had gehoopt dat hij zijn vriendin daarmee had kunnen vermurwen, maar het had niet geholpen.

Gisteravond had het zelfs tot een knallende ruzie geleid. Hij had voorgesteld om een videootje te kijken. Van een vriend had hij een film gekregen waarin een acteur met het Downsyndroom speelde. Zodra Dominique dat ontdekte, had ze de televisie uitgezet en was tekeergegaan, tot de buren op de muur bonkten om haar tot stilte te manen.

En nu stond hij hier, oog in oog met de vrouw die hoogstwaarschijnlijk de moord gepleegd had en die hij de hand boven het hoofd hield. Volgens Dominique en haar vriendin Marjolein wist ze van niets. Als dit uitkwam, werd hij direct geschorst. Hij had gelogen tegen de districtschef zelf. Hij had Griesink gebeld omdat hij het niet kon opbrengen om tegen Bram Petersen te liegen. Griesink had zijn leugen meteen voor waar aangenomen. Hoe kon hij zich hieruit redden? Met een andere leugen? Dat Griesink hem over de telefoon verkeerd verstaan had? Niemand zou dat geloven.

'U komt voor mijn man?', vroeg mevrouw Brouwer. Haar gezicht had een zelfverzekerde uitdrukking. Haar groene ogen beantwoordden zijn blik met milde belangstelling. 'Hij is naar Assen, huizen kijken. We verhuizen binnenkort naar Drenthe.'

'Eigenlijk kom ik voor u. Kan ik even binnenkomen?'

'Komt u verder.'

Ondanks dat de zon was gaan schijnen, was het buiten frisjes door de stevige noordwestenwind. Gisteren en vannacht had het zelfs nog wat geregend. Daarom had Ronald Bloem zijn jas meegenomen. In de hal hing hij zijn jas op. Mevrouw Brouwer was al doorgelopen naar de woonkamer. Hij wilde haar volgen, toen zijn blik viel op de schoenen die onder de kapstok stonden.

Er stonden drie paar schoenen. Het middelste paar waren twee grijze sportschoenen waarop hij het rode merkteken van Nike herkende. Meteen zakte hij door de knieën om een van de schoenen op te tillen. In het profiel zag hij zwart stof, dat daarin vastgekoekt zat. Dat was ongetwijfeld de as van de ouders van Jacques Vermin.

'Hebt u die schoenen de afgelopen dagen aangehad?', vroeg hij mevrouw Brouwer, die kwam kijken waar hij bleef.

'Ze zijn van mijn man.'

'Maar ze passen u ook.' Hij keek van de schoenen naar haar blote voeten. Op dit moment droeg ze teenslippers.

'Ik heb het nooit geprobeerd', zei ze.

Nu twijfelde hij niet meer. Hij was voorgelogen. Geert Brouwer werd niet gechanteerd omdat hij een buitenechtelijke relatie zou hebben gehad. Nee, zijn vrouw wist van de chantage en ze was bereid om voor hem te liegen. Zij was naar Vermin gegaan, terwijl haar man voor een alibi zorgde door met Marjolein Kuijt een nacht door te brengen in dat hotel in Zandvoort. Die buitenechtelijke relatie kon dus niet de reden zijn voor de chantage. Dankzij het alibi had ze zelf de handen vrij om bij Vermin in te breken. Misschien was zij wel degene die gechanteerd werd.

'Ik denk dat u in het huis van Jacques Vermin in Leersum bent geweest.'

Ze keek hem aan alsof hij iets belachelijks zei. 'Hoe komt u daarbij!'

155

12.00 uur

'Wat vind ik het leuk dat u mij weer eens belt', hoorde rechercheur Petersen de vrouw aan de andere kant zeggen. Na de ontdekking die hij vrijdag in het schuurtje had gedaan, was hij van plan geweest de vrouw van Jacques Vermin nog een keer te bellen. Omdat het spoor eerst niet haar richting uitging, had hij het uitgesteld. 'Waaraan heb ik dat te danken?'

'Ik wil weten wat de kleur is van uw haar.'

'U hebt me vorige week toch gezien? Of hebt u niet dáárnaar gekeken?'

'Geeft u nou gewoon antwoord op mijn vraag. Hebt u rood haar?'

'Mijn haar is zwart.'

'Geverfd?'

'Nee, dat is niets voor mij. Waarom wilt u het weten? Hebt u een rode haar bij Jacques gevonden?'

Petersen ging niet op de vraag in. In plaats daarvan vertelde hij haar over de vondsten in de schuur en vroeg of ze wist wat haar man deed. Veronie Posthumus ontkende het niet. Het was zo'n wezenlijk onderdeel van het leven dat Vermin leidde, dat hij het niet voor haar verborgen had gehouden. Daarom had ze hem ook een viezerik genoemd. Hij was een viezerik omdat hij in de levens van anderen naar ranzigheid zat te vissen. En hij was een viezerik als hij in de vuilniszakken had geneusd. Hoewel hij altijd een overall droeg, stonk hij na afloop vreselijk.

'Weet u wie hij probeerde te chanteren?'

'U wilt namen horen? Ik herinner mij Walter Bos. En Brouwer, de voormalige minister.'

'Meer niet?'

'Ach, ik hield mij er niet zo mee bezig.'

'Had hij geen kluis waar hij de meest waardevolle spullen in bewaarde?'

'Nee. Ik heb nooit een kluis gezien. Maar Jacques vertelde mij niet alles. Als u nog iets mist, zou ik goed rondkijken. Bent u eigenlijk al klaar in het huis? Ik kreeg bericht van de notaris. Ik heb hem geschreven dat ik de erfenis aanneem. Ik wil zo gauw mogelijk het huis overnemen.'

'Nog een vraag. Ik weet dat uw man uw nieuwe vriend wilde chanteren.'

'Oh?'

'Uw vriend Herman zou een dief zijn.'

'Nou, dat is niet waar.'

Nadat hij het gesprek met Veronie had afgesloten, kwam John van Keeken op de rand van zijn bureau zitten.

'Ik denk dat ik weet wat zijn geheime bergplaats was', zei hij.

'Waar dan?'

'Ik kwam op het idee toen ik terugdacht aan het schuurtje. Volgens mij zag ik daar op de werkbank een mal voor het maken van die gipsen Napoleonbeeldjes. Ik denk dat het bewijsmateriaal waarmee Vermin chanteerde in die beeldjes zit. Niemand komt op het idee die beeldjes kapot te maken, daarom zijn ze een ideale bergplaats. Maria van den Brink vertelde dat Vermin beweerd had een beeldje verkocht te hebben. Zo noemde hij dat, als iemand het geld betaald had. Die letters in dat aantekenboekje kunnen ermee te maken hebben. GGG stond er bij Walter Bos. Dat is een borstbeeldje met gele haren, een geel gezicht en gele lippen.'

'Je kunt best eens gelijk hebben, John', zei Petersen goedkeurend. 'We gaan onmiddellijk naar Leersum.'

—

12.10 uur

Verontwaardigd stapte Ronald Bloem naar de receptie van hotel Figi in Zeist. Hij had verwacht Dominique daar aan te treffen, maar in plaats van haar werd hij enthousiast begroet door een van haar collega's.

'Waar is Dominique?'

'In het restaurant.'

Hij vond haar in gezelschap van een collega, met wie zij koffie aan het drinken was.

'Wat is er?', vroeg ze. Het klonk als een verwijt. Het ging door Bloem heen dat ze misschien dacht dat hij weer kwam om te praten over de abortus.

'Ze is wel bij Jacques Vermin geweest', zei hij.

Hij pakte haar bij haar bovenarm en dwong haar op te staan en hem te volgen. Hij was zich bewust van de restaurantgasten die hun aandacht op hen gevestigd hadden. Het was even niet anders, want hij was niet van plan dit gesprek in het restaurant voort te zetten.

'Wie?'

'De vrouw van Brouwer.'

'Dat kan niet', zei ze geschrokken terwijl ze doorliepen naar het atrium. 'Marjolein heeft mij verzekerd…'

Hij viel haar in de rede. 'Ze kan je van alles verzekerd hebben, maar ik weet het zeker. Er zijn sporen van haar gevonden. Ik heb haar opgezocht en daarom weet ik het, hoewel ze het ontkent. Luister, Dominique, ik weet niet wat Marjolein heeft gezegd, maar ze heeft je iets wijsgemaakt. Brouwer werd niet gechanteerd vanwege een buitenechtelijke verhouding. Omdat mij was verteld dat hij noch zijn vrouw bij de moord van Vermin betrokken waren, heb ik mijn mond gehouden. Ik heb zelfs tegen mijn collega's gelogen dat ik de alibi's heb gecontroleerd. Nu blijkt daar niets van te kloppen!'

'Je moet van mij aannemen dat ik dit niet wist.'

'Oké, maar je moet die vriendin meteen bellen.'

'Nu?' Ze leek er geen zin in te hebben.

'Ja. Want straks blijkt dat die vrouw van Brouwer de moord gepleegd heeft, en dan hebben we een heel groot probleem. Ik wil eerst weten hoe het zit. Als zij inderdaad schuldig is, ben ik de eerste die haar aanhoudt.'

'Waarom?'

'Begrijp je het dan niet? Of Bram komt er niet achter dat haar alibi niet klopt, en dan komt zij weg met moord. Of Bram komt er wel achter, en weet hij dat ik gelogen heb om de vrouw van Brouwer de hand boven het hoofd te houden. Alleen jij weet dat ik dat het in onwetendheid heb gedaan. Hij niet.'

'Goed, ik bel Marjolein.'

'Ik weet er ook niets van, Domi', zei haar vriendin even later. Ze stonden bij de receptie waar op dat moment niemand aanwezig was. 'Geert heeft mij verteld dat Vermin vermoord was en dat hij wilde weten of er brieven gevonden waren. Hij heeft niet gezegd dat zijn vrouw er tot over haar oren in zit.'

'Volgens Ronald klopt daar niets van, Marjolein.'

'Zeg tegen haar dat de vrouw van Brouwer waarschijnlijk de moord gepleegd heeft', zei Ronald Bloem. 'En dat hij dat van tevoren wist. Daarom heeft hij met Marjolein afgesproken, om zijn vrouw een alibi te verschaffen.'

'Ik zal Geert bellen', concludeerde Marjolein. 'Daarna horen jullie van mij.'

13.15 uur

In het huis wachtte hun een nieuwe verrassing. Bij het openen van de buitendeur, voelde Bram Petersen een luchtstroom die niet alleen door de stevige noordwestelijke wind verklaard kon worden. Daarna zag hij de ravage. Iemand had het grote boeddhabeeld in de hal aan gruzelementen geslagen. Terwijl hij Van Keeken opdracht gaf buiten te blijven, stapte hij de hal in, waarbij hij oplette dat hij geen sporen vertrapte. De deur naar de werkkamer stond open. Petersen liep ver genoeg om een blik naar binnen te kunnen werpen. Toen zag hij de oorzaak van de tocht. Een van de ramen die op de tuin uitkeken, was ingeslagen. De houten vloer lag bezaaid met glassplinters. Maar het glas was niet het enige dat stuk was gegaan.

De grond was bedekt met een laag veelkleurige resten van de stukgeslagen gipsen borstbeeldjes van Napoleon.

'Moet ik alweer naar Leersum?', vroeg Marcel Veltkamp even later. Petersen had hem gebeld en uitgelegd welke ontdekking hij had gedaan. 'Weet je dat ik dat rapport van de moordplek net klaar heb? Kan ik opnieuw scherven gaan verzamelen. En dan zeggen ze dat scherven geluk brengen!'

159

14.20 uur

'Geert is er nog niet', zei mevrouw Brouwer. Ze liet Ronald Bloem en Dominique van Zuylen binnen. Nadat Marjolein had gebeld met de mededeling dat de vrouw van Geert Brouwer hen te woord zou staan, had Bloem er bij zijn vriendin op aangedrongen met hem mee te gaan. Want, zo had hij haar te verstaan gegeven, hij was mede door haar in deze situatie verzeild geraakt. 'Hij is onderweg vanuit Emmen.'

Ze gingen in de salon zitten die ingericht was met antieke meubelen die een kapitaal waard moesten zijn. De stoel waarop Bloem plaatsnam, had gedetailleerd houtsnijwerk. En de buffetkast achter hem had ivoren ornamenten.

'Laat ik eerst zeggen dat ik tegen mijn zin met u spreek', ging mevrouw Brouwer verder. Ze keek met een hooghartige blik van Ronald Bloem naar Dominique. 'Mijn man is een lafaard. Bij de eerste tegenstand geeft hij op. Hij heeft u al bekend dat hij werd gechanteerd en dat ik daarom naar Jacques Vermin ben geweest. Hierdoor ben ik gedwongen u te woord te staan.'

'Voor u vertelt wat u in Leersum hebt meegemaakt,' begon Bloem, 'kunt u ons vertellen hoe Jacques Vermin uw man in zijn greep had?'

'U weet dat nog niet?'

'Mij is daarover een verhaaltje op de mouw gespeld.'

'Dat mijn man met een secretaresse vreemd is gegaan?'

Bloem knikte.

'Dat deel is wel waar', zei mevrouw Brouwer. 'Maar er is meer. Geert heeft op een zeker moment de stekker uit hun relatie getrokken, tot woede van die vrouw. Zij wist iets over hem wat zijn carrière kon beschadigen.'

'Ik wil weten wat het is.'

'Ik weiger u dat te vertellen.'

'In dat geval bel ik mijn collega's.'

Ze keek hem strak aan. 'Ik dacht dat u ons zou helpen.'

'Hoe kan ik helpen, als ik niet alle feiten ken? Ik weet niet of ik u wel vertrouwen kan. Ik overweeg pas wat ik met u en uw man doe, als ik alles gehoord heb. Vertelt u mij, hoe kon uw echtgenoot door zijn secretaresse gechanteerd worden?'

'Ze wist dat mijn man van een aannemer steekpenningen heeft ontvangen', zei ze met duidelijke tegenzin. 'Het is al een tijd geleden gebeurd toen hij nog wethouder in Ede was. Hij gebruikte het geld om zijn relatie met die secretaresse te bekostigen. Daarom wist ze ervan. Er was een document waarmee dat bewezen kon worden. Toen Geert het uitmaakte en een ander grietje oppikte, liet de secretaresse hem vallen. Zij wilde hem kapotmaken. Ze was met Jacques Vermin in contact gekomen.'

'Hij heeft haar voor het bewijsmateriaal betaald?'

'Ja, want dat bleek toen mijn man met het materiaal geconfronteerd werd. Die rotzak van een Vermin zei dat hij ook voor de informatie betaald had, en dat het daarom billijk was dat hij er geld voor kreeg als tegemoetkoming voor zijn kosten. Hij zei dat als het aan de secretaresse had gelegen, de informatie allang op straat had gelegen, met alle gevolgen voor Geerts carrière.'

'Wanneer wilde Vermin het geld hebben?'

'Afgelopen donderdag. Hij had tegen Geert gezegd dat hij dezelfde dag naar het buitenland zou gaan. Hij had het geld nodig. Hij noemde het spottend zijn vakantiegeld. Maar Geert kon het geld op die termijn niet bij elkaar krijgen. Het ging om 150.000 euro! Daarom was de nacht van woensdag op donderdag de laatste kans om Vermin op andere gedachten te brengen, of anders werd de carrière van mijn man te gronde gericht.'

'Ik begrijp niet waarom u de kastanjes voor hem uit het vuur gehaald hebt. Hij had een relatie met zijn secretaresse. Nu heeft hij een relatie met Marjolein Kuijt. Hebt u daar geen moeite mee?'

Ze schudde haar hoofd. 'Ons huwelijk stelt allang niets meer voor. Maar het huwelijk biedt ons beiden voordelen, daarom houden we het voor de buitenwereld in stand. Het is op dit moment het beste. Ik ben ambassadrice van een goed doel. Dankzij de bekendheid van mijn man gaan deuren voor mij open. Komt hij in opspraak, dan heeft dat gevolgen voor mij.

Bovendien zou die Vermin ons helemaal leeggezogen hebben.'

Ronald Bloem keek rond. Hij begreep wat ze bedoelde. Dankzij haar man leefde ze in weelde. Zijn aanzien had haar ook aanzien gegeven. Zijn publiekelijke vernedering zou ook haar vernedering worden. Had ze daarentegen de papieren waarmee hij gechanteerd werd in handen, dan had zij hem ook in haar macht.

'Wat is de naam van die secretaresse?'

'Ik weet het niet.'

'Wat weet u dan van haar? Haar leeftijd? Weet u waar ze woont?'

'Ook dat heeft Geert mij nooit verteld.'

'Kan het zijn dat ze in Maarsbergen woont? Melanie van Schaik?'

Ze haalde haar schouders op.

'Dan wil ik het nu hebben over wat er in Leersum gebeurde. Hoe wist u eigenlijk dat Vermin daar woonde?'

'Mijn man wist het. Hij heeft net zolang druk uitgeoefend op die secretaresse, tot ze het hem vertelde. Maar mijn man wilde niet ingrijpen. Als het aan hem gelegen had, had hij alles op z'n beloop laten gaan.'

'Dus wat er in de nacht van woensdag op donderdag gebeurde, was uw idee.'

'Geert wilde er niets mee te maken hebben. Hij was bang dat het uit zou komen. Uiteindelijk wist ik hem ervan te overtuigen dat hij meewerkte. Ik heb Geert naar Zandvoort gestuurd. 's Nachts ben ik naar Leersum gereden.'

'Hoe laat kwam u aan?'

'Om twee uur. De auto parkeerde ik in het bos, daarna ging ik te voet naar het huis. Toen ik het huis eenmaal gevonden had, dacht ik dat hij opgebleven was. De buitendeur stond open en er klonk jazzmuziek. Ik ging naar binnen en vond de ravage in de kamer waar hij lag. Hij was dood.'

'Wat was u van plan? Hem vermoorden?'

'Nee, dat zeker niet. Ik had wel een wapen bij me om hem onder druk te zetten. Maar ik was niet van plan hem te vermoorden. Ik wilde dat document hebben, dat is alles. Toen bleek dat iemand mij voor was geweest die hem had vermoord.'

'Wat deed u daarna?', vroeg Bloem.

'Ik had een kind horen huilen. In een kamer op de bovenverdieping vond ik een jongetje. Het was aan zijn lot overgelaten. Ik kon hem daar niet achterlaten, vond ik. Dat zou harteloos zijn geweest. Maar ik kon geen alarm slaan. Dus moest ik er zelf voor zorgen dat het kind gevonden werd. Want hoelang zou het dan duren voor iemand voor het kind zou komen? Het jongetje was wakker. Daarom ging ik op zoek naar een slaapmiddel. Ik heb hem daarvan een kleine dosis toegediend. Daarna ben ik naar de parkeerplaats in het bos gelopen. Met de auto heb ik het kind opgehaald.'

'Had u enig idee bij wie u het kind te vondeling wilde leggen?'

'Het enige wat op dat moment telde, was dat het kind ergens goed terecht zou komen. Ik zag een huis waar de mensen thuis waren. Ik zette het kinderbedje neer, legde het jongetje erin en belde aan. Daarna ben ik weggereden.'

'U bracht het kind bij een vrouw die als secretaresse werkt.'

'U denkt dat zij de vrouw was die mijn man het adres van Vermin gaf? Dat zou wel heel toevallig zijn. Nee, dat geloof ik niet.'

'En u hebt niet afgewacht of de bewoners het kind vonden?'

'Ik vond het niet nodig. Ik wilde ongezien wegkomen. Ik heb aangebeld. Dat was genoeg.'

'Ze hebben daar doorheen geslapen.'

'Oh.'

'Dan een andere vraag, mevrouw Brouwer. Hebt u in het huis gevonden wat u zocht?'

Ze schudde haar hoofd.

'Ik heb wel rondgekeken. Maar iemand was mij voor geweest. De archiefkast was leeggehaald. Maar vandaag heb ik het document ontvangen. Het zat in de brievenbus. Een persoon die anoniem wenst te blijven heeft het gestuurd. Nu weet u alles. Bent u bereid hierover uw mond te houden?'

'Ik zal het overwegen', zei Ronald Bloem.

'U weet nu dat ik niets met de moord te maken heb!', klonk mevrouw Brouwer verontwaardigd.

'Ik zal u nog laten weten hoe ik erover denk. Zeg tegen uw man dat ik van hem nog de naam van de secretaresse wil hebben.'

'Jij hebt niets voor een ander over!', zei Dominique van Zuylen toen ze in de auto naar Zeist reden. 'Als je mevrouw Brouwer laat aanhouden, komt het uit dat Marjolein een relatie met Geert Brouwer heeft. Dan verpest je niet alleen zijn carrière, maar wordt mijn vriendin publiekelijk te kijk gezet!'

'Zij heeft waardevolle informatie achtergehouden.'

'Maar zij heeft Vermin niet vermoord.'

'Dat weten we niet zeker. Ik ben al eens voorgelogen. Hoe weet ik dat ik niet weer bedonderd word? Ik wil weten wie die secretaresse is. Als blijkt dat het Melanie van Schaik is, dan zal ik Petersen moeten inlichten. Dit komt geheid een keer uit.'

Dominique sloeg gefrustreerd met haar hand op het dashboard. 'Je ligt alleen maar dwars, omdat je het mij kwalijk neemt dat ik de foetus laat weghalen. Omdat je het niet kunt hebben dat ik een andere mening heb dan jij.'

'Je luistert nu ook niet naar mij. Mijn carrière zet ik op het spel als ik mijn mond hou.'

'Wil je pas van gedachten veranderen als ik zeg dat ik van een abortus afzie?'

Ronald Bloem zei niets. Zijn vriendin vatte dat op als een bevestiging.

'Je bent niet anders dan Jacques Vermin. Je wilt mij dwingen te doen wat jij wilt. Dit is morele chantage!'

'Nee, jij wilt mij dwingen jouw mening te volgen.'

'Niet waar.'

'Jij had al van tevoren vaststaan dat je ons zoontje weg wilt halen. Je wist toen niet eens zeker of ons zoontje Down heeft. Maar het moest weg en je hebt daarover al contact gehad met je gynaecoloog. Als we ons zoontje laten weghalen, moet het onze keus zijn, niet de jouwe alleen. Als we hem laten komen, moet het ook onze keus zijn. Daarover wil ik praten, niet over keuzes die bij jou al vaststaan.'

Dinsdag 27 juli

8.05 uur

Ronald Bloem deed zijn best om tijdens de bijeenkomst een zo'n gewoon mogelijke indruk te maken. Wat hij voor zijn collega's verzweeg, zat hem niet lekker. Tot zijn opluchting had niemand gemerkt hoelang hij gisteren weg was geweest, toen hij naar Hoek van Holland ging om het alibi van Toine en Maria te controleren. Gistermiddag had hij een andere ontdekking gedaan die hem in de problemen kon brengen. Hij wist wie de vrouw was met wie Geert Brouwer een relatie had gehad en die hem later aan Jacques Vermin had verraden. Haar naam lag achteraf voor de hand. Er waren uiteindelijk maar een paar mensen op de hoogte van het adres waar de chanteur woonde. Veronie Posthumus was de minnares van Brouwer geweest.

Rechercheur Petersen opende de bespreking met het nieuws dat vanavond een opsporingsbericht op tv zou worden uitgezonden. Net na het journaal van acht uur zou er in een speciale uitzending van Opsporing Verzocht aandacht aan het onderzoek besteed worden. De presentator zou in het kort de hoofdpunten op een rij zetten en daarna het telefoonnummer noemen waarnaar tipgevers konden bellen. Dit betekende dat niemand vrij zou hebben, want zij zouden de telefooncentrale bemannen.

'Dit kan ons onderzoek vlot trekken', riep Inge Veenstra verheugd. 'En ik ben wel toe aan nieuwe tips die we kunnen natrekken.'

'Minder positief is de inbraak in het huis van Jacques Vermin', vervolgde Petersen. 'Sinds zaterdagmiddag is niemand van ons meer op Het Hemelse Hof geweest. Dat betekent dat de inbraak al aan het eind van die middag plaatsgevonden kan hebben.'

'Hadden we niet een agent achter moeten laten?', vroeg John van Keeken.

'Ik zie het zelf als een kans. De dader heeft zich opnieuw blootgegeven. De technische recherche zoekt nog steeds naar sporen. Tot nu toe zonder succes. De dader lijkt wat geleerd te hebben van de vorige keer. Maar we weten dat het hem of haar te doen is om het materiaal waarmee Vermin mensen chanteerde. In de gipsen beeldjes zaten uitsparingen waarin het chantabele materiaal verborgen heeft gezeten. Onder op de voetstukken stonden met potlood de initialen van de betrokken personen genoteerd. Dat is zijn of haar motief.'

'Dus, de dader moet na de moord op Vermin gerealiseerd hebben dat hij of zij niet alles had. Hij of zij is teruggekeerd om het gezochte alsnog te vinden.'

'Weten we of hij het gevonden heeft?', vroeg Ronald Bloem.

'Of zij?', vulde Van Keeken aan.

'Natuurlijk is het een hij', zei Bloem, blozend.

'Emile Boon is waarschijnlijk door een vrouw te vondeling gelegd. Er is een spoor van een kleine maat sportschoen gevonden. Er is een lange haar gevonden.'

'Er zijn ook mannen met lang haar en het was een herenschoen.'

Bram Petersen keek Bloem scherp aan. 'Ronald, weet jij iets dat wij nog niet weten?'

'Nee. Maar ik begin steeds meer te geloven dat de dader een man is, en niet een vrouw. Waarschijnlijk een man die probeert ons op het verkeerde been te zetten, zodat we denken dat we met een vrouw te maken hebben.'

'Waarom zijn er eigenlijk geen sporen van de inbreker gevonden?', vroeg Inge Veenstra. 'Er zijn gipsen beeldjes op de vloer kapot gegooid. Dat geeft gruis. Je kunt dan daar niet lopen zonder schoenafdrukken achter te laten.'

'De dader heeft kennelijk daaraan gedacht', antwoordde Petersen. 'Hij of zij heeft planken neergelegd waarover hij of zij in huis liep. Die planken zijn in de tuin teruggevonden. De sporen zijn er vanaf geklopt. Hij of zij is daarna vertrokken.'

'Ik denk dat het een zij is', merkte John van Keeken opeens op. 'Maria van den Brink. Toen ik tien minuten geleden hier aankwam, riep de wachtcommandant mij. Er had kort daarvoor iemand gebeld. Een vrouw die in het hotel in Hoek van Holland werkt waar Maria van den Brink en Tuinboon geweest zijn.'

'En?'

'Zij is die avond nog weggeweest. Dat was nadat haar man stomdronken naar hun hotelkamer was gebracht. Een kwartier later vertrok zij.'

'Waarom horen wij dat nu pas? Ik dacht dat jij daar gisteren was geweest, Ronald?'

'Jawel, maar…', begon Ronald Bloem.

'Deze medewerkster van het hotel was er gisteren niet', zei John van Keeken. 'Ze had vrij. Vanochtend hoorde ze dat Ronald daar gisterochtend was geweest om te informeren. Toen herinnerde ze zich dat Maria van den Brink weg was geweest. De medewerkster wist het nog, omdat Maria met de gloednieuwe auto van Tuinboon weggereden is. Ze heeft Maria niet terug zien komen.'

'Hoe laat was dat?', vroeg Petersen.

'Om tien uur ging ze.'

'Als ze naar Leersum is geweest, moet ze uren weg zijn gebleven. Had ze een sleutel om in het hotel te komen, of was de receptie tot in de nacht bezet?'

'Ze had een sleutel.'

9.10 uur

'Misschien is ze alleen een eindje gaan rijden', zei Petersen, die het enthousiasme van John van Keeken wilde temperen. Bij eerdere onderzoeken hadden ze ook meegemaakt dat nieuwe informatie over een verdachte een verdenking versterkte, terwijl achteraf bleek dat er een redelijke verklaring was.

'Ze heeft hem vermoord', zei Van Keeken. Ze reden over de A12 om Maria van den Brink te spreken. 'Ze dacht dat ze een perfect alibi had. Mooi niet!'

'Ik vraag me af wat voor haar een motief geweest kan zijn.'

'Ze had een relatie met hem natuurlijk. Tuinboon heeft haar een keer naar Het Hemelse Hof gebracht. Daar zag hij Vermin naakt in de tuin zitten. We weten dat hij zich daar nogal kwaad over gemaakt heeft en we weten dat de vorige werkster ontslag nam omdat Vermin haar lastig viel. Of Maria hem ook lastig vond, weten we niet. Misschien deed Maria daar meer dan alleen schoonmaken.'

'Het kan. We hebben geen bewijs dat het zo is.'

'Waarom ben je zo terughoudend? Ik twijfel niet meer. Vermin was maar een jaartje jonger dan Maria. Hij kan best op haar verliefd zijn geworden en haar verleid hebben. Misschien dat hij daarom eerst zijn sollicitanten opzocht, om te zien of ze er leuk genoeg uitzagen.'

'Stel dat je gelijk hebt,' zei Petersen, 'wat is dan haar motief om hem te vermoorden?'

'Misschien was ze hem zat, maar liet hij haar niet gaan. Of hij dreigde het haar vriend te vertellen. Die Tuinboon is bij het Korps Mariniers opgeleid. Die zal vast wel weten hoe hij zijn vriendin aan moet pakken.'

'Vermin zou het risico nemen dat Boon juist hem wat aan zou doen.'

'Oké', gaf Van Keeken toe. 'Misschien wilde ze hem vermoorden, omdat hij wilde dat zijn vrouw terugkwam. Hij wilde niet met Maria trouwen. Misschien was dat kind van Maria en Tuinboon eigenlijk van Maria en Vermin.'

Petersen schudde zijn hoofd. 'Ik denk het niet. Emile is bijna vier jaar oud. Toen hij geboren werd, woonden Maria van den Brink en Toine Boon op de Antillen.'

'Maar je vergeet iets. Vermin had een zeewaardig zeilschip. Een catamaran. Hij kan daarmee naar Curaçao gevaren zijn. Hij heeft haar ontmoet en zij is zwanger geworden. Misschien heeft ze er daarna bij haar man op aangedrongen overplaatsing naar Nederland aan te vragen, zodat ze dichter bij Jacques Vermin was. Waarom wilde ze anders in Leersum wonen? Ze heeft er nooit gewoond. Nou, Maria wilde bij Vermin wonen en dat werken als schoonmaakster was slechts een voorwendsel om haar man om de tuin te leiden. Maar zij wilde meer, hij niet.'

'Dat is mogelijk, John. Het is beslist iets om in gedachten te houden.'

'Nou,' ging Van Keeken enthousiast verder, nu hij merkte dat zijn oudere collega geloof ging hechten aan zijn theorie, 'en dan is er nog de naam van het kind. Emile heet hij, op z'n Frans. Vermin heette Jacques en zijn vader Pierre. Dat zijn ook Franse voornamen!'

-

9.20 uur

'Ik wil dat jij haar ondervraagt', hoorde John van Keeken zijn collega zeggen, toen ze het erf opreden.

'Oh, mag ik dat nu opeens wel doen?'

'Ik wil weten hoe je het ervan afbrengt', zei Petersen.

'Ga jij dan aantekeningen maken?'

'Voor een keer, ja.'

Maria van den Brink reageerde niet verrast bij het zien van de twee rechercheurs.

'U komt natuurlijk vanwege die inbraak in het huis van Jacques Vermin.'

'Hebt u daarvan gehoord, dan?', vroeg John van Keeken meteen.

'Ja, ik zag gisteren een busje omhoog rijden. Van uw collega's van de technische recherche, geloof ik. Omdat ik wilde weten wat er aan de hand was, ben ik gaan kijken. Ze hebben me weg-gestuurd.'

'Jacques Vermin was een chanteur. Heeft hij u gechanteerd?'

Ze knipperde met haar ogen. 'Nee, hoe komt u daarbij?'

'Omdat u tegen ons gelogen hebt. U hebt gezegd dat u de avond en nacht van woensdag op donderdag in een hotel in Hoek van Holland hebt doorgebracht. Helaas moesten we vast-stellen dat u een detail aan ons verzwegen hebt.'

'Nee, ik ben in het hotel geweest. Vraag Toine!'

'We kunnen ook dit gesprek voortzetten als uw vriend terug is. Ik weet zeker dat hij benieuwd zal zijn in wat u gedaan hebt toen hij zijn roes uitsliep. U bent gezien, mevrouw Van den Brink, terwijl u met die prachtige Aquada van uw man een ritje ging maken.'

'Oh, bedoelt u dat. Ik ben maar even weggeweest. Niet lang.'

'Een testritje, zeker! Moet ik dit geloven?'

'Het is echt waar, ik lieg niet.'

'U hebt gelogen. Waarom zou ik u nu geloven?'

'Ik ben bij een kennisje geweest. Een vriendin die ik van de Antillen ken en die nu in Vlaardingen woont. Ik had haar al jaren niet meer gezien. Ik begrijp dat u me niet wilt geloven, maar het is echt zo gegaan. U kunt het bij haar navragen.'

'Waarom hebt u ons dit niet eerder willen vertellen?'

'Omdat het niet van belang was. Ik ben een uurtje weggeweest. Maar Toine zal woest zijn als hij hoort dat ik zijn auto gebruikt heb. Hij is erg zuinig op zijn auto's. Hij zal niemand anders toe-staan erin te rijden. Hij heeft zelfs liever niet dat ik rijd. Alsof ik niet zo goed rijden kan als hij.'

'Kan iemand bevestigen dat u een uur later terugkwam?'

'Ik zou het niet weten. Ik ben direct naar onze kamer terugge-gaan. Toine lag zijn roes nog uit te slapen.'

9.35 uur

'Waarom heb je haar niet gevraagd of ze een relatie met Jacques

171

Vermin had?', vroeg Bram Petersen na afloop van het gesprek. De directe stijl van Van Keeken was hem opgevallen. In korte tijd had hij de vrouw aan het praten gekregen. Het was niet de manier waarop Petersen zelf werkte. Maar het resultaat telde.

'Is dat een verwijt?'

'Nee, in het geheel niet. Ik ben benieuwd of het een bewuste keus was.'

'Ik heb het niet gevraagd, omdat het ons niet aangaat', zei Van Keeken. 'Net zoals het jou niet aangaat als ik in het weekend met vrienden ga zuipen. Dat mag in Nederland, maar het gaat je niets aan. Het gaat je pas wat aan als ik de wet overtreed. Dat geldt ook in dit geval. Als die vriendin haar verhaal niet bevestigt, dan vraag ik het alsnog, want dan wordt het wel belangrijk. Langzaam drijf ik haar de hoek in.'

'Maar ze zegt zelf kort bij die vriendin geweest te zijn. Als niemand bevestigt dat ze rond elf uur in het hotel terugkeerde, kan ze ook eerst naar Leersum zijn gereden.'

'Dat is waar.'

'Maar we kunnen beter het alibi meteen controleren.'

'Laat mij maar bellen.' John van Keeken nam het papiertje van Petersen over, waarop het telefoonnummer stond. Even later had hij de vrouw aan de lijn. 'Dus, Maria van den Brink is bij u geweest? Een half uur? En daarna is ze weer naar Hoek van Holland gegaan? Heeft ze dat gezegd?'

'En?'

'Zij bevestigt wat Maria van den Brink ons verteld heeft.'

-

10.00 uur

Er viel een last van zijn schouders toen Ronald Bloem zijn collega van de technische recherche aanhoorde. Marcel Veltkamp was te laat voor de bespreking. Dit keer had hij het definitieve rapport van het onderzoek dat hij na de dood van Vermin in de werkkamer had verricht. Op verzoek van Steven Bosma beschreef de technische rechercheur wat er volgens hem in de werkkamer was gebeurd.

Op het moment dat Jacques Vermin de dood vond, stond de deur naar de hal wijd open. Hij was met de dader in de werkkamer. De dader stond bij het altaartje met de foto's en de urnen, pakte een van de urnen en gooide die naar Vermin. De urn barstte tegen diens hoofd uit elkaar, wat een wolk van as veroorzaakte. De as daalde overal op neer, ook op de betegelde vloer in de hal. Omdat de as voetsporen achterliet, dweilde de dader de hal. Om de voetsporen in de werkkamer te verdoezelen, gooide hij of zij vervolgens vanuit de hal de tweede urn tegen de muur naast het altaartje. Vervolgens sloot hij of zij de deur zo snel mogelijk, waardoor er van de tweede urn geen as op de tegels kwam.

De dader had bij het gooien van de eerste urn geen handschoenen gedragen, waardoor het er niet op leek dat dit met voorbedachten rade was gebeurd. Veltkamp had dit geconstateerd door de scherven van de urnen te verzamelen. Op de scherven stonden alleen de vingerafdrukken van Jacques Vermin. Door alle scherven bij elkaar te puzzelen, had de technische rechercheur ontdekt, dat hij alleen de scherven van de tweede urn had. De andere scherven had de dader zelf opgeruimd omdat hij of zij die urn wel met blote handen had vastgepakt. Het enige wat Veltkamp van de eerste urn had gevonden, was het naamplaatje. De dader had dit afgeveegd, zodat er helemaal geen vingerafdrukken op stonden.

De dader had dus na het werpen van de eerste urn de scherven opgeruimd en het naamplaatje afgeveegd en teruggelegd. Vervolgens had hij of zij handschoenen aangetrokken om de tweede urn te gooien, waarmee de overgebleven sporen werden uitgewist.

'Weet je wel zeker dat er twee urnen gegooid zijn?', vroeg Steven Bosma. 'Misschien gooide hij alleen de ene, zodat het zou lijken alsof hij bij de eerste geen handschoenen droeg. Dat naamplaatje kan hij van de andere getrokken hebben.'

'Er lag teveel as in de werkkamer voor één urn.'

'Maar hoe verklaar je dan dat er toch voetsporen in de werkkamer waren?'

'Ah, dat is het interessante...'

Ronald Bloem viel Veltkamp in de rede: 'Er waren twee personen!'

'Heel goed, Ronnie! Dat is knap geraden! De eerste gooide de eerste urn, brak de dossierkast open, gooide de tweede urn, en vertrok. De tweede kwam later, ontdekte het lijk, liep naar de dossierkast en vertrok. Het was deze persoon die Emile vond en meenam. De eerste was de moordenaar.'

20.45 uur

Op het moment dat mevrouw Esselink belde, had Inge Veenstra verschillende telefoontjes gehad. De meeste personen wilden de politie nog eens attenderen op de brand in 't Hoekje in Leersum, waarbij de suggestie gewekt werd dat Vermin dat gedaan zou hebben. De verklaring van de voormalige werkster die door Vermin werd lastiggevallen, kwam meermalen voorbij. En er waren veel reacties van mensen die niet wisten dat Jacques Vermin in Leersum woonde.

'Ik bel naar aanleiding van de oproep op de televisie', klonk de krakende stem van mevrouw Esselink opgewonden. 'Ik heb iets gezien dat misschien met de moord te maken heeft.'

'Uw naam is?'

'Esselink. Truus Esselink.' Voor Inge Veenstra de kans kreeg te vragen vanwaar ze belde, ratelde de vrouw verder. 'Ik wist helemaal niet wat er gebeurd was, tot ik het op tv zag. We stonden juist op het punt naar huis te gaan. En opeens bedacht ik me dat ik de ruzie gehoord heb.'

'Welke ruzie?'

'Die de meneer die daar woonde met die jongeman had. Ik was daar 's avonds in het bos om bosbessen te plukken. Er zitten daar altijd zoveel. Mijn man en ik gaan er altijd rond deze tijd van het jaar zoeken. We waren op de fiets van de camping in Doorn naar de Darthuizerberg gefietst. Mijn man was verderop in het bos. Daarom heeft hij niets gehoord. Maar ik wel. Hard dat het er aan toe ging!'

'Wat hebt u gezien?'

'Gezien? Nee, ik heb niets gezien. Maar ik kon ze horen. Die jongeman schreeuwde vreselijk. En vloeken! Het was vreselijk om te horen. Ik kon niets zien, omdat er allemaal struiken staan. Daarna hoorde ik niets meer en vrijwel meteen daarna zag ik hem, een kraker.'

'Een kraker? Weet u dat zeker?'

Mevrouw Esselink aarzelde. 'Tenminste, ik denk dat hij een kraker was. Hij zag er zo vreselijk uit. Met een hanenkam, bedoel ik. En zo'n groene legerjas aan. Je ziet krakers er toch altijd zo bijlopen? Heel onbehoorlijk. Nou ja, ik zag hem dus van het huis weglopen. Over de oprijlaan of iets dergelijks. Daarna hoorde ik jazzmuziek.'

'Oh, dat kan belangrijk zijn', merkte Inge Veenstra op. Als de kraker inderdaad Karel Eilering was, zoals ze begon te vermoeden, dan had hij niet alleen geweten dat Jacques Vermin in Leersum woonde, maar had hij Vermin ook opgezocht. Als Vermin na het vertrek van de kraker de cd had opgezet, kon de kraker hem niet vermoord hebben. 'U hoorde dat de heer Vermin muziek had opgezet.'

'Nou ja, ik weet het niet zeker. Het kan zijn dat de muziek al draaide. Misschien hoorde ik het alleen omdat mijn aandacht door het geschreeuw getrokken was.'

'U bedoelt dat de muziek al die tijd al gedraaid kan hebben?'

'Ik kan me niet herinneren of ik het daarvoor al gehoord heb.'

'Weet u hoe laat het gebeurde?'

'Een paar minuten daarvoor had ik gerommel gehoord. Van onweer, bedoel ik. Toen heb ik op mijn horloge gekeken. Het was een paar minuten voor acht uur.'

'Hebt u daarna nog iets gehoord?'

'Nee. Mijn man en ik zijn om half negen naar de camping teruggegaan. Nou, dat was alles wat ik u even wilde laten weten. Ik hoop dat u er iets aan hebt. Ik vind het vreselijk, wat er gebeurd is. Ik kan het nog amper geloven. Maar ik zal u niet langer ophouden.'

Voor Inge Veenstra iets kon zeggen, had de vrouw al opgehangen.

Woensdag 28 juli

10.35 uur

Rechercheur Bram Petersen keek op van zijn werk en zag dat Inge Veenstra met een stapeltje papieren naar hem toe kwam. Na een korte bespreking hield iedereen zich bezig met de tientallen tips die gisteravond waren binnengekomen. Het telefoontje van mevrouw Esselink was daarvan de belangrijkste. Petersen had zich afgevraagd hoeveel waarde hij aan haar verklaring moest hechten. Waarom had ze zo snel opgehangen? Omdat ze inderdaad op het punt stond van de camping in Doorn te vertrekken en nog gauw wilde doorgeven wat ze gezien en gehoord had? Petersen had bij eerdere onderzoeken meegemaakt dat daders anoniem tips gaven om de politie op het verkeerde been te zetten.

Hoewel de melding van mevrouw Esselink authentiek overkwam, had het gesprek dus vragen opgeroepen. Daarom had hij Inge Veenstra gevraagd de tip na te lopen. Ze had het telefoonnummer van de vrouw en was erachter gekomen, dat mevrouw Esselink vanuit een telefooncel op camping De Bonte Vlucht in Doorn gebeld had. Veenstra had vervolgens naar de receptie gebeld om te vragen naar gegevens over het echtpaar Esselink. De receptioniste had beloofd terug te bellen zodra ze meer wist.

'Je hebt al wat gehoord van De Bonte Vlucht?', vroeg hij zijn collega.

Ze knikte. 'Niet dat ik er veel wijzer van geworden ben. De naam Esselink is niet bekend. Misschien heeft ze haar meisjes-naam genoemd, en staat ze ingeschreven onder de achternaam van haar man. Daarom heb ik de receptioniste gevraagd of ze dat kan nagaan. Ze kijkt na wie er gisteren zijn vertrokken. Of daar iets uitkomt, moet nog blijken.'

'Er zijn veel stacaravans op die camping', wist Petersen. 'Mensen komen en gaan wanneer zij willen.'

'Maar ik denk niet dat de melding van mevrouw Esselink een valse is.'

'Waarom?'

'Omdat ze Karel Eilering niet beschuldigt. Ze beweert iemand gezien te hebben die op een kraker lijkt. Maar ze vertelde ook dat Jacques Vermin na het vertrek van de kraker waarschijnlijk muziek opzette. Dan kan de kraker de moord niet gepleegd heb-ben.'

'Maar ze was over het horen van die muziek onzeker.'

'Ja, maar ik heb nog iets ontdekt.'

'Over Karel Eilering?'

'Nee.' Ze ging op gedempte toon verder, terwijl ze keek naar de werkplek waar Ronald Bloem bezig was. 'Over de persoon van wie we een haar gevonden hebben. De zwart geverfde rode haar? Nou, ik heb het nagezocht. De vrouw van de politicus Brouwer heeft rood haar. Kijk, ik heb een foto gevonden waar ze met haar man opstaat. Dat was toen hij wethouder in Ede was.'

Ze legde een krantenknipsel voor hem neer. Er was een kleu-renfoto bij. Volgens het bijschrift was de foto genomen bij de opening van een nieuw appartementencomplex in Bennekom. Naast wethouder Geert Brouwer stond een vrouw met weelde-rig, rood haar. Het onderschrift vermeldde dat zij de vrouw van de wethouder was.

'Dit komt uit De Gelderlander', zei Inge Veenstra. 'En hier heb

178

ik een recentere foto. Ook uit De Gelderlander. Het is een zwart-wit foto, maar haar haren zien er zo donker uit, dat ze niet rood kunnen zijn. Volgens mij heeft ze tegenwoordig zwart haar.'

Petersen keek een moment verbaasd van de ene foto naar de andere.

'Je weet wat dit betekenen kan?', vroeg Veenstra op fluistertoon.

'Zij kan degene zijn geweest die in het huis van Jacques Vermin is geweest.'

'Ook dat. Het kan ook betekenen dat Ronald een blunder gemaakt heeft, toen hij het alibi van Brouwer naging. Als de vrouw van Brouwer in Leersum is geweest, kan ze niet in het hotel zijn geweest. Misschien aan het begin van de avond, maar niet de hele tijd. Dat had Ronald moeten ontdekken, als hij zorgvuldig was geweest.'

'Houd deze informatie nog even voor je, Inge.'

'Wat doen we ermee?'

'Ik wil dat je vanochtend naar Zandvoort gaat. Zeg niets tegen de collega's.'

-

11.20 uur

Met grote stappen ging John van Keeken over het bospad voort. Hij was bijna bij de plek waar mevrouw Esselink zou zijn geweest. Van Keeken was ervan overtuigd dat de tip niet waar was. Vrijdag was hij met Petersen in het bos achter Het Hemelse Hof geweest, en toen hadden ze al vastgesteld dat alleen het dak van het huis te zien was. Hoe kon mevrouw Esselink dan zeggen dat ze een kraker gezien had?

Om haar verklaring te verifiëren, had John van Keeken zijn oudere collega voorgesteld naar Leersum te gaan. Petersen had hem aan het begin van het bospad afgezet, terwijl hij zelf met de auto het grondgebied van Vermin op was gegaan.

Bezweet bereikte hij het bijna dichtgegroeide pad tussen het terrein van Vermin en het andere particulier terrein. Daar stelde hij vast dat hij door de rododendrons het erf niet kon zien. Maar hier groeiden wel bosbessenstruiken, dus dat deel van de verklaring klopte. Hij pakte zijn mobieltje.

'Bram, ben je nu op het achtererf? Kun je gaan schreeuwen?'

Vanachter de barricade van rododendrons galmde de roepstem van Bram Petersen. Dat hij zijn collega kon horen, was niet verwonderlijk. Hemelsbreed stonden ze hooguit honderd meter van elkaar vandaan.

'En nu de muziek!'

Het duurde een minuut voor Petersen van zich liet horen. Hij was het huis binnengegaan, en had de ramen en de buitendeur opengezet. Nu zette hij de muziekinstallatie aan. Als Thijs Warnink niet aan de volumeknop had gezeten, zoals hij gezegd had, stond de muziek net zo hard als bij de ontdekking van het lijk.

'Hoor je al wat, John?', vroeg Petersen. Maar John van Keeken hoorde de muziek luid en duidelijk via de mobiele telefoon.

'Wacht, ik bel je zo terug.'

Hij verbrak de verbinding.

In eerste instantie hoorde hij niets. De enige geluiden die vanuit het bos tot hem doordrongen, waren het gefluit van vogels en andere bosgeluiden. Toen hij beter luisterde, kon hij het geruis van auto's op de provinciale weg onder aan de heuvel horen. Van Keeken liep naar het einde van het pad. Opeens meende hij iets te horen. Een deuntje. Was dat de muziek van Vermin?

'Ik durf het niet met zekerheid te zeggen dat ik de muziek hoorde', zei hij even later tegen zijn oudere collega. 'Maar als mevrouw Esselink ouder is dan ik ben, zal ze een minder goed gehoor hebben.'

Petersen was daar niet zo zeker van. 'Zij was er 's avonds. Dan zijn er minder omgevingsgeluiden, minder verkeer. Die geluiden vallen weg. Bovendien kom jij zo vaak in cafés met luide muziek dat ik betwijfel of jouw gehoor zoveel beter is. Ik begin steeds meer te geloven dat mevrouw Esselink de waarheid sprak.'

'Dus jij denkt dat Karel Eilering hier geweest is?'

'We weten niet zeker of het Karel Eilering was.'

'Ik wil wel eens weten of mevrouw Esselink iemand op de oprijlaan kan zien. Kun je daar overheen lopen?'

'Ik ben al onderweg. Kijk, ik kan jou zien.'

John van Keeken zag op zijn beurt zijn collega ook. De bocht die de oprijlaan maakte, zorgde ervoor dat Petersen vanachter de rij rododendrons tevoorschijn kwam. Er waren hier nieuwe struiken gepoot, zodat op langere termijn ook de oprijlaan volledig aan het zicht onttrokken zou zijn.

'Kom hier maar naartoe, John. Dan gaan we terug naar Veenendaal.'

'Nou, ik ben eerst toe aan iets te drinken. Misschien wat eten. Kunnen we niet naar dat restaurantje verderop gaan?'

-

12.00 uur

Met een bezorgde blik trok Inge Veenstra haar bureaustoel achteruit. Even keek ze in de richting van Ronald Bloem, die met Steven Bosma in gesprek was. Uit haar handtasje haalde ze de krantenknipsels van De Gelderlander. Het personeel van het hotel in Zandvoort had de vrouw op de foto niet herkend, zodat ze er vanuit kon gaan dat het niet mevrouw Brouwer was die daar in de nacht van de moord was geweest. Geert Brouwer had de nacht met iemand anders doorgebracht, een blondine. Haar collega had dit moeten ontdekken.

Ze keek nog eens naar de twee foto's. Ondertussen moest ze denken aan haar collega. Het was haar opgevallen dat er wrijving was tussen Bram Petersen en Ronald Bloem. Bloem was de laatste weken zichzelf niet meer. Sinds Veenstra bij district Heuvelrug was komen werken, had ze hem leren kennen als een hardwerkende collega. Er was enige verandering ontstaan nadat de verkering van Bloem met Manuela van Tricht was uitgeraakt en hij met Dominique van Zuylen ging samenwonen. Het was geen geheim dat Dominique niet blij was met de onregelmatige werktijden van haar vriend. Dat had vervolgens geleid tot irritaties tussen Bloem en Petersen.

Er moest nu meer aan de hand zijn. Want het ene incident volgde op het andere. Laatst had ze tijdens een lunchpauze voorzichtig gevist naar wat haar collega dwarszat. Maar Bloem had bij die gelegenheid haar vragen weggewuifd alsof ze zich vergist had. Ze wist zeker dat hij relatieproblemen had, maar hij zou zijn kaken op elkaar houden in plaats van hulp te zoeken. Tegelijkertijd had de houding van Bloem gevolgen voor Bram Petersen. Hun breuk was iets wat ze een paar weken geleden nog niet had voorzien.

Terwijl ze bezig was de knipsels in een map op te bergen, ging de telefoon op haar bureau over.

'Inge? Met Peter.' Ze herkende de stem van haar collega Peter van den Boom, die achter de balie dienst had. 'Ik heb iemand die nog belt naar aanleiding van de uitzending op tv. Zal ik hem met je doorverbinden?'

'Hoe heet hij?'

'Jan van Ginkel.'

'Verbind maar door!'

Er klonk even wat gekraak op de lijn. Vervolgens hoorde Veenstra een zware basstem.

'Kan ik beginnen?'

'Goedemiddag, u spreekt met Inge Veenstra van politiedistrict Heuvelrug. U kunt ons informatie verstrekken in verband met de moord op de heer Vermin?'

'Ik denk het wel', zei Jan van Ginkel. 'Het is toch in de nacht van 21 op 22 juli gebeurd?'

'Ja.'

'Op de avond van woensdag 21 juli ben ik met de truck over de provinciale weg tussen Maarsbergen en Leersum gereden. Ik kwam van de A12.'

'Weet u hoe laat u over de provinciale weg reed?'

'Het was rond half acht. Ik heb net die tv-uitzending gezien. Want ik rij namelijk internationaal en ik ben juist weer terug uit Italië. Mijn vrouw had een programma opgenomen, zodat ik het ook kon zien. Er stond nog een stukje van jullie uitzending op. Daarom denk ik dat ik iets weet waar jullie wat aan kunnen hebben. Die Vermin woonde toch aan de weg tussen Maarsbergen en Leersum?'

Inge Veenstra bevestigde dit.

'Nou,' ging de vrachtwagenchauffeur verder, 'dan heb ik iemand aan het begin van de oprijlaan afgezet. Ik had hem bij de afrit van de A12 opgepikt, waar hij stond te liften. Hij vertelde mij, dat hij van station Maarn daar naartoe gelopen was. Hij moest ergens halverwege Maarsbergen en Leersum zijn. Ik vond het nog een vreemde plek om naartoe te gaan, midden in het bos. Ik wist niet dat daar het begin van een oprijlaan van een huis was, want je ziet niets anders dan bomen. Tenminste, ik zag wel twee afvalcontainers staan. Meer niet.'

'En de lifter moest daar zijn?'

'Ja. Hij bedankte mij, klom over het hek en verdween in het bos.'

'Heeft hij zijn naam genoemd?'

'Hij stelde zich voor als Karel.'

'En zijn achternaam?'

'Die heeft hij niet genoemd.'

'Hoe zag hij eruit?'

'Het was een punker. Met een hanenkam en zo'n groene leger-jas. Met een zwarte stift had hij op die jas allemaal opruiende teksten geschreven.'

'Heeft hij nog meer verteld?', wilde Inge Veenstra weten.

'Nee, niet veel. Ik heb niet veel met hem gepraat. Hij had veel meer belangstelling voor de foto's die ik in mijn cabine heb hangen.'

'Van uw familie?'

'Euh, nee, niet van familie.'

'Oké, op die manier.'

12.40 uur

Het restaurantje dat John van Keeken had gezien, bevond zich aan de provinciale weg. Achter het gebouw rees de Darthuizerberg met zijn bossen op. Aan de overkant van de straat waren de bossen van het Leersumse Veld. In zuidelijke richting was de Donderberg te zien, de heuvel die ruim dertig meter boven de omgeving uitstak.

Het restaurant was niet alleen prachtig gesitueerd, het had ook een gezellige uitstraling. De witgepleisterde gevel stak scherp af tegen de blauwe lucht met zijn reusachtige witte stapelwolken. Witte parasols boden op het terras beschutting tegen de hete zon, terwijl een lekkere geur vanuit het gebouw naar buiten kwam. Niet voor niets was het restaurant vorig jaar door het Algemeen Dagblad verkozen tot hét pannenkoekrestaurant van Midden Nederland.

Terwijl het verkeer langs raasde, zochten Petersen en Van Keeken een rustig plekje op het terras op. Twee echtparen met kinderen die er al zaten, keken even op, voor ze hun aandacht weer op hun eten en elkaar richtten.

Vrijwel onmiddellijk kwam er een serveerster aan met de menukaarten.

'Shit, ik heb spierpijn', klaagde Van Keeken, nadat hij de menukaart opengeslagen voor zich neergelegd had. Hij wreef over zijn kuitspieren.

'Had je niet zo snel moeten lopen.'

'Ik dacht echt dat ik kon bewijzen dat Esselink wat verzonnen had.'

Na een paar minuten kwam de serveerster terug. John van Keeken keek naar haar op. Ze was een meisje van rond de negentien met blond haar dat ze in een paardenstaart droeg. Zij was een van de twee serveersters die de gasten op het terras bedienden.

'Zo hé,' zei Van Keeken, 'lekker!'

'U hebt uw keuze gemaakt?', vroeg zij. Ze bloosde onder de blik van de jonge rechercheur, die haar openlijk bewonderend bekeek.

'De andere mensen zullen wel raar kijken als ik begin te kwijlen.'

'Pardon, meneer?'

'Ik weet niet wat ik moet kiezen.'

'U bedoelt de pannenkoeken?'

'Nee, de serveersters natuurlijk!'

'Doe mij maar een pannenkoek met ham en ananas', onderbrak Bram Petersen zijn collega. Hij ergerde zich aan het gedrag van Van Keeken. De serveerster richtte meteen haar aandacht op Petersen. Haar hoofd was nu vuurrood. 'En een kop koffie. Zwart graag. Zonder suiker.'

'Moet jij geen toetje?', vroeg Van Keeken. Hij leunde met de menukaart in handen gemakkelijk achterover. 'Ik wil een pannenkoek met bosbessen en met honing en kaneel. Met dit hete weer lust ik wel een pilsje. Je hebt Warsteiner? En als toetje wil ik chocolade-ijs.'

'Niet meer dan één pilsje, John', zei Petersen nadat de serveerster met de bestellingen naar binnen was gegaan.

'Oké dan. Maar jij rijdt toch? Misschien neem ik nog een Irish coffee aan het eind.'

'Als je dat laat, trakteer ik.'

'Oh?', zei Van Keeken verrast. 'Dat is mooi. Had ik al gezegd dat ik ook een pannenkoek gezond wil hebben? Met ui, tomaat, kaas, ei en wortelselderiesalade? Voor acht euro vijftig? En een pannenkoek pikante kip, voor acht euro zeventig? Ik sterf opeens van de honger!'

Petersen glimlachte. 'Ik ben niet ontevreden over wat we bereikt hebben.'

'Karel Eilering kan de moordenaar van Jacques Vermin zijn. Maar dan hebben we nog het probleem dat we er vanuit gingen dat de dader een vrouw was. Zover we weten, reisde Karel Eilering die dag met de trein naar Arnhem. Daarna moet hij hier naartoe zijn gegaan. Hij kan het kind moeilijk te vondeling gelegd hebben. Het is vanaf Het Hemelse Hof naar de boerderij van Van Schaik minstens twee of drie kilometer.'

'Precies. Hij kan niet te voet Emile Boon weggebracht hebben.'

'Dus, wie deed dat dan wel?'

'Op basis van wat de technische recherche heeft ontdekt, is het waarschijnlijk dat er twee personen bij Jacques Vermin zijn geweest', zei Bram Petersen. 'De eerste persoon zou Karel Eilering geweest kunnen zijn. Dan is hij de moordenaar. Maar als mevrouw Esselink gelijk heeft, leefde Vermin nog nadat de kraker vertrokken was.'

'Maar als hij de moord gepleegd heeft, wie heeft Emile dan weggehaald en waarom? Ik bedoel, Karel Eilering was alleen. Heeft hij ontdekt dat er een kind was, en heeft hij daarop de hulp van een vriendin ingeroepen omdat hij bang was dat het kind wat zou overkomen? Is die vriendin vervolgens gekomen om Emile weg te halen?'

'Je bedoelt dat het nogal vergezocht klinkt.'

'Het is waarschijnlijker dat er twee personen waren. Misschien een man en een vrouw. De ene pleegde de moord, de ander zorgde ervoor dat Emile weggebracht werd.'

'Het vermoeden bestaat,' begon Petersen, 'en ik wil niet dat je dit tegen je collega's zegt, dat de vrouw van de politicus Geert Brouwer in het huis is geweest.'

John van Keeken keek verrast. 'Maar ik dacht dat Ronald al had vastgesteld dat zij met haar man in Zandvoort was?'

'Daarom wil ik ook niet dat je hierover met anderen praat.'

-

13.25 uur

Op het moment dat ze de oprijlaan van Het Hemelse Hof passeerden, riep John van Keeken dat ze moesten stoppen. Rechercheur Petersen voerde op hetzelfde ogenblik een telefoongesprek met Steven Bosma. Bosma was aan het begin van de middag naar Zeist gereden om Karel Eilering mee te nemen voor verhoor. Maar de kraker was opnieuw afwezig. Na het telefoontje van de vrachtwagenchauffeur was duidelijk waarom hij nooit naar Veenendaal was gekomen. Vandaag had zijn vriendin Jolanda een andere smoes voor zijn afwezigheid. Hij zou bij vrienden logeren. Steven Bosma stelde daarom voor om in plaats van hem, zijn vriendin mee te nemen naar Veenendaal.

'Goed idee', zei Petersen.

'We moeten terug', zei John van Keeken plotseling. Petersen had net de verbinding met Bosma verbroken. 'We hebben iets vergeten.'

'Wat is er?'

'Ik dacht er opeens aan toen ik de vuilniscontainers van Vermin zag staan. Is iemand al op het idee gekomen erin te kijken? Misschien zitten er andere vuilniszakken in en dan hebben we misschien meer namen van zijn slachtoffers.'

'Dat is nog niet gebeurd', gaf Petersen toe.

Hij was ter hoogte van de ingang tot het Leersumse Veld, waar hij de auto keerde en naar de oprijlaan van Het Hemelse Hof terugreed.

'Af en toe heb ik ook een goed idee', merkte John van Keeken op.

'Ja, dat merk ik.'

Rechercheur Petersen parkeerde de auto in het bos. Voor hij was uitgestapt, was zijn collega al eruit gesprongen en naar de containers gehold. Nu opende hij de klep van de ene container en dook er half in. Een ogenblik later trok hij een gevulde vuilniszak eruit. Petersen hoefde de zak niet open te maken, om erachter te komen wiens afval erin zat. Hij zag het etiket en herkende de code die erop stond: HDB ERM 7/16.

–

15.30 uur

Jolanda Dirksen zat met de armen over elkaar en een uitdagende blik in haar ogen achter het tafeltje in de verhoorkamer. Rechercheur Petersen had tegenover haar plaatsgenomen, met John van Keeken naast zich. Terwijl hij het woord voerde, nam hij Jolanda nauwkeurig in zich op. Aan haar lichaamshouding merkte hij, dat hij van haar weinig medewerking hoefde te verwachten. Hij had haar al gevraagd waar haar vriend was, maar ze herhaalde de smoes die ze tegen Steven Bosma had gebruikt. Maar ze wist zogenaamd niet, bij welke vrienden Karel Eilering was.

'Jij hebt verkering met hem. Dan vind ik het vreemd dat je niet weet waar hij is.'

'Hij heeft het uitgemaakt.'

Petersen schudde het hoofd. 'Je draagt zijn ring.'

Even keek Jolanda Dirksen naar de ring. 'Die is niet van hem.'

'Oh? Heb je dan telefonisch contact met hem gehad?'

'Ik zeg toch al dat ik niets meer met hem heb!'

'Mogen we dan je mobieltje zien, zodat we kunnen controleren of je gelijk hebt?'

'Nee.'

'Des te eerder kun je gaan.'

Ze haalde haar schouders op. 'Dat kan me geen ruk schelen. Jullie kunnen me toch niet langer dan zes uur vasthouden.'

'Je hebt nu geen mobieltje bij je', stelde Petersen vast, die was opgestaan om zijn blik over haar lichaam te laten glijden. Nergens zag hij een bobbel die de aanwezigheid van een telefoontje kon verraden. 'We willen graag met Karel in contact komen. Als je ons zijn telefoonnummer geeft, kun je gaan.'

'Die krijg je niet!'

'Waar is je mobieltje dan?'

Jolanda Dirksen zweeg.

'We zullen het kraakpand laten doorzoeken. De officier van justitie is nu bezig met het doorzoekingsbevel. We hebben genoeg reden om jullie pand binnenstebuiten te keren. We weten dat Karel op woensdag 21 juli Jacques Vermin in Leersum heeft opgezocht. Hij heeft daar ruzie met het slachtoffer gemaakt, wat mogelijk tot de dood van Vermin leidde. Als je vriend onschuldig is, kun je beter eerlijk vertellen wat er gebeurd is.'

'Hij is mijn vriend niet meer!'

Petersen liet een zucht ontsnappen. Daarna stond hij op, ten teken dat het verhoor was afgelopen.

'Karel is ondergedoken. Maar we zullen hem vinden, of je nu meewerkt of niet.'

15.40 uur

Hoe meer ze zich erin verdiepte, hoe dieper het haar schokte. Wat ze nu weer ontdekt had, nam alle twijfel weg of Ronald Bloem over de schreef was gegaan. Hij had de achtergronden van Veronie Posthumus nageplozen. Omdat ze wist dat het alibi van mevrouw Brouwer niet klopte, probeerde Inge Veenstra zoveel mogelijk informatie over de politicus te verzamelen. Ze was de naam van Veronie Posthumus vervolgens in zijn dossier tegengekomen. Zij had voor hem gewerkt.

Dit kon geen toeval zijn. Het had Ronald Bloem ook moeten opvallen. Het was Veronie Posthumus die ervoor gezorgd had dat Vermin haar werkgever kon chanteren. Veenstra begreep er niets van dat Bloem deze informatie had achtergehouden en dat hij over Zandvoort had gelogen. Hadden zijn persoonlijke problemen hiermee te maken? Dit moest ze aan Petersen rapporteren.

-

15.45 uur

'Hij kan in elk kraakpand van Nederland zitten', zei John van Keeken toen ze even later naar de projectruimte terugkeerden. Van Inge Veenstra hadden ze te horen gekregen dat Steven Bosma en de officier van justitie naar Zeist waren vertrokken voor de doorzoeking. 'Er is geen betere manier om anoniem onderdak te vinden.'

'Maar hij zal ongetwijfeld een mobieltje hebben. Daarmee kunnen we hem opsporen.'

'Als Eilering een mobieltje heeft, misschien heeft hij dan ook contact met Vermin gehad.'

'Dat zou kunnen, ja.'

'Nou, dan zou het ook kunnen dat Eilering op die manier ontdekt heeft dat Vermin ook een huis in Leersum had.'

'Hoe dan? Als ik jou bel, weet je ook niet waar ik zit. Of je moet toegang hebben tot het mobiele netwerk. Dan kun je peilen waar ik ben.'

'Dat bedoel ik niet. Ik bedoel dat Vermin het misschien verteld heeft.'

'Dat acht ik uitgesloten', zei Petersen overtuigd. 'Vermin deed er alles aan om te voorkomen dat anderen te weten kwamen dat hij in Leersum zat.'

'Dat is waar ook.'

'Maar we kunnen wel nazoeken of Eilering met Vermin telefonisch contact heeft gehad. Zijn mobieltje is gevonden. Ik zal Marcel Veltkamp bellen of hij daar al tijd voor gehad heeft.'

'Natuurlijk heb ik ernaar gekeken', zei de technische rechercheur even later. 'Maar dat wisten jullie toch al? Ik heb gisteren het verslag gegeven waarin het staat. Er zit een overzicht bij van alle nummers waarnaar Vermin recentelijk gebeld heeft, en door wie hij gebeld is.'

'We hebben niets ontvangen.'

'Natuurlijk wel. Ik heb het Ronnie persoonlijk overhandigd.'

15.50 uur

Het verslag over de vondst van de mobiele telefoon lag te slingeren tussen de papieren die Ronald Bloem op zijn werkplek had liggen. Uit de gegevens van de inkomende en uitgaande gesprekken, bleek niet of Jacques Vermin telefonisch contact had gehad met de kraker Karel Eilering. Wel was er een lijst van de meest recente telefoontjes. Marcel Veltkamp had aangegeven of een gesprek beantwoord was of niet. In de kantlijn stonden de data en tijden waarop deze gesprekken hadden plaatsgevonden. Als Veltkamp ook wist van wie de nummers waren, had hij het erbij gezet.

In de laatste twee dagen van zijn leven had Jacques Vermin slechts één keer gebeld. Op dinsdag 20 juli had hij met Geert Brouwer contact gehad. Zelf was hij in de laatste twee dagen vier keer gebeld, waarvan twee keer door zijn vrouw. Die belde woensdagmiddag en woensdagavond. De tweede keer, dat was om twee minuten over tien, werd de oproep door Vermin niet beantwoord. Misschien was hij al dood, misschien was hij zonder het toestel naar buiten gelopen zodat hij niet hoorde dat de telefoon overging. Vermin was ook een keer op dinsdag gebeld door een nog onbekend persoon. En dan nog een keer door een onbekend persoon om vijf over half negen op woensdagavond. Het was een nummer dat begon met 0174.

'Is dat niet in het westen van het land?', vroeg Veenstra die bij hen kwam staan.

'Ik denk dat het Hoek van Holland is', zei Petersen. 'Dat zou betekenen dat het telefoontje van Maria van den Brink was. Zij informeerde hoe het met Emile ging. Dat telefoontje is in elk geval aangenomen.'

'Hoe weten we dat Vermin zelf dat telefoontje heeft aangenomen?', vroeg John van Keeken.

'Door het aan de werkster te vragen.'

Maria van den Brink bevestigde dat zij twee keer naar Leersum had gebeld. Op dinsdag, vlak voor ze met het vliegtuig vanaf Schiphol zou vertrekken, en op woensdagavond vanuit Hoek van Holland. Beide keren had Jacques Vermin opgenomen.

'Dus,' concludeerde Van Keeken, 'dan weten we dat Karel Eilering de moord niet gepleegd heeft. De ruzie was rond acht uur en daarna ging hij weg. Tenzij hij terugging, is hij onschuldig.'

'Inderdaad.'

'Maar hoe wist Eilering dan dat Vermin in Leersum woonde?'

'Misschien heeft hij Thijs Warnink in Arnhem ontmoet', suggereerde Inge Veenstra. 'Eilering was op weg naar het kantoor van Vermin. En we weten dat Warnink die middag een catalogus heeft gekopieerd. Er staat een kopieerapparaat in het kantoor van Jacques Vermin.'

'Waarom zou Thijs Warnink aan Eilering vertellen waar Vermin woonde?', vroeg Van Keeken. 'Dat is belachelijk! Warnink en Vermin waren dikke vrienden. Warnink wist donders goed dat zijn vriend niet wilde dat Jan en alleman wist waar hij woonde. Zelfs zijn vriendin was nog nooit op Het Hemelse Hof geweest!'

'Dat is waar', gaf Veenstra toe. 'Hoe wist Karel Eilering het dan?'

'Misschien heeft hij Vermin op de provinciale weg zien rijden. Misschien heeft Eilering gezien dat Vermin de oprijlaan opreed. Dat is moeilijk te bewijzen, maar het is de beste kans. Vergeet niet dat de kraker een aantal dagen in Leersum gewoond heeft, in dat kraakpand aan de Rijksstraatweg. Misschien heeft Eilering Vermin gevolgd, nadat ze ruzie hadden gehad over 't Hoekje.'

'Met andere woorden,' vatte Petersen samen, 'er staan nog allerlei mogelijkheden open. Daarom moeten we Karel Eilering te spreken zien te krijgen.'

Inge Veenstra keek hem aan. 'Kan ik je eerst even spreken, Bram? Onder vier ogen.'

—

18.00 uur

Voor het eerst sinds dagen kwam Bram Petersen op een normaal tijdstip thuis. Niet dat hij tijd had om tot rust te komen. Overmorgen zou Magda thuiskomen. Omdat morgen waarschijnlijk een drukke dag werd, moest hij vanavond orde op zaken stellen. Hij wilde dat alles er piekfijn uitzag, zodat zijn vrouw tevreden kon zijn met hoe hij het huishouden had bijgehouden. Dat het nu in de keuken een rommeltje was, hoefde ze nooit te zien. De afwas van de afgelopen dagen stond op hem te wachten en de woonkamer moest hoognodig schoongemaakt worden. Het was hem nooit opgevallen, hoe snel alles vuil werd. Hij zou blij zijn als zijn vrouw er weer was.

Zijn gedachten waren tijdens de afwas echter niet bij haar. De nieuwste ontwikkelingen in het onderzoek hielden hem bezig. Toen Inge Veenstra hem vanochtend de twee krantenfoto's van mevrouw Brouwer toonde, had hij niet kunnen vermoeden dat zij daarna zou aantonen dat Ronald Bloem over Zandvoort gelogen had. Petersen rekende uit dat hij vijf jaar lang met Bloem had samengewerkt. Morgenochtend zou hij een van de moeilijkste gesprekken ooit met hem voeren.

Net als Inge Veenstra geloofde Bram Petersen, dat het gedrag van Bloem te maken had met zijn privéproblemen. Op de achtergrond had Dominique hiermee te maken. Zij had vanaf het begin een slechte invloed op Bloem gehad, waardoor hij minder goed ging functioneren. Toch kon Petersen er niet bij dat zijn collega zulke misstappen had begaan. Hij dacht dat hij hem in de afgelopen jaren door en door had leren kennen, maar nu zag hij in dat hij zich vergist had. Uit het gesprek morgen zou moeten blijken, welke stappen hij ging ondernemen.

Hij werd in zijn gepeins verstoord door het gepiep van zijn mobieltje.

'Bram, met mij, Marcel.'

'Jij belt in verband met de vuilniszak?'

'Bingo! Ik heb een knijper op mijn neus gezet en ben aan de slag gegaan. Wat een onbeschrijfelijke troep zat erin. Is die Veronie een hoertje?'

'Hoezo?'

'Nou, als die vuilniszak haar wekelijkse afval bevat, dan gebruikt ze wel erg veel condooms. Ik heb vijftien eruit gevist. En dan heb ik het nog niet over de andere seksartikelen die ik erin vond. Wil je de details horen?'

'Laat maar, Marcel. Ik denk dat ik die condooms wel kan verklaren. Ik denk dat ze die met opzet in het vuilnis gedaan heeft. Ze wist dat haar man probeerde haar nieuwe vriend te chanteren. Ze wist hoe hij te werk ging. Ik denk dat ze het deed om hem te provoceren.'

'Dan zal hij wel op tilt zijn geslagen.'

Donderdag 29 juli

7.55 uur

'Waarom gaan we hier zitten?', vroeg Ronald Bloem toen hij
met Bram Petersen de verhoorkamer binnenging. In de holle
ruimte klonk zijn stem onzeker, omdat hij feilloos aanvoelde dat
zijn collega met hem niet alleen over het lopende onderzoek
wilde praten.

'Omdat ik een rustige plek nodig heb om met jou van gedachten te wisselen, Ronald.'

'Over Jolanda Dirksen?'

'Nee, over de vrouw van Geert Brouwer.'

Rechercheur Petersen ging zitten aan de tafel die in de verhoorkamer stond en gebaarde naar zijn collega dat hij tegenover
hem plaats moest nemen. Bloem wist meteen waar zijn meerdere het over wilde hebben en dat dit een moeilijk gesprek zou
worden. Maar waarom moest het per se hier, waarom niet in een
van de eenpersoonskamers die er in het hoofdbureau waren? Hij
voelde zich boos worden, maar tegelijkertijd besefte hij dat hij
het niet kon. Eigenlijk voelde hij sympathie voor Petersen. Jaren
hadden ze samengewerkt, waarbij ze veel hadden meegemaakt.
Hun band was zo goed geweest, dat ze elkaar zelfs in hun vrije

tijd opzochten, vooral toen hij zelf nog in Veenendaal woonde. Pas later waren er spanningen gekomen, iets dat volgens Petersen door Dominique kwam. Maar dat deed haar geen recht.

Hij had geen zin om zijn persoonlijke problemen op tafel te leggen, want daar zou het wel op neerkomen. Het ging Petersen niet aan. Straks ging hij Dominique weer verwijten maken, en daar had hij geen behoefte aan. Als er verwijten gemaakt moesten worden, kon hij het zelf.

'Herken je deze foto's?', vroeg Petersen, waarbij hij kranten-knipsels uit De Gelderlander voor zijn collega neerlegde. De vraag was geheel overbodig, want bij de eerste blik die Ronald Bloem op de foto's wierp, wist hij dat hij niet kon verbloemen dat hij mevrouw Brouwer herkende. 'Je hebt haar ontmoet?'

'Ik wilde weten of ze kon bevestigen dat ze met haar man in het hotel in Zandvoort is geweest.'

'En?'

'Ze bevestigde het.'

'Kom nou, Ronald. Kijk nog eens naar de foto's. Hier heeft ze rood haar, daar zwart. Er is een zwartgeverfde rode haar in het huis van Jacques Vermin gevonden. Waarschijnlijk háár haar. Vertel me liever de waarheid. Wanneer heb je haar opgezocht?'

Bloem aarzelde. 'Een paar dagen geleden.'

'Was dat voor we wisten dat er een zwartgeverfde haar was gevonden, of daarna?'

'Daarvóór!'

'Kijk me aan, Ronald. Volgens mij lieg je. Je maakt het daar-mee alleen erger. Ik wil eerlijke antwoorden. Wist je dat het alibi van mevrouw Brouwer niet klopte?'

'Ze heeft echt beweerd dat ze met haar man in het hotel was. Dat is ook in Zandvoort bevestigd.'

'Is dat zo?'

'Hoe kan ik dan weten dat zij tegen mij loog?'

'Omdat je het wist van de haar. Ik heb Inge naar Zandvoort gestuurd. Ik kon mijn oren niet geloven toen ik haar na afloop sprak. In het hotel vertelt men dat jij daar nooit geweest bent. Je hebt het alibi van Brouwer niet gecontroleerd. Je hebt tegen ons gelogen, Ronald.'

Verbijsterd keek Ronald Bloem naar zijn oudere collega.

'Is Inge naar hotel Zeeblik geweest?'

'Ronald, je kunt dit niet meer ontkennen. Ik ken je lang genoeg om te weten dat je een sterke reden moet hebben gehad om te liegen. Als je iets weet dat in het belang van het onderzoek is, dring ik er bij je op aan openheid te geven. Als er persoonlijke redenen zijn waarom je liever zwijgt, vertel het dan toch. Ik verzeker je dat geen van je collega's ervan zal horen.'

'Ik heb niets verzwegen.'

'Ach, kom nou toch, Ronald', zei Petersen, die zijn geduld begon te verliezen. 'Het is duidelijk dat je iets achterhoudt. Ik merk dat iets je dwarszit. Wees nu eens niet koppig. Zijn er problemen thuis? Is er iets met de zwangerschap van Dominique?'

Ronald Bloem schudde zijn hoofd.

Opeens sloeg Petersen met zijn vuist op de tafel. 'Je bent al net zo stijfkoppig als twee jaar geleden, toen je weigerde met Manuela te trouwen. Maar je was er kapot van toen zij het uitmaakte. Nu gaat er weer iets mis in je leven, en laat je de zaken weer op hun beloop gaan.'

'Het gaat jou gewoon niets aan.'

'Het gaat mij wel iets aan als het jouw functioneren beïnvloedt. Begrijp je dan niet dat ik dit bij Griesink aan de orde moet brengen? Zolang ik hier met jou in gesprek ben, is er nog kans dat hij er niet van hoort dat je een blunder gemaakt hebt.'

'Ik heb je niets te zeggen!', riep Bloem, die nu ook boos werd.

Een schok ging door hem heen nu hij zag wat die woorden met Petersen deden. Zijn meerdere schudde teleurgesteld het hoofd en maakte aanstalten de verhoorkamer te verlaten. Bloem herinnerde zich de keer dat zijn collega woedend op John van Keeken was geworden, omdat die het bestaan van een illegaal bordeel had verzwegen. Petersen had gewild dat zijn corrupte collega ontslagen werd. Van Keeken had het aan de omstandigheden te danken, dat districtschef Griesink hem in het korps had gehouden. Nu bedroog Bloem zijn collega's op dezelfde manier, om er zelf beter van te worden. Tegelijkertijd verachtte hij zichzelf dat hij van de situatie misbruik had gemaakt om Dominique te dwingen de abortus af te zeggen. Dát zou hij Petersen nooit vertellen.

'Ik kon niet weten dat ik voorgelogen werd!', zei hij weer. 'En laat me nu met rust, dan komt alles weer goed. Ik heb gewoon even tijd nodig.'

'Ik hoop dat het waar is', sprak Petersen cynisch. 'Want vroeg of laat kom ik er toch achter wat het is.'

Onzin, wilde Bloem zeggen. Maar op dat moment besefte hij, dat zijn collega gelijk had. Zodra de baby kwam, zou bekend worden dat het een kind met het Downsyndroom was. Petersen kon beter geloven dat dát de reden was waarom Ronald Bloem fouten gemaakt had, dan dat hij gelogen had.

'Goed', zei hij daarom. 'Ik zal je vertellen wat mij dwarszit.'

‐

8.25 uur

Met zijn gedachten nog half bij het gesprek met Ronald Bloem, opende rechercheur Petersen het ochtendoverleg met de mededeling dat zijn voormalige assistent verlof had gekregen. Hij besloot zijn collega's niet meer te vertellen, dan dat er persoonlijke omstandigheden waren die tot het verlof hadden geleid. Die verklaring was voldoende. Het was niemand ontgaan dat Bloem de laatste tijd niet goed in zijn vel zat. Petersen besloot zijn verklaring met de opmerking dat hun collega orde op zaken zou stellen en dat hij niet eerder dan begin volgende week terug zou keren.

'Laten we nu ter zake komen', zei Bram Petersen daarna. 'John en ik gaan zo weg, daarom wil ik het vanochtend kort houden.'

Vervolgens begon hij te vertellen dat hij gisteren nog contact had gehad met Veronie Posthumus. Zij had toegegeven dat zij het was die Jacques Vermin aan het document hielp waarmee Geert Brouwer was gechanteerd. Zij wilde daarmee wraak nemen voor het feit dat de politicus zijn buitenechtelijke relatie met haar had beëindigd. Later, nadat ze Vermin verlaten had,

had ze Brouwer het adres in Leersum gegeven. Mevrouw Brouwer was daarna in de nacht van 21 op 22 juli naar Het Hemelse Hof gegaan met de bedoeling het document op te eisen. In plaats van Jacques Vermin onder bedreiging daartoe te dwingen, had ze zijn lijk én de kleine Emile gevonden.

Petersen twijfelde niet aan de juistheid van haar verklaring. Wat ze gezegd had, stemde overeen met het forensische bewijs dat in het huis verzameld was. Zij was de tweede persoon die naar Het Hemelse Hof kwam. De eerste persoon was vermoedelijk de kraker, die door de getuige was gezien, al geloofde Bram Petersen inmiddels niet meer dat Karel Eilering verantwoordelijk was voor de dood van Vermin. Dat zou betekenen dat er een derde persoon was geweest, ná Karel, maar vóór mevrouw Brouwer. Sinds hij gisteren de belgegevens van Vermin had gezien, was er een vermoeden ontstaan wat de achtergrond van deze zaak was. Hij was nog niet helemaal zeker, maar juist daarom was het van groot belang dat hij Eilering sprak. De opsporing van de kraker verliep echter niet vlekkeloos.

Steven Bosma had de doorzoeking van het kraakpand in Zeist geleid. Daarbij was het mobieltje van Jolanda Dirksen niet gevonden. Van de andere krakers was Bosma ook niets wijzer geworden. Ze wisten allemaal dat Eilering was ondergedoken, maar ze hadden de gelederen gesloten.

'Maar hij heeft de moord niet gepleegd, toch?', merkte Inge Veenstra op. 'Uit de gegevens van het mobieltje van Jacques Vermin blijkt dat hij om vijf over half negen nog leefde. Toen was Eilering allang weg.'

'Als Eilering onschuldig is, waarom is hij dan ondergedoken?'

'Misschien weet hij iets.'

'En dat is de reden waarom ik hem wil spreken. Hij dwarsboomt het onderzoek. Ik wil Karel Eilering vandaag hier hebben. Kan het niet goedschiks, dan maar kwaadschiks. Ik heb het adres van zijn ouders. John en ik gaan zo meteen naar Purmerend om de vader van Karel Eilering te spreken.'

9.00 uur

'Heb je haar nog gevraagd naar de vuilniszak?', vroeg John van Keeken onderweg.

'Wie?'

'Veronie Posthumus natuurlijk!'

'Ja, dat heb ik. Ze heeft toegegeven dat zij haar man de laatste weken wilde provoceren. Dat schijnt ook gewerkt te hebben, want hij belde haar vorige week. Hij was woedend.'

'Volgens mij is zij de moordenaar. Haar man is zo boos geworden, dat hij haar en Herman iets dreigde aan te doen. Zij is daarna naar Het Hemelse Hof gegaan. Misschien had ze niet eens de bedoeling hem te vermoorden, maar heeft ze de urn gegooid omdat ze een knallende ruzie kregen. En misschien was het wel opzet. Misschien had Vermin toch iets tegen Herman de Bruijn gevonden. Daarom is ze naar het huis teruggekeerd om die beeldjes kapot te maken.'

'Er is bewijs gevonden dat jouw theorie ondersteunt', merkte Petersen op.

'Wat dan?'

'Net voor we vertrokken, kreeg ik een telefoontje van Marcel. Hij zegt dat hij na de inbraak in de werkkamer haren heeft gevonden. Een stuk of zes lange, zwarte haren. Geen geverfde haren. Ik denk dat het de haren van Veronie Posthumus zijn.'

'En ze erft alles. Dat lijkt me een krachtig motief!'

'Het is een mogelijkheid waarmee ik rekening houd', gaf Petersen toe.

—

11.30 uur

Fred Eilering, de vader van Karel, ontving Petersen en Van Keeken op het terras achter zijn rijtjeswoning in Purmerend. Rond een tuintafel stonden vier stoelen met gestreepte kussens. Het terras was keurig aangelegd met sierlijke stenen. Eilering legde trots uit dat hij het zelf had gedaan. Tot hij zijn knieën verknald had, werkte hij in de bouw. De laatste jaren was hij arbeidsongeschikt.

Hij was een man met een fors postuur. Een wit T-shirt spande zich strak om zijn enorme buik en er hing een alcoholische lucht om hem heen. Toen hij ging zitten, werd duidelijk dat het shirt hem te klein was, want de behaarde onderbuik kwam tevoorschijn. Met zijn linkerhand wreef hij over zijn stoppelige kin. Hij gaapte. Rechercheur Petersen zag de tatoeages die de man op zijn onderarmen had.

'Ik ben begonnen met mijn ontbijt', zei de voormalige stratenmaker. Zijn arm strekte zich uit naar de tafel, waarop twee flesjes Heineken stonden. 'Willen jullie ook?'

Petersen en Van Keeken bedankten. In het kort verduidelijkte Petersen waarom ze gekomen waren.

'Ja, Karel is ondergedoken', reageerde Eilering. 'Hij wil niet met jullie praten.'

'U weet dat Jacques Vermin vermoord is?'

'Dat heeft Karel mij verteld. Maar hij heeft dat stuk vreten niet omgebracht, ook al had hij misschien een goede reden nu ze Roos gevonden hebben.'

'Roos?'

'Weet u daar niets van? Zij is de reden dat hij naar Leersum ging, omdat hij wist dat Vermin daar een huisje had.'

'U bedoelt 't Hoekje?', wilde Petersen weten.

'Inderdaad. Mijn zoon wilde hem dwarsliggen. Toen hij ontdekte dat 't Hoekje leeg stond, besloot hij het te kraken.'

'Kunt u uitleggen waarom uw zoon Vermin wilde dwarsliggen?'

'Weet u dan echt niets? Dat verbaast mij. Roos Eilering was zijn nicht, de dochter van mijn oudste broer. Haar vader heeft haar vroeger mishandeld, waarna ze door de kinderbescherming uit huis is geplaatst. Roos is op die manier bij een pleeggezin in Raalte terechtgekomen. Zij verdween achttien jaar geleden. Ze was toen vijftien jaar oud. Volgens haar pleegvader was ze weggelopen en daar leek het ook op. Maar wij, als familie, hebben dat nooit geloofd. Volgens ons had haar pleegvader haar iets aangedaan. Dat hebben we alleen niet kunnen bewijzen. Haar begeleider van de kinderbescherming was Pierre Vermin, de vader van Jacques Vermin. Volgens ons wist hij wat er met Roos was gebeurd.'

'Waar u het over hebt, is achttien jaar geleden gebeurd. Waarom wilde uw zoon Jacques Vermin nu opeens dwarsliggen?'

'Dat heb ik toch al gezegd?', reageerde Fred Eilering verwonderd. 'Roos is gevonden.' Hij pakte een van de bierflesjes en nam een slok.

'Ze is vermoord?'

'Precies zoals u zegt. Ze is twee weken geleden opgegraven. Ze is ook geïdentificeerd. De uitslag daarover werd vorige week bekend. Maar wij wisten al meteen dat Roos het was, toen we hoorden dat het skelet gevonden was. De vader van Jacques Vermin heeft daarvan geweten.'

'En uw zoon wilde Jacques Vermin dwarsliggen omdat zijn vader Pierre meer van de verdwijning van Roos Eilering wist? Dat klinkt onwaarschijnlijk.'

Harder dan nodig was, zette Eilering het bierflesje op de tuintafel neer.

'Omdat Jacques Vermin en zijn vader de moordenaar gechanteerd hebben', zei hij met een kwade blik. 'Ook dit kunnen we niet bewijzen, anders waren we wel naar de politie gegaan. Roos Eilering had haar oma al eens geschreven dat ze het in het pleeggezin niet naar haar zin had. Ze wilde daar weg. Op een dag was ze inderdaad verdwenen. Daarom dacht de politie dat ze weggelopen was. Het leek alsof ze een koffer gepakt had en met de fiets vertrokken was. Maar ze is nooit ergens aangekomen. De hele familie wist daarom dat het moord was. Pierre Vermin moet het ook geweten hebben en daarom chanteerde hij de pleegvader van Roos, omdat die haar vermoordde.'

'Uiteraard zal ik me verdiepen in de dood van Roos', zei Bram Petersen. Hij keek even opzij en zag tot zijn tevredenheid dat John van Keeken aantekeningen bijhield. 'Voor het onderzoek naar de dood van Jacques Vermin is het beslist noodzakelijk dat ik met uw zoon in contact kom. Ik weet dat hij ondergedoken is. Kunt u mij helpen?'

'Ik heb Karel beloofd dat ik u niet zal vertellen waar hij is.'

'U weet dus wel waar hij momenteel zit.'

'Daar heb ik wel een goed idee van, ja.'

'Ik kan u verzekeren dat ik er vrijwel zeker van ben dat uw zoon onschuldig is. Er is een getuige die zegt dat hij uit Leersum vertrok op het moment dat Jacques Vermin nog in leven was. Ik kan niet genoeg benadrukken, dat het voor ons onderzoek van groot belang is dat wij hem zo spoedig mogelijk spreken. We zijn ervan overtuigd dat uw zoon iets weet, dat voor het onderzoek van belang is.'

De heer Eilering twijfelde.

'Ik weet het niet. Eerlijk gezegd vind ik het prima zo, dat Vermin dood is.'

'Uw zoon is waarschijnlijk onschuldig aan de moord', herhaalde Petersen, die zich begon te irriteren aan het gebrek aan bereidwilligheid om mee te werken. 'Door onder te duiken heeft hij ons onderzoek belemmerd. Daarom zal ik Karel moeten arresteren. Als u meewerkt, dan verzeker ik u dat uw zoon zo spoedig mogelijk weer vrijkomt. Werkt u niet mee, dan sta ik niet voor de gevolgen in.'

'Als u gaat dreigen, werk ik niet mee.'

'In dat geval zie ik mij genoodzaakt u mee te nemen naar het bureau.'

13.55 uur

'Inge, ben je al meer te weten gekomen over Roos Eilering?', vroeg rechercheur Petersen. Hij en Van Keeken waren na de lunchpauze naar Veenendaal teruggekeerd. Onderweg had hij zijn nieuwe assistent naar hun collega's laten bellen om hen van de nieuwe stand van zaken op de hoogte te brengen. Fred Eilering was uiteindelijk gezwicht. Hij had hun het adres en het telefoonnummer van zijn zoon gegeven. Een arrestatie was nu een kwestie van tijd.

'Ik heb een kopie van het dossier aangevraagd bij onze collega's van regio IJsselland waar Raalte onder valt. Ze hebben een samenvatting van tachtig pagina's doorgefaxt en de rest volgt morgen met de post. Steven en ik zijn nog bezig om de samenvatting door te nemen. We hebben niet eens tijd gehad om te lunchen.'

'Wat weten jullie al?', vroeg John van Keeken.

Hij was op de rand van het bureau van zijn vrouwelijke collega gaan zitten, terwijl Petersen bij haar stond. Steven Bosma bleef op de achtergrond. Hij zat op zijn werkplek achter de pc. Bij hun binnenkomst had hij laten weten, dat hij niet gestoord wilde worden omdat hij nog iets aan het uitzoeken was. Geconcentreerd keek hij naar het beeldscherm.

In het kort vertelde Inge Veenstra wat zij tot dusver in de samenvatting had gelezen. Ze bevestigde wat Fred Eilering had gezegd. De vader van Jacques Vermin had inderdaad voor de kinderbescherming gewerkt. De samenvatting bevatte ook zijn verklaring over de verdwijning van Roos, die hij intensief had begeleid. Volgens Pierre Vermin was er geen reden om aan te nemen dat zij het in het pleeggezin niet naar de zin had. Ze had een jongere pleegbroer met wie ze goed kon opschieten. Maar er gebeurde iets in dat gezin dat haar uit het lood sloeg. Dat was het verongelukken van haar pleegmoeder.

Enkele maanden later verdween Roos. Pierre Vermin sprak daarna het vermoeden uit dat niet de pleegvader, maar de vader van Roos erachter zat. Hij had twee aanleidingen voor dat vermoeden. Ten eerste had de vader van Roos zich er niet bij neergelegd dat zijn dochter uit huis geplaatst werd. Ten tweede had hij haar bedreigd, als ze niet terug zou komen. Volgens een rapport van de Kinderbescherming had de vader van Roos zijn leven lang zich schuldig gemaakt aan alcoholmisbruik en geweld tegen zijn vrouw en kind.

'Dat is een familiekwaal', merkte John van Keeken op. 'De vader van Karel Eilering ontbijt met Heineken.'

Dat was ook de reden om Roos niet bij eigen familie te plaatsen. Zij had wel bij haar oma willen wonen, maar dat stond de Kinderbescherming niet toe. Hoewel haar oma in hetzelfde dorp woonde, was zij hulpbehoevend. Zij werd niet geschikt geacht haar minderjarige kleindochter op te voeden. Daarom werd er een pleeggezin gezocht, bij voorkeur uit dezelfde streek, zodat Roos niet van school hoefde te veranderen.

Na haar verdwijning waren er ook andere geruchten. De oma van Roos, met wie zij een goed contact had, had na de vermissing gezegd dat Roos door haar pleegvader misbruikt was. Dat werd nooit bewezen. De politie zag geen aanleiding om de pleegvader te verdenken, omdat Pierre Vermin van de Kinderbescherming de oma tegensprak. Hij had nog kort voor haar verdwijning uitvoerig met Roos gesproken, en uit dat gesprek was niet gebleken dat er iets mis was. De politie in Raalte hield er rekening mee, dat de oma uit rancune het verhaal van het misbruik de wereld in hielp, omdat zij haar kleindochter niet in huis mocht hebben.

'Vermin hield de pleegvader de hand boven het hoofd', concludeerde Petersen. 'Om hem te chanteren.'

'Ze hebben Roos gevonden', merkte John van Keeken op. 'Dat geeft Karel Eilering natuurlijk een gigantisch motief.'

'Daar lijkt het nu wel op', zei Veenstra. 'Tenzij de vader van Roos erachter heeft gezeten. Steven pluist nu de gegevens over het opgegraven lichaam na. Steven, waar is haar lichaam gevonden?'

'Op het erf van de pleegvader.'

Steven Bosma voegde zich bij hen.

'Ik heb informatie verzameld over de vondst van haar lichaam', zei hij. 'Op maandag 12 juli is in Raalte haar stoffelijk overschot opgegraven. Hoewel de identiteit niet meteen vaststond, bestond het vermoeden dat het om Roos Eilering ging. Dezelfde week kraakte Karel Eilering het huisje in Leersum. De daaropvolgende week, op dinsdag 20 juli, werd de identiteit officieel bekend. Een dag later ging Karel Eilering naar Arnhem. Ik vermoed dat hij verhaal wilde halen, voor onze collega's in Raalte dat zouden doen.'

'Hoe zit het eigenlijk met de moordenaar van Roos?', wilde Van Keeken weten. 'Is hij gearresteerd? Kan hij achter de moord op Jacques Vermin zitten, omdat Vermin hem chanteerde?'

'De pleegvader van Roos Eilering is zeven jaar geleden overleden.'

'Oh.'

'Maar hij had een zoon. De pleegbroer waar Roos goed mee op kon schieten.'

'Wie is het dan?'

'Laat me raden', zei Petersen. 'De pleegvader is de vader van Thijs Warnink.'

'Inderdaad, Hendrik Warnink', reageerde Steven Bosma verwonderd. Hoe wist je dat?'

'Het lag voor de hand.'

'Maar wat doen we dan nu?', zei Van Keeken nu weer, terwijl het mobieltje van Petersen begon te piepen. 'Laten we Thijs Warnink hier komen voor verhoor? Hij zal vast meer weten over de dood van Roos Eilering en van Jacques Vermin.'

Petersen nam zijn telefoontje in de hand en luisterde naar wat de beller te zeggen had.

'Er komt eindelijk schot in de zaak', sprak hij tevreden, nadat hij de verbinding verbroken had. 'Karel Eilering is gevonden. Onze collega's in Amsterdam hebben hem gearresteerd. Hij is onderweg hier naartoe.'

15.50 uur

Bij het betreden van de verhoorkamer zag rechercheur Petersen dat Karel Eilering er alles aan had gedaan om zijn uiterlijk te veranderen. Terwijl twee getuigen gezien hadden dat de kraker een hanenkam droeg, zag Petersen een jongeman met gemillimeterd en geblondeerd haar. Hij droeg niet meer dan een verfomfaaid T-shirt en een korte broek. De geur van zonnebrandolie hing in de verhoorkamer. Met een zonnebril op en een fototoestel om zijn nek zou hij kunnen doorgaan voor een Amerikaanse toerist.

'Waarom ben ik aangehouden?', vroeg Eilering. Hij zat met de armen over elkaar en keek met een ongeduldige blik naar de twee rechercheurs die tegenover hem plaatsnamen. 'Ik zit hier al een half uur te wachten! Ik heb vakantie. Als het aan mij ligt, lag ik nu aan het strand.'

'Je zit hier omdat je mogelijk betrokken bent bij de moord op Jacques Vermin', antwoordde rechercheur Petersen.

Hoewel hij nu alles wist over de moord op Roos Eilering, verbaasde het Bram Petersen dat de naam Roos Eilering niet eerder in het onderzoek boven water was gekomen. Bij het natrekken van de achtergronden van Thijs Warnink had die naam ontdekt kunnen worden. Maar waarschijnlijk was dit één van de missers die Ronald Bloem de afgelopen tijd had gemaakt. Petersen had inmiddels de rechercheur gesproken die destijds het onderzoek naar de verdwijning van het meisje had geleid. Die bevestigde dat de familie van Roos indertijd al beweerd had dat zij vermoord was. Dat kon niet bewezen worden, hoewel er meer dan één verdachte was. Het had er op geleken alsof Roos zelf op een ochtend vertrokken was, nadat ze een tas gevuld had met haar spullen. Toen haar pleegvader opstond, was ze al weg.

De verdenking van de familie Eilering was met name gebaseerd op een brief, die de oma van Roos ontvangen had. Haar kleindochter had daarin op geëmotioneerde wijze laten weten, hoe het leven in de boerderij van de Warninks was geworden nadat de vrouw van Hendrik Warnink was overleden. Haar behandeling was dubbel: enerzijds warm en hartelijk alsof ze, net als Thijs Warnink, volledig deel uitmaakte van het gezin. Anderzijds liet ze doorschemeren dat haar pleegvader 'vreselijke dingen met haar deed, waarover ze liever niet schreef'. Een oudere zus van haar pleegvader die bij hen inwoonde, keek gewoonlijk een andere kant op. Deze tante van Thijs Warnink had tot haar dood, bijna drie jaar geleden, in de boerderij gewoond. De nieuwe bewoners hadden het lichaam van Roos opgegraven.

'Wie?', reageerde de jongeman.

'Je hoeft je niet voor de domme te houden. Waarom was je ondergedoken?'

'Wie heeft jou verteld waar ik zat?', kaatste hij terug.

'Je vader.'

'Wat? Hij heeft gezegd dat hij z'n kop zou houden! Wat hebben jullie gedaan om hem aan het praten te krijgen?'

Petersen negeerde de vraag. Hij bladerde in zijn papieren.

'Hij heeft mij zeker verraden in ruil voor een krat bier', vervolgde Karel Eilering cynisch.

'Je vader heeft ingezien dat het verstandiger is om met de politie mee te werken.'

'Je kunt mij niet langer dan zes uur vasthouden!'

'Ik heb genoeg om de officier van justitie te overtuigen van jouw betrokkenheid bij de moord op Jacques Vermin', reageerde Petersen kalm. 'Dus, je kunt meewerken, en dan ben je vandaag nog vrij, of je werkt tegen. Dan zal de officier van justitie ervoor zorgen dat je ons langer gezelschap blijft houden.'

'Gratis onderdak', voegde John van Keeken eraan toe. 'Een goedkoper vakantieadres kun je niet krijgen.'

'Waarom was je ondergedoken?', ging Petersen verder.

'Ik was niet ondergedoken. Ik ben gewoon verhuisd.'

'Je bent door twee getuigen op woensdagavond in Leersum gezien toen je Jacques Vermin bezocht. Eén van hen heeft gezien dat je ruzie met hem maakte. Wat zich precies in Leersum heeft afgespeeld, wil ik nu van jou horen.'

'U weet het blijkbaar allemaal al.'

'Je ontkent dus niet dat je daar geweest bent?'

Karel Eilering leek nu te aarzelen, alsof hij twijfelde of hij zijn halsstarrigheid op zou geven of niet. Petersen drong er daarom bij hem op aan om openheid te geven. Maar de kraker besloot toch te zwijgen.

—

17.15 uur

Hij kwam niet verder en daarom besloot Bram Petersen een pauze in te lassen. Met John van Keeken liep hij terug naar de projectruimte. Inge Veenstra was op dat moment aan de telefoon met iemand in gesprek en het ging over Thijs Warnink.

'Dat was Raalte', zei ze even later. 'Ik denk dat ik weet van wie

Karel Eilering het adres van Jacques Vermin in Leersum heeft gekregen.'

'Thijs Warnink?'

'Ja, dat klopt. Thijs Warnink schijnt Karel Eilering op woensdag in Arnhem gesproken te hebben. Eilering kwam naar het kantoor om Vermin te spreken, maar die was er niet. Warnink wel. Die was daar om zijn catalogus te kopiëren. Wat Warnink en Eilering daar besproken hebben, laat zich raden. Eilering ging naar Leersum en ik weet nu van de politie in Raalte dat Warnink naar de oma van Roos Eilering ging. Thijs Warnink was destijds te jong om te begrijpen wat zich had afgespeeld. Die oma heeft hem verteld wat indertijd in Raalte is gebeurd. Ik denk dat Warnink daarna naar Leersum is gegaan om Vermin aan de tand te voelen.'

'Bedankt voor deze informatie, Inge. Dit geeft me nieuwe aanknopingspunten voor het verhoor.'

Met grote passen beende hij de projectruimte uit met de bedoeling het verhoor zo snel mogelijk te hervatten. John van Keeken kwam achter hem aan.

'Mag ik nu de vragen stellen?'

Abrupt kwam Petersen tot stilstand en draaide zich om. Het verhoor overlaten aan John van Keeken, het was een gedachte die tot een paar dagen geleden niet bij hem opgekomen zou zijn. Dat zijn collega erom vroeg, was al een unicum. In een impuls wilde hij het verzoek afwijzen. Griesink zag meer in hem en had hem een kans gegeven als nieuwe assistent. Tot nu was Van Keeken enorm meegevallen. Hij had het in zich beter te worden in dit vak, als hij de kans kreeg..

'Vooruit dan', zei rechercheur Petersen daarom.

-

17.35 uur

Karel Eilering had twintig minuten de tijd gehad om na te denken. Al bij binnenkomst zag John van Keeken dat er iets veranderd was en dat het hem moest lukken de ander aan het praten te krijgen. Eilering keek Petersen recht aan en meldde dat hij naar de woning van Jacques Vermin was geweest. Hij was gegaan om Vermin de waarheid te vertellen. Nadat Van Keeken tegenover de verdachte had plaatsgenomen, volgde zijn oudere collega zijn voorbeeld. De rolwisseling ging niet onopgemerkt aan Karel Eilering voorbij, die nu zijn blik op John van Keeken richtte.

'Hoe ben je vandaar vertrokken?'

'Lopend', zei Eilering. Met een onverstoorbare blik keek hij John van Keeken aan. 'Ik rij geen auto. Ik wilde liften, maar ik was zo kwaad, dat ik het hele eind naar Maarn gelopen heb.'

'Hoe laat was dat?'

'Kwart over acht was ik op de provinciale weg. Tegen tienen was ik op het station.'

'Heb je iemand gezien toen je wegliep? Iemand die naar Vermin op weg was?'

'Nee. En als ik iets gezien had, zou ik het je nog niet vertellen. Dat zoek je zelf maar uit.'

'Hoe wist je dan dat Vermin daar woonde?'

'Dat ga ik je niet vertellen.'

'Het is belangrijk.'

'Goed, dan zeg ik het. Toen ik in Leersum woonde, kwam Vermin langs om ruzie te schoppen. Ik heb hem daarna gevolgd.'

'Hoe?'

'Met de auto.'

'Je zei al eerder dat je geen auto reed.'

'Iemand anders reed.'

John van Keeken schudde zijn hoofd. Hij liet zich niet misleiden door deze verdachte die blijkbaar niet van plan was belangrijke informatie prijs te geven. Maar het onderzoek had nu een kritiek punt bereikt waarop hij dit gedrag niet kon accepteren. Daarom begon Van Keeken het verhoor over een andere boeg te gooien door te zeggen, dat hij ervan overtuigd was dat Karel onschuldig was. Vervolgens legde hij uit wat hij en Petersen inmiddels vermoedden, dat Karel naar Arnhem was gegaan om Jacques Vermin in zijn kantoor te spreken, maar dat hij in plaats van hem Thijs Warnink aantrof. Die woorden maakten veel los bij de verdachte. Nu zou John van Keeken hem eindelijk aan het praten krijgen.

Maar op dat moment stond Petersen op.

'We onderbreken dit verhoor voor een korte pauze.'

17.45 uur

'Wat doe je nu?', vroeg John van Keeken vol onbegrip. Nu hij eindelijk een keer de kans kreeg om het verhoor te leiden, boekte hij meteen succes. Want hij had in de ogen van de verdachte gezien dat deze op het punt stond te breken. Waarom werd hij dan teruggefloten? Gunde Petersen hem geen succes?

'Dat zou ik jou ook kunnen vragen', reageerde rechercheur Petersen alsof hij verbijsterd was. Ze stonden in de gang buiten de verhoorkamer.

'Wat is er?'

'Dit verhoor ging niet goed.'

'Ik vond van wel.'

Bram Petersen schudde zijn hoofd. 'Zorgvuldigheid, John, daar draait het om. We denken dat Thijs Warnink de moordenaar is, maar dat wil niet zeggen dat we daar al vanuit mogen gaan. We weten dat Karel Eilering ruzie met Vermin heeft gemaakt, daardoor is hij nog steeds verdachte. Hij had motief en gelegenheid. Wat jij deed, was hem de juiste antwoorden in de mond leggen. Die wil ik van hem horen, spontaan. Dan bevestigt zijn verklaring ons vermoeden. Nu weten we niets zeker. We krijgen we te horen wat jij wil horen, omdat jij denkt dat het de waarheid is.'

'Alsof jij resultaten haalde!', mopperde Van Keeken. 'Trouwens, tegen zijn vader heb je ook gezegd dat je Karel niet verdenkt.'

'We zijn net begonnen en we hebben de tijd. Krijgen we hem vandaag niet aan de praat, dan later wel.'

'Door mij weet hij nu dat we Thijs Warnink verdenken. Nu hoeft hij hem niet meer de hand boven het hoofd te houden. Ik zag in zijn ogen dat hij op het punt stond toe te geven. Als je mij nog even de kans had gegeven, hadden we nu een volledige verklaring!'

'Maar is dat ook de juiste?'

'Ach, met jou valt niet te praten. Bij jou doe ik het nooit goed!' Boos liep Van Keeken weg.

'John!'

Hij was niet van plan te stoppen voor zijn oudere collega, want dit zou een eindeloze discussie worden en Bram Petersen zou nooit toegeven dat hij overdreef. Altijd moest alles volgens zijn boekje. Van Keeken had het eigenlijk moeten weten dat het niets zou worden, toen de districtschef hem het aanbod deed Petersen te assisteren. Met hem kon hij niet samenwerken. Dat had hij nooit gekund en dat zou ook niet veranderen. Er was geen vertrouwen.

'John!' Opeens greep zijn collega hem bij de arm en dwong hem zo te stoppen. 'Luister nou. Ik zou het verhoor niet onderbroken hebben als er niets aan de hand was. Er is nog een reden waarom het zou kunnen dat Karel Eilering de moordenaar is.'

'Wat dan?'

'Karel dook onder. Waarom? Omdat Vermin was vermoord. Als we er vanuit gaan dat hij uit Leersum vertrok toen Vermin nog leefde, kon hij niet weten dat Vermin dood was. Eén verklaring is dat hij wel de moordenaar is en het daarom wist. Ik kan ook andere verklaringen bedenken. De juiste verklaring wil ik uit zijn mond horen. Daarom is het van belang dat we onze informatie voor ons houden, tot het moment dat we die kunnen uitspelen.'

17.55 uur

Mijn vader was een moordenaar, besefte Thijs Warnink terwijl hij met de auto naar de kamer van Nelly van Dijk reed. Dit verbijsterende gegeven wist hij nu negen dagen. Hij rekende uit dat hij zeven was toen Roos Eilering verdween. De schokkende gebeurtenis herinnerde hij zich nog zo goed, omdat het kort op het overlijden van zijn moeder volgde. In korte tijd had hij twee personen verloren. Het had een groot gevoel van verontrusting achtergelaten. Blijkbaar kon de één zomaar verongelukken, en de ander in rook opgaan.

Twee dagen voor de verdwijning van zijn grotere "zus" Roos was hij bij een vriendje gaan logeren. Hij had niet eerder van de vermissing gehoord tot de politie ook hem wilde spreken. Zijn vader had hem uitgelegd dat Roos was weggelopen. Dat sommigen zijn vader van moord beschuldigden was langs Thijs Warnink heengegaan. Zelfs zijn vriendjes op school schenen hiervan niet op de hoogte te zijn.

Nu wist hij dat de waarheid waarin hij achttien jaar geloofd had, niet juist was. Achteraf besefte hij dat hij de waarheid nooit onder ogen had willen zien, ook niet toen hij ouder werd en de geruchten over zijn vader wel tot hem doordrongen. Zijn vader was van plan geweest Roos te vermoorden en daarom had hij hem toestemming gegeven om bij een schoolvriendje te gaan logeren. Toen hij niet meer voor de voeten kon lopen, had zijn vader haar vermoord om te voorkomen dat bekend werd hoe hij Roos behandelde.

Het was nu acht dagen geleden dat Karel Eilering hem in het kantoor in Arnhem vertelde dat Roos was gevonden. Het nieuws had zijn wereld op de kop gezet. De tante die bij hen inwoonde toen Roos verdween, was een paar jaar geleden overleden. Daarna was de oude boerderij waarin de familie had gewoond door de eigenaar verkocht. De nieuwe eigenaar was vervolgens tijdens graafwerkzaamheden op het skelet van Roos Eilering gestoten. Ze was begraven onder een oud kippenhok dat op het erf stond. Het was een afgrijselijke gedachte dat hij daar als kind speelde, zonder te beseffen wat zich onder de bakstenenvloer bevond.

Eerst had Thijs gedacht dat het een vergissing moest zijn. Maar Karel Eilering wist veel meer te vertellen. Met trillende benen had Thijs naar de ander geluisterd. Nooit had hij geweten dat de vader van Jacques voor de Kinderbescherming werkte en dat hij

Roos begeleidde. Thijs had altijd gedacht dat Pierre Vermin een vriend van zijn vader was. Van Karel Eilering kreeg hij te horen dat Vermin in werkelijkheid zijn vader afperste, omdat hij wist dat Roos misbruikt werd. Toen zij verdween, wist Vermin dat Thijs' vader erachter zat.

Dat zijn vader gechanteerd werd, had Thijs Warnink nooit gemerkt. Maar zodra hij erover hoorde, nam hij het als waarheid aan. Het verklaarde waarom zijn vader, die uit een rijke familie kwam, hem alleen schulden had nagelaten. En als de chantage daadwerkelijk had plaatsgevonden, moest dat andere ook waar zijn.

Karel Eilering had hem aangeraden met zijn oma te spreken. In het verpleeghuis waar de oma van Roos Eilering woonde, kreeg Thijs de brief van zijn pleegzus te zien. Geschokt las hij wat Roos op de boerderij had meegemaakt. Hoewel hij niet alles begreep, herkende hij genoeg van haar verhaal om te weten dat het geen vervalsing was. Hij vroeg zich af waarom de plaatselijke politie hier indertijd niets mee had gedaan. Waren ze ervan overtuigd geweest dat Roos op eigen houtje vertrokken was en dat er geen misdrijf in het spel was?

Met deze nieuwe informatie was hij naar de boerderij gereden waar hij de eerste achttien jaar van zijn leven had gewoond. De nieuwe bewoners bevestigden wat Thijs Warnink al van Karel gehoord had. Ze lieten de plek zien waar Roos was opgegraven en waar eigenlijk al de fundering van een nieuwe woning had moeten liggen. De bouw was door het rechercheonderzoek vertraagd.

Toen hij uit Raalte wegreed, besloot Thijs Warnink naar Leersum te rijden. Zijn vriend Jacques was de enige die opheldering kon geven. Hoewel hij besefte dat zijn vader Hendrik een moordenaar was, had Thijs moeite te geloven dat Jacques Vermin betrokken was. Hij was al vijftien jaar met Jacques bevriend. Er was geen spoor van vijandschap tussen hen. Integendeel, Jacques had Thijs Warnink altijd als zijn beste vriend gezien. Hij had hem financieel gesteund, niet afgeperst.

Anders dan hij na de dood van zijn vriend tegen de politie had gezegd, had Thijs nooit geweten dat Jacques een chanteur was. Pas in de uren voor Jacques' dood schoven de puzzelstukjes langzaam in elkaar. Thijs begon te begrijpen waarom zijn vriend nooit iemand op Het Hemelse Hof toeliet. Als Jacques Vermin een chanteur was, was het duidelijk waarom hij geen aangifte had gedaan van de mishandeling en de inbraak. De chantagepraktijken verklaarden ook de rijkdom van de familie Vermin, rijkdom die ze vergaard hadden over de rug van Thijs' vader.

'Thijs, wat leuk dat je komt', zei Jacques, en het klonk oprecht. Hij ging Thijs Warnink voor naar de woonkamer, waar zijn favoriete muziek draaide. Thijs zag dat zijn vriend een schram op het voorhoofd had.

'Hoe kom je daaraan?', vroeg hij.

'Oh, een inbreker.'

'Wat?'

'Niets om je druk om te maken. Gewoon een punker die niet kan hebben dat iemand het in het leven gemaakt heeft. Jaloezie. Hij moest zich even op mij uitleven. Ik heb hem een dreun verkocht en toen is hij vertrokken.'

'Een punker?'

'Ja, zo zag hij eruit.'

'Heette hij Karel Eilering?'

Jacques Vermin keek Thijs woedend aan. 'Dus jij hebt hem dit adres gegeven? Hoe kom je daar opeens bij?'

'Hij was in Arnhem. Hij wilde van jou een verklaring eisen.'

'Dat heeft hij gedaan.' En daarmee is het uit, leek hij ermee te willen zeggen. 'Wil je een glas wijn?'

'Ik wil eerst met je praten. Karel Eilering heeft mij nog veel meer verteld. Over mijn vader en over Roos Eilering. Hij heeft gezegd dat jouw vader mijn vader chanteerde, omdat mijn vader Roos vermoord zou hebben.'

'Wat een onzin!'

'Dus, het is niet waar?', vroeg Thijs, die dat graag wilde geloven.

'Inderdaad. Die vent verzint maar wat. Zoals ik al gezegd heb, hij kan het niet hebben dat er mensen zijn die geld hebben, en *anderen niet.'*

'*Kun je erop zweren dat jouw vader niet chanteerde.'*

'*Natuurlijk. Ik zweer het!'*

'*Even serieus, Jacques.'*

Vermin keek Thijs strak aan. '*Wat wil je dan? Dat ik het zweer met mijn hand op de bijbel. Man, ik geloof helemaal niet in die onzin!'*

'*Kom dan maar mee.'*

Thijs ging hem voor naar de werkkamer. Hij liep naar het altaartje en wees naar de zware urn waarin de as van Pierre Vermin zat.

'*Zweer het op de as van je vader.'*

'*Oké, ik zweer het.'*

'*Dat je vader geen chanteur was.'*

'*Hij was geen chanteur.'*

'*Je maakt er een spelletje van, Jacques. Leg je hand erop en zeg dat je vader mijn vader niet chanteerde, dat jij er in elk geval niets van wist. Ik heb moeite je te geloven. Ik heb de brief gezien die Roos Eilering naar mijn oma stuurde. Daarin stond dat Roos misbruikt werd door mijn vader. Jouw vader moet daarvan geweten hebben.'*

'*Wat loop je nu te zeiken man',* riep Vermin geïrriteerd. '*Wil je ruzie?'*

'*Ik heb het gevoel alsof je me jarenlang bedonderd hebt. Nu neem je het niet serieus. Daardoor maak je dat gevoel alleen maar sterker.'*

'*Nou, als je het wilt weten, ja, mijn vader heeft jouw vader tot de laatste cent uitgemolken.'*

Nu hij het uit de mond van zijn vriend hoorde, schrok Thijs Warnink er van. Dus, het was toch waar. Zijn vader was depressief geworden en aan de drank geraakt omdat hij in de macht was van een chanteur. Betaalde hij niet dan hing hem een publieke vernedering en een veroordeling boven het hoofd.

'*Mijn vader heeft mij tot chanteur opgeleid',* ging Vermin verder. '*Jouw vader was niet het enige melkkoetje. Door zijn werk bij de Kinderbescherming wist mijn vader van het seksueel misbruik waar Roos Eilering slachtoffer van was. Zij heeft mijn vader een met sperma bevlekt slipje als bewijs gegeven. Ze had ook een afspraak met mijn vader op de dag dat ze verdween.'*

'Daarom wist je vader dat Roos niet weggelopen was.'

'Met wat hij wist, ging hij naar jouw vader. Hij heeft hem voor de keus gesteld. Mijn vader kon ermee naar buiten komen. Maar dat zou niet alleen jouw vader in diskrediet brengen, maar ook de rest van de familie. Het zou ook jou treffen. Jij zou je vader kwijtraken. Mijn vader kon het ook verzwijgen.'

'Hij chanteerde mijn vader!', riep Thijs Warnink.

'Jouw vader gaf toe dat hij Roos vermoord had. Ze had gedreigd hem publiekelijk te kijk te zetten. Mijn vader vroeg geld om deze kennis voor zich te houden. Jouw vader had er beslist geen moeite mee dat geld te betalen.'

'Maar hij werd wel depressief. Hij kon er met niemand over praten, terwijl hij als een verdachte behandeld werd.'

'Mijn vader heeft de politie er nog op gewezen dat de vader van Roos haar ook vermoord kon hebben. Op die manier hielp hij jouw vader. Hij liet je vader in termijnen betalen. Niet dat hij van tevoren zei hoeveel termijnen er zouden zijn', voegde Jacques Vermin er met een vals lachje aan toe. 'Elke maand kreeg mijn vader geld op zijn rekening. De bedragen waren een interessante aanvulling op zijn salaris. Jarenlang ging dat zo door, tot je vader meer moeite kreeg te betalen. Dan duurde het langer voor je vader het geld bij elkaar kreeg. Mijn vader heeft het jouw vader heel wat keertjes moeilijk gemaakt. Maar soms besloot hij je vader uitstel te geven. Hij genoot ervan als hij je vader daarmee kon opbeuren, want hij wist dat hij hem net zo hard kon laten vallen.'

Thijs Warnink keek geschokt naar zijn vriend. Ondertussen had hij de urn van Pierre Vermin in zijn handen genomen. Dit waren de stoffelijke resten van de man die ooit zijn vader financieel aan de afgrond had gebracht. Misschien schokte het hem nog het meest dat Jacques dit totaal onaangedaan vertelde. Hij scheen er zelfs plezier in te hebben te zien, hoe hij anderen jarenlang had bedonderd.

'Maar waarom steunde je mij dan financieel? Waarom wilde je

bevriend zijn met mij? Je gaat ook jaarlijks mee naar het graf van mijn ouders!'

Vermin haalde zijn schouders op.

'Ik wilde iets terugdoen, voor alles wat mijn vader door jouw vader gekregen heeft. Ik ben heel wat rijker geworden dankzij jouw vader. Toen je vader stierf en er alleen schulden bleken te zijn, vond ik dat ik wel iets terug kon doen.'

'Er iets voor terugdoen?', brieste Thijs Warnink. 'Je hebt geprofiteerd van geld dat ik anders gekregen zou hebben. Mijn erfenis.'

'Zo moet je het niet zien. Hoewel ik natuurlijk dat slipje als aandenken hier in huis bewaar. Nee, als je niet wilt dat alsnog uitkomt dat je vader een moordenaar was, en iemand die een minderjarige seksueel misbruikte, dan kun je beter je mond houden.'

'Daarvoor is het te laat! Ze hebben haar gevonden.'

'Wat? Roos? Dat zat er een keer aan te komen, natuurlijk. Nou, goed, daar hoef jij je niet druk over te maken. Jij hebt haar niet vermoord. Jij hebt haar niet misbruikt. Kom, laten we stoppen met ruziemaken. Zal ik je nu een glas inschenken?'

Hij draaide zich om en wilde weglopen.

Thijs wilde niet dat de ander wegliep. Het gesprek was wat hem betrof niet afgelopen. Maar die onverschillige houding van Vermin maakte hem razend. Jacques moest stoppen!

Wat daarna gebeurde, gebeurde in een opwelling. Hij had de urn nog in zijn hand. Zonder erbij na te denken, gooide hij zijn vriend de urn achterna.

De urn trof Vermin zo krachtig dat zijn hoofd tegen de deurpost sloeg. Met een harde knal spatte het keramiek uit elkaar en viel in vele stukken op de grond. Een wolk as vulde de lucht.

Met een pijnlijke kreet stortte Jacques ineen. Bloed sijpelde uit de wond op zijn hoofd. Even lag hij nog stuip te trekken, terwijl hij met uitpuilende ogen naar Thijs keek, die aan de grond genageld toekeek. Hij zag zijn vriend sterven. Daarna werd het stil en hoorde hij alleen nog de favoriete muziek van Jacques Vermin.

-

217

18.10 uur

Bram Petersen zat nu alleen tegenover Karel Eilering. Ondanks het aanbod dat zijn assistent het verhoor mocht voorzetten, was John van Keeken te gepikeerd om het nog te willen. Dat was iets dat Petersen geen goed gevoel gaf. Hij had er alle reden toe zijn collega tot zorgvuldigheid te manen, en dat moest hij accepteren. In het verleden had hij te vaak collega's op dit punt de mist in zien gaan door daderkennis met verdachten te delen. Voor je het wist, kreeg je ondeugdelijke verklaringen en bekentenissen. Zijn nieuwe assistent wilde zichzelf te graag bewijzen en daardoor was het misgegaan.

Het speet hem vooral dat Van Keeken er niet bij was, omdat zijn assistent op één punt wel gelijk had. Door zijn onthulling dat ze wisten dat Karel Eilering met Thijs Warnink had gesproken, was er bij de verdachte iets veranderd. De jonge kraker had nu besloten volledige openheid te geven. Dat was een succes dat John van Keeken hier had moeten meemaken.

'Hij belde even na negen uur de volgende morgen', vertelde Karel Eilering. 'Hij vroeg me of ik nog naar Leersum was geweest. Toen ik dat bevestigde, werd hij kwaad.'

'Waarom?', vroeg Bram Petersen.

'Hij gaf mij de schuld van de moord op zijn vriend Jacques Vermin. Hij zei dat hij zelf naar Leersum was gegaan en dat hij het lijk gevonden had. Ik schrok omdat ik wist dat ik Vermin een dreun gegeven had. Misschien had de slag iets in zijn hoofd beschadigd en was hij aan een hersenbloeding overleden.'

'Wilde hij je de schuld in de schoenen schuiven?'

'Helemaal niet. Ik legde uit wat er gebeurd was en zei dat die vent leefde toen ik vertrok. Thijs geloofde mij omdat er een kamer overhoop was gehaald. Dat had ik niet gedaan. Ik vroeg hem tegen de politie te verzwijgen dat hij mij het adres van Vermin gegeven had. Omdat hij geloofde dat ik onschuldig was, beloofde hij zijn mond te houden. Maar hij wilde dat ik zou onderduiken. Want als de politie mij zou ondervragen, was er een kans dat ik iets los zou laten, waardoor het voor jullie duidelijk zou worden dat Thijs mij geholpen had.'

'En je besefte geen ogenblik dat de moord wel eens door Thijs Warnink zelf gepleegd kon zijn?', vroeg Petersen.

'Nee. Het enige waar ik bang voor was, was dat ik voor die moord op zou draaien. Ik ben daar geweest, ik heb er ruzie gemaakt en ik heb een motief. Ik twijfelde er niet aan dat jullie mij als hoofdverdachte zouden zien.'

—

18.15 uur

Nadat hij de drukte van de stad achter zich had gelaten, reed Thijs Warnink de A12 op. Vanwege de zon die de weg en de daarop rijdende auto's fel bescheen, had hij een zonnebril opgezet. Dat het heerlijk zomerweer was, ontging hem echter helemaal. Hij dacht aan zijn vader, die een moordenaar was, en in wiens voetsporen hij gevolgd was.

De recherche had ontdekt dat Jacques Vermin een chanteur was. Het was een kwestie van tijd voor ze erachter kwamen wie gechanteerd werden en waarom. Als zij het slipje zouden vinden, zou niet alleen uitkomen wat Hendrik Warnink had gedaan, maar het zou ook aantonen dat zijn zoon een motief had om Vermin te vermoorden.

Hij moest er niet aan denken wat zijn arrestatie tot gevolg zou hebben. Met de opdracht van de gemeente Dinkelland had hij bereikt waar hij zolang naartoe geleefd had. Dit kon het begin zijn van een prachtige carrière. Niets mocht dat in de weg staan. Maar de afschuwelijke gedachte aan wat hij gedaan had, drong zich keer op keer aan hem op. Het kleefde aan hem, als de as van Pierre Vermin.

Het was de regen van as die hij nooit meer zou vergeten. De beste vriend die hij ooit gehad had, was dood. Hij, Thijs Warnink, had het zelf gedaan, hoewel hij nooit de bedoeling had gehad zijn vriend te vermoorden. De onthullingen over zijn vader en de chantagepraktijken van Pierre en Jacques Vermin waren zo pril, dat de gedachte aan moord helemaal niet in hem was opge-

komen.

Maar zijn hersens werkten vliegensvlug bij het zien van het lijk.

Het eerste waaraan hij dacht, was de middelen waarmee Jacques Vermin anderen gechanteerd had. Die moesten zich in het huis bevinden. Terwijl de as nog in de lucht hing, ging Thijs Warnink op zoek. Eerst controleerde hij de dossierkast. Lade na lade schoof hij open en trok de dossiers eruit. Hij besloot ze allemaal mee te nemen.

De dossiers legde hij in de kofferbak van zijn auto. Daarna besefte hij dat hij zijn sporen moest uitwissen. Hij was hiermee klaar en wilde vertrekken, toen hij iets meende te horen dat hij niet kon plaatsen. De muziek klonk nog steeds door de geopende ramen van de woonkamer. Maar daar doorheen was een ander geluid te horen. Het klonk als een kind dat huilde.

De gedachte dat er een kind in het huis was, was absurd. Thijs Warnink overtuigde zichzelf ervan dat hij zich vergist moest hebben. Hij mocht geen tijd verliezen. Als hij wilde dat niet uitkwam dat hij de moord op zijn vriend gepleegd had, moest hij zien dat hij zo snel mogelijk weg kwam, dat hij elders gezien werd.

Onderweg naar Arnhem bedacht hij hoe hij zich eruit kon redden. In de achteruitkijkspiegel zag hij hoe vies hij van de as was. Maar wie niet beter wist, zou denken dat hij zich urenlang in zijn atelier had teruggetrokken om met houtskool te werken. Zwarte strepen liepen over zijn gezicht. Zijn kleding zat vol met as.

Bij Nelly onder de douche realiseerde Thijs zich dat hij nog lang niet veilig was. Terwijl het verfrissende water de as van zijn lichaam spoelde, bedacht hij dat de moord ontdekt zou worden en dat de politie dan op zoek zou gaan naar de dader. Ze zouden Karel Eilering op het spoor komen. Die kon hun vertellen dat hij, Thijs, een motief had Jacques Vermin te vermoorden. Moest hij Eilering het zwijgen opleggen?

Maar het bleef ook aan Thijs knagen dat hij een kind had horen huilen. Hoezeer hij het ook van zich af probeerde te zetten, de overtuiging dat het kind zich in het huis bevond nam geleide-

lijk aan toe. Van wie was dat kind? Hij kende Jacques Vermin. Die liet anderen zo min mogelijk tot zijn woning toe. Toch, er was een kind. Vermin had meer dan één geheim voor hem gehad, realiseerde Thijs Warnink zich.

Dit plaatste hem voor een ander probleem. Als hij niet ingreep, zou de moord vrijdag pas ontdekt worden. Want dan kwam de werkster. Hij kon het kind toch niet zo lang aan zijn lot overlaten? Nee, hij moest terug. Hij moest de moord zelf ontdekken, zodat de hulpdiensten zich over het kind konden ontfermen. Hij kon Karel Eilering dan ook bellen. Als hij het handig aanpakte, kon hij hem overtuigen dat de politie hem zou verdenken en dat hij dus beter kon onderduiken.

De opdracht van de gemeente was de smoes die Thijs nodig had om naar Het Hemelse Hof te gaan. Als de recherche zou vragen waarom hij naar Leersum was gekomen, kon hij vertellen van de opdracht die hij binnengehaald had. Dat was het nieuws waarmee hij zijn vriend verrassen wilde. Hij maakte zijn gedachten los van de moord, deed alsof er niets gebeurd was, zodat hij morgen zijn verbijstering vol overtuiging zou kunnen spelen.

18.25 uur

Met grote stappen liep rechercheur Bram Petersen door de gang terug naar de projectruimte. John van Keeken had moeite het tempo bij te houden. Hij had zijn assistent buiten gevonden, waar hij een sigaretje stond te roken. Hij had verteld dat Karel Eilering zijn rol openhartig had toegegeven, een resultaat dat mede te danken was aan Van Keeken. Die knapte bij die opmerking zichtbaar op.

'Ik wil Thijs Warnink binnen een uur hier hebben', zei Petersen.

'Loop niet zo snel, man', mopperde Van Keeken. 'Ik wil een vraag stellen.'

'Wat is er?'

'Heb je echt gedacht dat Karel Eilering de dader was?'

'Ik hield er rekening mee, maar ik had al een vermoeden dat dit de uitkomst zou zijn. Er waren een paar duidelijke aanwijzingen. Daar kan ik je nu niet meer over vertellen.'

Ze hadden de projectruimte bereikt, waar Inge Veenstra meedeelde dat de politie van Arnhem naar het atelier van Thijs Warnink was geweest. Hij had niet opengedaan. Omdat er geen toestemming was de kamer te betreden, was de politie vertrokken. Wel hadden de Arnhemse collega's navraag gedaan bij de buren, die wisten te vertellen dat Warnink kort daarvoor weg was gegaan. Zijn auto was weg. Veenstra had hem inmiddels geprobeerd te bellen, maar hij bleek zijn mobieltje uitgeschakeld te hebben.

'Dan kunnen we alleen afwachten', zei John van Keeken.

'Nee', zei Petersen. 'Ik wil eerst die vriendin van Warnink bellen. Heb jij haar telefoonnummer, Inge?'

'Ja.'

Nelly van Dijk nam op.

'Thijs is hier zonet nog geweest', vertelde ze. 'Hij is een half uurtje geleden even langs geweest.'

'Is hij terug naar zijn kamer?'

'Nee, hij zei dat hij naar Leersum moest.'

'Vorige week woensdagavond kwam hij bij u', zei Petersen. 'Hij heeft de nacht bij u doorgebracht. Weet u nog hoe hij eruit zag, toen hij kwam?'

'Waarom wilt u dat weten? Hij had de hele avond in zijn atelier gewerkt. Hij was heel vies van het werken met houtskool en van het zweten. Hij heeft daarom een half uur bij mij onder de douche gestaan.'

'Weet u dat zeker? Is het niet bij u opgekomen dat hij misschien van iets anders dan houtskool vies is geworden?'

'Wat zou het dan kunnen zijn?'

18.30 uur

Met hoge snelheid naderde Thijs Warnink de afslag. Hij hoopte nu gauw het slipje van zijn pleegzus te vinden. Het zou een hele geruststelling zijn. Door de moord en de tevergeefse zoektocht voelde hij zich opgelaten. Vaker dan hij gewoonlijk deed, keek hij achterom, alsof hij bang was geschaduwd te worden. Dat deed de politie toch bij al hun verdachten?

Tot zijn schrik zag hij nu dat er een patrouillewagen van de politie achter hem zat. Hij voelde meteen de spanning in zijn lichaam oplopen. Terwijl de auto de bocht nam, hield hij de politiewagen in de gaten. Hij kwam voor een stoplicht te staan. De andere auto stopte achter hem. Niemand stapte uit. Het zweet stond hem in de handen.

De agent achter het stuur toeterde. Met een ruk keek Thijs Warnink achterom en gebaarde hulpeloos naar de agent. Die toeterde nog een keer. Pas toen zag Thijs waarom de agent het deed. Het verkeerslicht was op groen gesprongen.

Hij gaf gas. De politiewagen haalde hem even voorbij het viaduct in.

Sinds de dood van zijn vriend had Thijs zijn hersens gepijnigd met de vraag waar het slipje kon zijn. De dossierkast had niets opgeleverd. Dat was de dag na de moord gebleken, toen Thijs in zijn kamer terugkwam en alle dossiers doornam. Hij had het niet gevonden en daarom had hij alles verbrand.

Afgelopen zaterdag had hij gehoord wat Petersen in de schuur gevonden had. Daaruit had de rechercheur de logische conclusie getrokken dat Jacques Vermin ook anderen chanteerde. Door het telefoongesprek met Petersen, was Thijs Warnink er meer en meer van doordrongen, dat Jacques Vermin het chantagemateriaal ergens op Het Hemelse Hof verborgen had gehouden. Daarom had hij besloten nog een keer rond te kijken.

Na de moord had Thijs de gipsen beeldjes gezien. Meteen had hij herinnerd wat hij de politie had verteld, dat Vermin niet wilde dat de werkster ze zou afstoffen. Zo had hij ontdekt, dat Vermin de beeldjes gemaakt had om er spullen in te verbergen. Hoewel hij allerlei dubieuze zaken uit de kapotgeslagen beeldjes had gehaald, was daar niet het slipje bij geweest. Had Jacques Vermin opgeschept, toen hij zei dat hij het slipje in huis had?

Nee, Thijs Warnink was ervan overtuigd dat zijn vriend de waarheid had gesproken. Dus, als het slipje niet op Het Hemelse Hof te vinden was, dan was het per ongeluk ergens anders terechtgekomen, zonder dat iemand het in de gaten had.

Het was in elk geval niet bij Veronie Posthumus. Toen hij vorige week vrijdag in haar huis was, had hij het gipsen Napoleonbeeldje meegenomen. Later had hij ontdekt dat het niet datgene bevatte waarnaar hij zocht. Dan bleef er maar een mogelijkheid over. Daarom was hij opnieuw op weg naar Leersum.

18.35 uur

Op het moment dat ze met Emile naar buiten kwam, zag Maria van den Brink dàt Toine de Aquada voorgereden had. In die auto kon geen kinderzitje en dat betekende dat ze hun kind op schoot mee moest nemen. Dat mocht helemaal niet. Maar Toine moest natuurlijk zo nodig weer met zijn nieuwe auto pronken. Hij zat achter het stuur op hen te wachten, met een zonnebril op en een baseballpetje op het hoofd. Rockmuziek klonk uit de speakers. Maria ergerde zich eraan. Maar Emile huppelde meteen naar de auto.

'Gaan we met deze auto, papa?', vroeg hij enthousiast.

'Ja', zei Toine, glunderend. 'Ik ga jou en mama naar het Bosbad brengen.'

'Mag ik ook een keer varen?'

'Dat heeft mama liever niet', zei Maria. Ze zette de tas met de badspullen in de auto. Ze opende het portier om naast haar vriend te gaan zitten. Vervolgens nam ze Emile op schoot.

'Waarom niet?'

'Papa gaat de auto nog een keer op het water testen als jij zwemles hebt', zei Toine Boon.

'Zou je dat wel doen, Toine?', vroeg zijn vriendin bezorgd.

'Maak je nou niet druk. Je hebt vorige week zelf gemerkt hoe stabiel de auto op het water ligt. Het is prachtig weer, er is geen zuchtje wind, dus wat kan er misgaan?'

'Ik vind het geen prettige gedachte.'

'Daar is de auto voor gemaakt, Maria.'

'Nou, goed dan.'

'Ik kom jullie om acht uur ophalen.' Boon richtte zich tot zijn zoontje. 'Doe je goed je best bij de zwemleraar? Als je het diploma hebt gehaald, gaan we een keertje de rivier op.'

'Hoi!'

Krampachtig hield Maria haar zoontje vast. Het beviel haar helemaal niet dat haar vriend zulke plannen maakte. Doodsbang was ze voor water sinds ze als twaalfjarig meisje door een ander meisje onder water was geduwd. Het gebeurde in een diepe baai, waar haar voeten de bodem niet konden vinden om zich van de ander weg te duwen. Ze was gestikt, als ze onder water niet iemands been te pakken had gekregen. Het bleek het been te zijn van een jongen, die haar op het droge hielp. Maria wist heel zeker dat ze anders verdronken was, want het meisje had haar niet los willen laten. Sindsdien was ze doodsbang voor water. Dat was lastig als je op de Antillen woonde en al je vriendinnen van zwemmen hielden.

Als ze met Toine naar het strand ging, wat hij graag deed, waagde ze zich nooit verder de zee in dan tot het water tot haar knieën kwam. Wilde Toine haar verder het water in trekken, dan begon ze direct te hyperventileren. Nooit zou ze zich in het diepe wagen. Maar ze beschouwde haar angst niet als iets positiefs. Juist daarom vond ze het belangrijk dat haar zoontje leerde zwemmen. Daarom was ze zo dankbaar dat hun buurman Dennis Vreeland hem zwemles wilde geven. Ze hoopte dat haar zoontje nooit iets zou meemaken zoals wat haar was overkomen.

'Kunnen we gaan?', vroeg Toine.

'Ja.'

Maar op dat moment werd de oprijlaan geblokkeerd door een hun tegemoetkomende auto. Achter het stuur zat een jongeman met krullend, blond haar, een zonnebril en een donkerblauw T-shirt. De auto kwam tot stilstand en de jongeman stapte uit.

'Bent u mevrouw Van den Brink?', vroeg hij aan Maria.

'Ja?'

'Oh,' zei hij glimlachend, 'u hebt waarschijnlijk wel van mij gehoord. Van Jacques. Ik ben zijn goede vriend Thijs Warnink.'

'Oh, wat leuk je nu in het echt te zien', zei Maria van den Brink.

'Kom ik ongelegen?'

'We gaan naar het zwembad', verklaarde Toine Boon.

'Ik zal u niet lang ophouden. Ik kom hier eigenlijk met een vraag. De politie heeft mij verteld dat iemand in Het Hemelse Hof de boel kort en klein heeft geslagen. Het is vreselijk. Door de dood van mijn vriend Jacques wilde ik een aandenken aan zijn vrouw vragen.'

Maria knikte. 'Zij erft alles, is het niet?'

'Ja. Maar ik weet dat Jacques graag gipsen borstbeeldjes maakte. Dus, ik had haar vorige week al gevraagd of ik er een mocht hebben. Als aandenken. Maar alle borstbeeldjes zijn afgelopen weekend vernield. Vreselijk! Daarom vroeg ik me af of u borstbeeldjes van Jacques hebt.'

'Ja, we hebben er een.'

'Niet meer dan dat? Oh, dan begrijp ik dat u die ene ook niet wilt missen.'

'Nee', zei Maria van den Brink met blozend gezicht. Omdat ze belangstelling had getoond, had ze van haar werkgever een Napoleon-borstbeeldje gekregen dat helemaal zwart geverfd was. Helaas had Emile het een keer laten vallen, waardoor het beschadigd was geraakt. Zonder dat haar werkgever het wist, had Maria het beschadigde beeldje verwisseld voor een identiek, onbeschadigd exemplaar uit de werkkamer van Het Hemelse Hof. 'Ik ben er aan gehecht.'

'Dan zal ik u er verder niet mee lastig vallen. Ik zal mijn auto wegrijden, dan hoeft u niet langer opgehouden te worden.'

-

18.40 uur

'Hij maakte een grote fout', zei rechercheur Petersen. Ze zaten in de blauwe BMW op de A12. Achter hen reed een patrouille-wagen waarin Inge Veenstra zat, samen met een collega van de uniformdienst die de auto bestuurde. 'Dat was op de eerste dag van het onderzoek. Hij beweerde dat hij Jacques Vermin eerst gebeld had om hem telefonisch te vertellen van het nieuws dat hij, Warnink, de opdracht had van de gemeente Dinkelland.'

'Hoezo?'

'Ik denk dat hij dat gezegd heeft, omdat mijn vraag zo sug-gestief gesteld was, dat hij voor z'n gevoel toegeven moest dat hij eerst gebeld had. Ik liet namelijk doorschemeren dat ik het opvallend vond dat hij met dat nieuws helemaal uit Arnhem was overgekomen. Gisteren zag ik het rapport over het gevonden mobieltje van Vermin. Toen wist ik dat het niet klopte. Daarna besefte ik dat hij zich op de eerste dag ook op een andere manier had verraden.'

'Hoe dan?'

'Hij vertelde dat zijn vriend altijd op dinsdag en vrijdag in Arnhem in zijn kantoor te vinden was. Daarna hoorde ik van de werkster dat zij alleen op dagen werkte dat Vermin thuis was, waaronder de vrijdag. En Vermin had met Brouwer op donder-dagochtend afgesproken. Dat gesprek zou in Arnhem plaatsvin-den. En Vermin werd ook op Hemelvaartsdag in Arnhem in elkaar geslagen. Hemelvaartsdag valt altijd op donderdag. Met andere woorden, Vermin was op dinsdag en donderdag in Arnhem, niet op vrijdag. De vraag die ik mezelf toen stelde, was waarom Warnink de indruk wilde wekken dat Vermin op vrijdag in Arnhem was.'

'Ik denk dat ik dat wel kan raden', zei Van Keeken. 'Omdat Warnink op donderdagochtend naar Leersum ging. Als vriend had hij moeten weten dat Vermin 's ochtends naar Arnhem zou komen. Hij had naar het kantoor in Arnhem kunnen gaan.'

'Precies! Warnink zou ook pas donderdagochtend te horen hebben gekregen, dat Dinkelland hem de opdracht zou geven. Maar de dag ervoor stond hij al de catalogus in het kantoor van Vermin te kopiëren. Ik denk dat hij het al wist. Het nieuws was niet de reden om naar Leersum te gaan. Hij wist dat Vermin dood was. Misschien ging hij naar Leersum omdat hij de eerste wilde zijn die het lichaam van zijn vriend vond, zodat hij daarna de onschuld zou kunnen spelen. Hij slaagde daar bijzonder goed in. Je had moeten zien hoe panisch hij werd toen hij hoorde dat het zwarte poeder de as van de ouders van Jacques Vermin was. Maar dat was eersteklas toneelspel.'

'Hoe zit het dan met die inbraak? Heeft hij dat gedaan?'

'Ik denk het.'

'Marcel vond haren van Veronie Posthumus.'

'Teveel haren. Ik denk dat Warnink haar verdacht wilde maken.'

Ze naderden de afslag. Even later kwamen ze tot stilstand voor het verkeerslicht. John van Keeken vroeg zich hardop af, waarom Thijs Warnink opnieuw naar Het Hemelse Hof ging. Ze hadden het grondgebied grondig uitgekamd. Er was nu niets meer te vinden dat voor de dader van belang kon zijn. Maar Petersen betwijfelde of de woning van Jacques Vermin het reisdoel van hun verdachte was.

'Dan blijven Tuinboon en z'n vriendin over', concludeerde zijn assistent.

'Wil je hem niet meer Tuinboon noemen, John? Straks gebruik je die naam in zijn aanwezigheid en hebben we een probleem.'

-

18.50 uur

Aan de achterkant van het huis vond Thijs Warnink een keukenraam dat ver genoeg openstond om naar binnen te klauteren. Hij trok de handschoenen aan die hij voor de gelegenheid had meegenomen. Voorzichtig klom hij door het raam. Achter het raam bevond zich het aanrecht, waarop vuil serviesgoed hoog stond opgestapeld. In de keuken hing nog de geur van een oosterse maaltijd.

Hij wist niet hoelang de werkster en haar man weg zouden blijven. Als het waar was dat ze naar het zwembad gingen, zou het waarschijnlijk nog wel een uurtje of langer duren voor ze terug-

kwamen. Hij had dus genoeg tijd. Toch wilde hij zo snel mogelijk weg zijn. Vanuit de keuken liep hij door naar de woonkamer
en liet zijn blik door de ruimte glijden. Hij ontdekte het object
op een plank waar het als boekensteun diende. Het borstbeeldje
was identiek aan de beeldjes die Jacques Vermin in zijn werkkamer had bewaard. Opgewonden tilde hij de Napoleon op en
bekeek de onderkant. Toen zag hij dat zijn zoektocht voltooid
was. Hij herkende de initialen die met potlood onder het voet-
stuk waren geschreven. H.B. – Hendrik Warnink. Dit beeldje
bevatte het slipje waarmee zijn vader door Pierre Vermin was
gechanteerd, het bewijs dat Roos misbruikt was.

Nu hij gevonden had wat hij zocht, twijfelde Thijs Warnink
wat hij zou doen. Het was onwaarschijnlijk dat de politie ooit
om dit borstbeeldje kwam vragen. In dat geval zou hij het beter
kunnen laten staan. Nam hij het weg, dan zouden Maria en haar
vriend zich onmiddellijk herinneren wie naar het beeldje had
gevraagd en dan trok hij aandacht die hij niet wilde trekken.
Maar Thijs kon er niet zeker van zijn dat het slipje voor altijd in
het gips verborgen zou blijven. Het beeldje hoefde maar een keer
te vallen, en de inhoud zou ontdekt worden.

Als het over een paar jaar gebeurde, zou waarschijnlijk niemand een verband leggen met wat er achttien jaar geleden in
Raalte was gebeurd. Maar zat er alleen een slipje in? Misschien
zat er ook een verklarend briefje bij. Of ander belastend materiaal. Omdat Thijs het risico niet wilde nemen, besloot hij het
beeldje mee te nemen. Dat de werkster de vermissing zou ontdekken, was een zorg voor later. Hij kon altijd zeggen dat hij het
beeldje zo graag wilde hebben, dat hij er een inbraak voor over
had. Zolang ze geen aanklacht tegen hem indiende, of bleef aan-
dringen dat ze het terugkreeg, was er nog niets verloren.

Hij werd in zijn gedachten verstoord door een knarsend
geluid. Terwijl hij opkeek, liet hij de Napoleon bijna van schrik
vallen. Hij zag een auto over de oprijlaan rijden. Maria van den
Brink en haar vriend kwamen terug. Zonder te aarzelen holde
Thijs Warnink naar de keuken, klom door het raam en rende
naar de zijkant van het huis. Hij kon alleen hopen dat ze zijn

auto nog niet gezien hadden. Hij had zijn auto aan de andere kant van de oprijlaan geparkeerd, uit het zicht vanaf de weg.

'Ik kom zo terug, schat!', hoorde hij Toine Boon roepen.

'De badhanddoek ligt op de keukentafel!'

Thijs Warnink gluurde om de hoek. Meteen trok hij zijn hoofd terug. De auto van Boon stond zo geparkeerd, dat Maria van den Brink hem kon zien als ze opkeek, maar ze was met haar kind bezig. De enige kans om ongezien weg te komen, was als hij achter de rododendrons zijn auto wist te bereiken. Die kon zij niet zien.

Hij had de auto bijna bereikt, toen hij de stem van Boon weer hoorde.

'Hé, wat moet dat daar!'

Thijs draaide zich om en zag dat Toine Boon in de deuropening stond. Maria had nog niets in de gaten en riep wat er aan de hand was. Haar vriend maakte aanstalten om naar Thijs toe te gaan.

'Kijk dan, het is die vent. Hij heeft jouw borstbeeldje!'

Met twee stappen was Thijs bij zijn auto. Hij opende het portier aan de linkerkant, trok het dashboardkastje open, en pakte het wapen dat hij daarin had liggen en dat hij vandaag bij zijn vriendin had opgehaald. Sinds hij Jacques Vermin gedood had, had hij er rekening mee gehouden dat hij een noodplan moest volgen. Dit was het moment daarvoor. Maar hij kon niet wegkomen met zijn eigen auto omdat de andere auto hem in de weg stond.

Hij richtte de revolver op Toine Boon, die vlak voor hem tot stilstand kwam. De vriend van Maria van den Brink stak zijn handen half de lucht in. Thijs Warnink liep langs hem naar de auto waarin Maria wachtte. Onder bedreiging van het wapen, dwong hij haar achter het stuur plaats te nemen. Hij opende het portier en ging naast haar zitten. Het borstbeeldje rolde van hem af, op de bodem van de auto. Daarna trok hij Emile op schoot en richtte het wapen op het kind.

'En nu, rijden!'

Met grote ogen van angst gehoorzaamde Maria van den Brink.

Ze keerde de auto. Daarna gaf ze gas. Grind spatte over de schoenen van Toine Boon terwijl de auto vooruit schoot.

-

18.55 uur

Op het moment dat Toine Boon de provinciale weg met gebalde vuisten oprende, kwamen Petersen en zijn collega's hem achterop rijden. Pas nadat de Veenendaalse rechercheur geclaxonneerd had, draaide Boon zich om.

'Wat is er aan de hand?', vroeg Petersen. Hij had het raampje naar beneden gedraaid, terwijl hij zijn auto naast de ander reed.

'Hij heeft Maria en Emile gegijzeld!', reageerde Boon met een rood aangelopen gezicht. Hij wees in de richting van Leersum, waar zijn auto verdween. 'Die vent, die, hoe heet hij ook alweer!'

'Thijs Warnink?'

'Ja, die!'

Petersen wendde zich tot John van Keeken.

'Roep jij om bijstand. Meneer Boon, wat is het kenteken van uw auto?'

'Ga ze gauw achterna!', riep de marinier. 'Hij is gewapend. Hij heeft een revolver. Ik pak mijn andere auto en kom u achterna.' En weg was hij.

-

19.00 uur

Ze bereikten de rotonde aan het begin van Leersum toen ze de mededeling kregen dat er een patrouillewagen vanuit Doorn hun kant op kwam.

'Waar kan Warnink naartoe gegaan zijn?', vroeg Van Keeken. 'Hij zal begrijpen dat als hij naar huis gaat, hij daar door ons opgewacht zal worden.'

'Hij kan hier drie kanten op gegaan zijn', merkte Petersen op. 'Zeg tegen Inge dat ze Leersum ingaat en dan in oostelijke richting, voor het geval Warnink toch naar Arnhem teruggaat. Wij gaan richting Doorn.'

'Dan blijft er een mogelijkheid open.'

'Inderdaad. We hebben geen andere keus. Maar als Warnink in zuidelijke richting is gegaan, komt hij uit op binnenwegen. Zo komt hij niet gauw ergens. Als we onze collega's in Doorn tegengekomen zijn zonder Warnink te zien, gaan we de derde mogelijkheid natrekken.'

'Er is ook een patrouillewagen vanuit Rhenen naar Leersum op weg gegaan', zei Van Keeken, die de communicatie met de collega's via het mobieltje volgde. Als hij die kant op is gegaan, sluiten we hem ook in.'

'Mooi.'

Op hoge snelheid reden ze over de provinciale weg tussen Leersum en Doorn. Hier waren nauwelijks zijwegen waar Warnink had kunnen afslaan. Terwijl hij de bossen langs zich heen zag razen, overwoog Petersen of Thijs Warnink via binnenwegen probeerde te ontsnappen. Het zou dan heel moeilijk kunnen worden hem te terug te vinden. Was hij naar het oosten gegaan, dan kon hij de bebouwde kom van Leersum ingegaan zijn. Hij kon ook richting Doorn gereden zijn, om ergens een onverharde weg het bos in te slaan. Misschien hield hij zich schuil om te wachten op een kans om te ontsnappen.

Ontsnappen waar naartoe?

Ter hoogte van de haverakker aan de voet van de Darthuizerberg kwam de patrouillewagen uit Doorn hen tegemoet. Petersen herkende Pieter Maassen achter het stuur. Maassen hield zijn handen op in een gebaar dat hij de Aquada van Toine Boon ook niet gezien had. Via het mobieltje gaf Petersen de collega in de patrouillewagen de opdracht naar Maarsbergen te rijden, om daar bij de oprit van de A12 te posten.

'Als Warnink wil ontsnappen,' zei hij tegen Van Keeken, 'waarheen dan ook, zal hij proberen op de snelweg te komen. Maassen gaat naar Maarsbergen. Wij gaan naar Driebergen.'

'Warnink kan ook proberen bij Bunnik op de A12 te komen.'

'We hebben assistentie van andere politiedistricten nodig. Als we wisten wat Warnink van plan was, konden we hem onderscheppen.'

'Misschien wil hij naar Schiphol.'

'Nee, zo stom zal hij niet zijn.'

'Naar Duitsland dan?'

'Wat dan? We kunnen hem achtervolgen tot hij zo moe is, dat we hem kunnen overmeesteren. Hij moet er van tevoren rekening mee gehouden hebben dat hij moest vluchten. Het is een pech dat zijn mobieltje niet aan staat, anders zouden we hem kunnen lokaliseren.'

'Misschien heeft Maria er een bij zich.'

'Natuurlijk, John. Zorg dat je haar nummer krijgt. Bel Toine Boon op. Ik heb zijn nummer in mijn mobieltje geprogrammeerd.'

-

19.10 uur

Met het zweet in de handen hield Maria van den Brink het stuur vast. De vriend van haar vermoorde werkgever dwong haar de snelheid hoog te houden. De wind raasde zo hard om haar oren, dat ze hem soms amper kon verstaan, zodat hij schreeuwen moest. Alleen als ze moest afremmen voor een bocht, had ze gelegenheid opzij te kijken. Dan zag ze Emile met grote, angstige ogen naar haar kijken. Thijs Warnink duwde de loop van zijn revolver diep in de buik van haar zoontje. Ze deed alles voor hem, zolang hij Emile niets deed.

De weg begon te stijgen. Ze reed de dijk op. Achter hen lag Wijk bij Duurstede. Voor hen glinsterde de Lek in de avondzon. Verder weg was Culemborg te zien. Een veerpont lag op hen te wachten. De laatste keer dat Maria hier geweest was, had Toine de auto te water gereden. Het leek alweer weken geleden.

'Ik wil dat je je onopvallend gedraagt als we op de veerpont zijn', schreeuwde Thijs Warnink haar toe. 'Doe geen domme dingen.'

-

19.20 uur

Ze bereikten de oprit van de A12 zonder een glimp van de Aquada op te vangen. John van Keeken had contact gehad met Toine Boon, maar die liet weten dat hij al tevergeefs naar het mobieltje van zijn vriendin had gebeld. Haar toestel stond uit. Boon was nu ook op weg naar Driebergen nadat hij in eerste instantie gedacht had dat Warnink zijn vriendin en zoontje naar Arnhem wilde meenemen. Inmiddels leek het erop, dat de verdachte in elk geval niet naar het oosten was gegaan. Er kwamen berichten binnen van collega's die tevergeefs in die richting hadden gezocht. Inge Veenstra meldde dat ze in het centrum van Amerongen gekeerd was om naar Wijk bij Duurstede te rijden. De patrouillewagen die haar tegemoet was gekomen, vatte post langs de N225, waar de provinciale weg ingeklemd lag tussen de Utrechtse Heuvelrug in het noorden en de Nederrijn in het zuiden. Tot nu toe was Warnink daar niet voorbijgekomen.

'We rijden maar in het wilde weg', constateerde rechercheur Petersen gefrustreerd. Hij parkeerde zijn auto langs de weg. 'Warnink is al een half uur onderweg. Als hij het handig heeft aangepakt, kan hij al bijna in Utrecht zijn, of in Ede, of in Amersfoort. We staan hier onze tijd te verdoen. Zelfs als we hem vinden, heeft hij Maria en Emile in zijn macht.'

Op dat moment kreeg John van Keeken een melding binnen van iemand die in de Betuwe een sportwagen op hoge snelheid had zien rijden. Het signalement van de auto en de inzittenden voldeed aan de Aquada met Warnink en Maria van den Brink.

'De Betuwe?', vroeg Petersen.

'Vlakbij Culemborg', zei Van Keeken. 'Hij is tot nu toe in zuidelijke richting gereisd, terwijl wij dachten dat hij naar het oosten of het westen wilde!'

'Als het Warnink is, gaat hij naar de A2!'

'Waar kan hij dan naartoe?'

'Of hij kan naar het noorden, richting Amsterdam. Bij Knooppunt Oudenrijn kan hij de A12 weer op, hetzij richting het oosten, hetzij richting het westen. Maar hij kan op de A2 ook naar het zuiden, naar Den Bosch en Eindhoven. Maar hij kan eerder ook de A15 op en dan richting het westen naar Dordrecht of in oostelijke richting naar Nijmegen en Arnhem. Kortom, alle opties staan weer open.'

John van Keeken liet een zucht horen.

'Terwijl wij hier wachten, kan hij al een eind verder zijn.'

'Inderdaad', zei Petersen. Hij pakte zijn mobieltje.

'Wie ga je bellen?'

'Nelly van Dijk. Misschien weet zij iets.'

Maar de vriendin van Thijs Warnink nam niet meer op.

—

19.30 uur

Ze naderden Knooppunt Oudenrijn, maar nog steeds ontdekte Thijs Warnink geen politiewagens in de achteruitkijkspiegel. Hij wist dat ze nu met man en macht naar hem op zoek waren. Misschien hadden ze zelfs een helikopter in de lucht. Hij stelde zich voor dat ze op alle uitvalswegen naar hem uitkeken. In deze sportwagen viel hij op. Maar hij had Emile als troefkaart achter de hand.

Als hij opzij keek, zag hij een doodsbange Maria van den Brink. Onderweg had ze hem meermalen gesmeekt haar en Emile niets doen. Hij was haar gezeur zo zat geworden, dat hij haar bezwoer dat hij Emile uit de rijdende auto zou gooien als zij haar mond niet zou houden. Ze had hem onmiddellijk geloofd. Al een kwartier hield ze haar mond dicht.

Het beangstigde Thijs Warnink dat hij in staat was met zulke dingen te dreigen. Dit was nota bene hetzelfde kind voor wie hij vorige week naar Het Hemelse Hof was teruggekeerd. Hij moest er niet aan denken het kind kwaad te doen, net zoals hij nooit had gedacht dat hij Jacques iets zou aandoen. Dat was in een opwelling gebeurd, iets wat hij sindsdien betreurde. Daardoor was er nu geen weg meer terug. Daarom besefte hij, dat dreigen de enige manier was om de vrouw naast hem te intimideren, en dat was nodig als hij wilde ontsnappen.

Zo moest het ook voor zijn vader zijn geweest, bedacht hij. Hij wist wat er nu in de plaatselijke krant in Raalte over zijn vader beweerd werd. Alsof hij Roos stelselmatig had verkracht. Hoe jong hij in die tijd ook was, Thijs kon zich niet voorstellen dat het zo gegaan was. Wat hij zich herinnerde, was dat zijn vader kapot was van verdriet na het overlijden van zijn vrouw, en dat Roos hem probeerde te troosten. Die poging moest uit de hand gelopen zijn, waardoor zijn vader iets gedaan had dat zij niet wilde. Waarschijnlijk was er niet meer dan één incident geweest, dat kon genoeg zijn.

Maar het was niet intiem contact met Roos waarnaar hij verlangde, hij miste zijn vrouw. Toen Roos daarna dreigde hem aan te geven, had zijn vader ingegrepen om te voorkomen dat zijn goede naam eronder zou lijden. Iets wat onbeduidend was begonnen, had daardoor grote gevolgen gekregen.

Thijs zat nu in een vergelijkbare situatie. Als bekend zou worden dat hij verantwoordelijk was voor de dood van zijn vriend, zou iedereen beweren dat hij Jacques moedwillig had vermoord. Hooguit in dat ene moment van opperste razernij had hij hem dood gewenst. Een fractie van een seconde nadat hij de urn gegooid had, had hij al spijt van die daad. Maar het was te laat en sindsdien probeerde hij te voorkomen dat die ene daad zijn leven voorgoed zou ontwrichten. Misschien had hij na het ongeluk beter de politie op de hoogte kunnen brengen. Nu was het te laat daarvoor, nu hij de werkster en haar kind in gijzeling had genomen. Zijn laatste kans op genade was verspeeld.

-

19.35 uur

De ene na de andere auto sloeg af, de oprit naar de snelweg op. Bram Petersen vroeg zich af hoelang hij zou wachten, voor hij zou besluiten om verder te rijden. Waarschijnlijk net zolang tot de Aquada ergens was gesignaleerd. Zolang onbekend was in welke richting Thijs Warnink vluchtte, moest hij er rekening mee houden dat hij zich ergens schuilhield tot de aandacht verslapte. Daarom moesten ze deze uitvalsroute in de gaten houden, desnoods de hele avond.

In de achteruitkijkspiegel zag Petersen dat Toine Boon zijn auto achter hen parkeerde en uitstapte.

'Is het niet beter als hij weer naar huis gaat?'

'Wie?'

'Tuinboo…', begon Van Keeken, maar toen zag hij de marinier naast Petersen verschijnen.

'Ik denk dat ik weet waar hij naartoe is', zei Toine Boon die de verspreking niet gehoord had. 'Hij was dik bevriend met die Vermin. Nou, Vermin zou afgelopen donderdag op vakantie gaan. Hij heeft ergens een boot liggen. Ik denk dat Warnink daar naartoe is.'

'Natuurlijk!', riep John van Keeken enthousiast. 'Vermin had een zeewaardige catamaran in een jachthaven in Maassluis liggen. Dat is de beste manier om te ontsnappen. Hij zeilt naar een land waar Nederland geen uitleveringsverdrag mee heeft.'

'Is die haven in Maassluis?', vroeg Boon.

'Ja, maar de naam weten we niet.'

De marinier luisterde al niet meer. Op een holletje keerde hij naar zijn auto terug.

'John, geef dit door aan onze collega's', zei Bram Petersen terwijl hij de motor startte. 'Probeer daarna Nelly van Dijk nog eens te bereiken. Misschien weet zij de naam van de haven.'

-

19.50 uur

Nelly moest denken aan de woorden van de rechercheur. Was haar vriend schuldig aan de moord op Jacques Vermin? Ze kende Thijs als een zachtmoedig, gevoelig persoon. Iemand die liever kwaad leed, dan kwaad deed. Maar hij hield wel iets voor haar verborgen. Dat had ze gemerkt toen ze vorige week vrijdag bij hem kwam en hij vertrok. Hij had haar niet willen vertellen, waar hij naartoe ging. Vanavond evenmin. Maar dit keer had ze bij hem erop aangedrongen haar de waarheid te vertellen, en had hij gezegd dat hij naar Leersum moest.

Rechercheur Petersen had gesuggereerd dat haar vriend van iets anders smerig was geweest dan houtskool en zweet. Ze kon raden wat hij dacht. Ze probeerde zich te herinneren hoe Thijs eruit zag toen hij vorige week woensdag laat bij haar kwam, maar ze kon zijn vieze gezicht niet meer voor de geest halen, alsof er iets in haar hoofd blokkeerde.

Zou hij naar haar kamer gekomen zijn, als hij even daarvoor een moord had gepleegd? Die vraag tolde het afgelopen uur door Nelly's hoofd. Als hij vies was van de as, had ze hem kunnen doorzien. Het was verstandiger geweest, als hij eerst naar zijn eigen kamer was gegaan, daar had gedoucht en omgekleed, om pas daarna bij haar te komen. Tenzij, en dat was de enige verklaring die Nelly kon bedenken, hij te laat was. Als hij later was gekomen, had ze de ketting op de deur gedaan en zou ze naar bed zijn gegaan.

Hij was gekomen omdat hij een alibi nodig had. Hij wilde doen alsof hij de hele avond in zijn atelier had geploeterd en dat hij er even tussenuit wilde door de nacht bij haar door te brengen. Als dat waar was, riep het een andere vraag op: hield hij van haar, of gebruikte hij haar alleen maar?

Om antwoord op die vraag te vinden, was Nelly op de fiets gestapt en naar zijn kamer gereden. Vorige week was het haar eindelijk gelukt een sleutel van zijn kamer te krijgen. Ze had de indruk dat hij die gegeven had, om van haar gezeur af te zijn.

Terwijl ze zijn kamer doorzocht, drong het tot haar door dat hij haar al die tijd voor de gek had gehouden. Ze vond de brief die de gemeente Dinkelland hem gestuurd had. Die was verzonden op 19 juli en was waarschijnlijk een of twee dagen later aangekomen. Thijs had gedaan alsof hij van niets wist, alsof de brief nooit was aangekomen, maar dat was niet waar. Hij zei ook dat hij van haar hield. Dat deed hij zo overtuigend, dat hij in zijn eigen leugen geloofde.

-

20.20 uur

Thijs Warnink zag dat het rechercheur Petersen gelukt was een welkomstcomité in het centrum van Maassluis te organiseren. Hij had dit voorzien. Bij het binnenrijden van de bebouwde kom, zag hij twee patrouillewagens langs de weg staan. Een derde zat al achter hem. Agenten te voet hielden mensen op afstand, zodat het leek alsof ze voor een hoogwaardigheidsbekleder de weg vrijmaakten. Ze hadden blijkbaar de opdracht gekregen de risico's van een confrontatie uit de weg te gaan. Hij vroeg zich af, wat ze nog meer voor hem in petto hadden.

Met een grimmige blik keek hij naar de agenten. Terwijl hij Maria van den Brink aanwijzingen gaf hoe ze moest rijden, hield hij Emile omhoog zodat de agenten het kind duidelijk konden zien. Denk erom, wilde Thijs hiermee zeggen, ik kan over het leven van deze jongen beschikken.

De haven bevond zich in het centrum van Maassluis. Terwijl hij Maria vaart liet minderen, zag Thijs Warnink dat de politie nog niet wist welke boot van Jacques Vermin was. Ze hadden dus geen gelegenheid gehad de boot te saboteren, een mogelijkheid waarvoor hij een ogenblik gevreesd had. Maar ze moesten niet denken dat ze met hem konden spotten. Gelukkig hadden ze de haven ontruimd, zodat er geen mensen waren die hem in de weg konden lopen. Hij zag alleen de gezichten van mensen die vanuit hun huizen het schouwspel gadesloegen.

Op de kade kwam de Aquada tot stilstand. Thijs Warnink opende het portier. Daarna stapte hij uit, terwijl hij Emile met de ene arm optilde zodat de andere de revolver op z'n plaats kon houden.

'Neem het borstbeeld mee', zei hij tegen zijn andere gijzelaar.

Ze liepen naar de plek waar de boot aangemeerd lag. Op aanwijzingen van Thijs Warnink, legde Maria van den Brink het borstbeeldje in de kajuit. Daarna moest ze de motor van de catamaran starten en het meertouw losmaken. Ze keek doodsbenauwd toen de boot begon te schommelen. Ondertussen werden ze vanaf de kade door de politie gadegeslagen. Het viel Thijs Warnink tegen dat ze geen enkele poging namen te verhinderen dat hij zou vertrekken. Of beseften ze dat hij het kind volledig in zijn macht had? Eén verkeerde beweging, leken ze te denken, en hij schiet Emile dood. Maar ze deden zelfs geen poging te onderhandelen. Natuurlijk zou hij daar niet op ingaan, want hij was al te ver gegaan. Als hij zijn vrijheid wilde behouden, moest hij doorgaan.

Nu was het zover dat hij kon gaan varen.

'Ga van de boot af', riep hij tegen Maria.

'Maar, mijn kindje!'

'Die blijft bij mij. En rot nu op!'

Geschrokken deinsde ze achteruit. Tegelijkertijd begon de boot heviger te deinen, waardoor ze niet wist hoe snel ze er vanaf moest komen. Onmiddellijk gaf Thijs Warnink gas.

-

20.30 uur

Vanaf de kade keek Maria van den Brink ongerust toe, hoe de catamaran koers zette naar de sluizen. Daarachter blonk de Nieuwe Waterweg in het avondlicht. Vijftien kilometer verder naar het westen was de Noordzee vanwaar Thijs Warnink alle kanten op kon gaan.

Opeens werd ze aangeraakt.

'Mevrouw Van den Brink?', vroeg een onbekende vrouw in een politie-uniform, die haar bij de schouder had vastgepakt. 'Wilt u met mij meekomen?'

'Laat me los!', schreeuwde Maria, bij wie de emoties nu helemaal loskwamen. Ze schudde de hand van zich af. 'Hij heeft mijn kindje! Mijn kindje! Mijn kindje!'

'We hebben een politieboot die hem op de Nieuwe Waterweg opwacht.'

'Maar die kan mijn kindje ook niet redden!'

'U kunt beter met mij meegaan', zei de agente, die opnieuw haar hand op Maria legde.

Ditmaal duwde ze de vrouw van zich af en rende naar de Aquada. Ze besloot naar het laatste dorp langs de Nieuwe

Waterweg te rijden en te wachten tot de catamaran langskwam. Misschien kon Toine iets doen, als hij er was. Terwijl ze achter het stuur plaatsnam, pakte ze haar mobieltje en zette het ding aan. Ze zocht in het geheugen het nummer van haar vriend.

'Toine?'

'Is alles goed met Emile?'

'Thijs heeft ons kindje meegenomen. Hij is het water op. Ze zijn op weg naar de Nieuwe Waterweg. Ik denk dat hij de Noordzee op wil.'

'Ik kom eraan!'

'Ik ga naar Hoek van Holland. Daar moet hij langskomen.'

20.50 uur

Tot zijn verbazing zag rechercheur Petersen dat Toine Boon de A20 bleef volgen, in plaats van de afslag Maassluis te nemen. Sinds ze uit Driebergen waren vertrokken, had Petersen de auto van Boon gevolgd. De vriend van Maria van den Brink reed harder dan was toegestaan, maar onder de gegeven omstandigheden was dat heel begrijpelijk. Petersen had doorgegeven dat Boon geen strobreed in de weg gelegd mocht worden.

'Thijs Warnink is met Emile aan boord op de Nieuwe Waterweg', hoorde John van Keeken via zijn mobieltje. 'Hij gaat richting de Noordzee.'

'Dan is Boon op weg naar Hoek van Holland.'

Ze bereikten precies om negen uur het plaatsje aan de Nieuwe Waterweg. Toine Boon was de eerste die de Aquada ontdekte. Maria van den Brink stond langs de waterkant. Ze tuurde in de verte, waar de catamaran van Jacques Vermin te zien was als een stipje dat langzaam groter werd. Hij werd begeleid door een boot van de politie.

Het was bijna windstil. Het kleine zuchtje wind was aflandig en zorgde nauwelijks voor golfslag. Toch was het water verraderlijk door de stroming van de Nieuwe Waterweg en het effect van eb en vloed.

'Dit is ergerlijk', hoorde Petersen Toine Boon tegen zijn vriendin zeggen. Hij had een arm om haar heen geslagen. 'Hij komt hierlangs en we kunnen niets doen!'

Petersen liep naar het stel toe. Op dat moment begon zijn mobieltje te piepen.

'Met Bram Petersen.'

'Meneer Petersen? U spreekt met Nelly van Dijk. U hebt mij geprobeerd te bellen?'

'Dat heb ik, ja. Weet u waar uw vriend mee bezig is?'

'Thijs? Hoe bedoelt u?'

'Hij staat op het punt Nederland te verlaten. Hij heeft een kind in gijzeling.'

'Wat zegt u? Gaat Thijs weg?'

'Mevrouw, ik maak geen grapje. Op dit moment vaart Thijs Warnink op de catamaran van Jacques Vermin op de Nieuwe Waterweg. Hij zet koers naar de Noordzee. Hij heeft een kind in gijzeling, het zoontje van de werkster van Jacques Vermin.'

'Meent u dat echt? Ik kan het niet geloven dat Thijs zoiets zou doen!'

'Hij heeft het kind onder bedreiging van een revolver meegenomen.'

'Ik was er al bang voor', zei ze. 'Ik had die revolver in mijn kamer liggen. Thijs is vanmiddag bij me langs geweest. Ik denk dat hij kwam om de revolver mee te nemen.'

'Hij bedreigt er een kind van drie jaar oud mee. Ik zou u willen vragen of u hem tot rede kunt brengen. Misschien kunnen we via de telefoon en een luidspreker zorgen dat u tegen hem praat. Misschien luistert hij naar u.'

'Maar, meneer Petersen, hij kan het kind niets doen. Die revolver, die is niet echt! Het is een namaak.'

'Een imitatiewapen, bedoelt u?'

'Ja.'

21.10 uur

Maria van den Brink kon het telefoongesprek volgen. Haar vriend riep dat de politie moest ingrijpen, nu duidelijk was dat Thijs Warnink hen met een imitatiewapen voor de gek had gehouden. Ze konden hem niet nog langer zijn gang laten gaan.

'Kijk, daar is hij!', riep haar vriend.

Maria keek naar het water. De catamaran gleed vijftig meter uit de kust voorbij. Ze zag Thijs Warnink aan het roer zitten. Hij had Emile losgelaten. Met de ene hand bediende hij het roer, terwijl hij met de andere haar zoontje onder schot hield. Op dat ogenblik hoorde ze haar vriend naar Thijs Warnink roepen. Toen zag ze dat hij naar zijn auto was teruggelopen, want hij had nu ook een vuurwapen in de hand.

'Ik weet dat je een namaakrevolver hebt', riep hij. 'Kom onmiddellijk hier!'

Als hij dacht dat deze methode zou werken, had haar vriend het mis. Thijs Warnink keek hem een ogenblik aan, en stak toen zijn middelvinger op. Dit maakte haar vriend nog bozer. Om te laten zien dat het hem ernst was, loste hij een waarschuwingsschot. In reactie hierop, stond Thijs Warnink op. Hij hield Emile in de lucht.

'Moet ik je zoontje overboord gooien?'

'Nee!', gilde Maria.

'Kom hem hier brengen, Thijs!', ging Toine op luide toon verder. Maria zag hoe Petersen naar haar vriend toe stapte, om hem tegen te houden. Hij zei dat zijn collega's dit veel beter aan konden pakken, maar Toine trok zich er niets van aan. 'Het heeft geen zin meer te vluchten', riep hij opnieuw. 'We weten dat je ongewapend bent.'

Voor de tweede maal loste hij een schot.

Toen wankelde Thijs Warnink, alsof hij geraakt was, ook al was het schot niet op hem gericht geweest. Misschien was de boot gestoten op een groot stuk drijfhout of iets anders dat in het water lag. Maar op dat moment verloor hij de grip op Emile. Thijs Warnink kon zichzelf nog net in balans houden. Maar het kind plonsde in het water.

'Oh, nee, mijn kindje!', gilde Maria.

Ze zag de catamaran op hetzelfde gestage tempo doorvaren, hoewel Thijs Warnink verschrikt om zich heen keek of hij Emile kon vinden. Maar hij was al tien meter verder dan de plek waar de peuter te water was geraakt. Vanaf de politieboot scheen niemand iets in de gaten te hebben. Die zette parallel aan de catamaran koers naar de Noordzee.

'Ik moet mijn kindje redden, mijn kindje!', gilde Maria. Ze holde naar de Aquada. Voor de anderen in de gaten hadden wat ze van plan was, reed ze met de auto te water. Maria, wier angst haar kind te verliezen groter was dan haar angst voor water, had haar blik gericht op de plek waar ze Emile voor het laatst gezien had. Ze lette niet op het water, dat haar nu aan alle kanten omringde. Ze drukte op de knop, waarop ze Toine had zien drukken toen hij de eerste keer de tewaterlating demonstreerde.

Ze kon Emile niet meer zien door de deining die de passerende boten hadden veroorzaakt. Zonder bedenkingen gaf ze gas. Als een speedboot vloog ze over het water. Nu ze dichterbij kwam, zag ze dat haar zoontje al een flink eind door de stroming meegesleurd was. Krampachtig probeerde hij te zwemmen, maar tegen de kracht van het water kon hij niet op. Hij was aan de verliezende hand.

'Hou vol, Emile!', riep ze naar hem.

Op het moment dat ze hem bereikte, spoelde een golf water die de auto veroorzaakt had over hem heen. Vlug greep ze Emile bij een armpje en trok hem omhoog. Hij hoestte water op, over de bekleding van de Aquada. Maar Maria had alleen oog voor haar zoontje. Met Emile naast haar, keerde ze de auto, en koerste naar de wal.

Vrijdag 30 juli

9.50 uur

'Ik wil u feliciteren met de goede afloop', zei de weduwe van Jacques Vermin. Petersen zat in de projectruimte waar hij het laatste proces-verbaal doornam. Met een half oor luisterde hij naar wat de vrouw door de telefoon tegen hem te zeggen had. 'Ik las het vanochtend in de krant en ik was helemaal onder de indruk. Wist u dat ik hem nooit helemaal vertrouwde? In elk geval weet u nu dat ik niets met de dood van mijn man te maken had. U zult er vast geen bezwaar tegen hebben als Herman en ik vandaag ons stulpje in Leersum komen bezichtigen.'

'Jammer dat het uitgebrand is', reageerde Petersen.

'Uitgebrand?'

'Ik heb het over 't Hoekje, het huisje dat u uit de erfenis ontvangt.'

'Oh', klonk het gerustgesteld aan de andere kant. 'Ik had dat hutje helemaal vergeten. Ik bedoel natuurlijk Het Hemelse Hof. U weet dat ik ditmaal de erfenis heb aanvaard.'

'Maar niet Het Hemelse Hof', zei rechercheur Petersen.

'Hoe bedoelt u?'

245

'Het stond niet op naam van uw man. Dat huis, zijn woning in Arnhem en het kantoor staan op naam van een bedrijf en werden door hem bij dat bedrijf gehuurd. Als u de notaris spreekt, zal hij u uitleggen dat u niets daarvan zult krijgen.'

De stem van Veronie Posthumus trilde terwijl ze zei: 'Maar wat blijft er over?'

'Het huisje waarover ik het had.'

'Is het veel waard?'

'Nu uw man er brand heeft gesticht?' In gedachten zag Petersen voor zich hoe ze hem zat uit te dagen toen hij haar opzocht in Ermelo, en hoe ze had opgeschept dat ze eens een erfenis afwees omdat ze vermoedde dat er schulden waren. Ze had zitten glimlachen bij de opmerking dat haar familie voor de schulden was opgedraaid. Nu deed het hem genoegen te horen, hoe onzeker ze klonk. 'Ik denk dat de grond het meest oplevert. Maar rekent u daar niet op, want er loopt nu een onderzoek naar de rechtmatigheid van het bezit. Uw man heeft het verkregen uit chantage, voor het bedrag van één euro. Ga er maar vanuit dat het in beslag wordt genomen.'

Het werd stil aan de andere kant.

'Bent u daar nog, mevrouw Posthumus?'

'Ja, ja, ik ben er. Wat is de erfenis dan waard? Zijn banktegoed?'

'Dat zijn ze nog aan het uitrekenen. Het ziet er naar uit dat het gaat om zeventig- of tachtigduizend euro. Begrijp me niet verkeerd. Dit bedrag is verspreid over een aantal banken en het gaat ook om achterstallige huur. Ik heb het dus over een negatief saldo!'

Ze hing op met afschuw in haar stem. Petersen kon het niet laten te glimlachen.

11.35 uur

Rechercheur Petersen stond op het punt te vertrekken, toen districtschef Theo Griesink belde en vroeg of hij naar zijn kamer kon komen. Een uur geleden was het vliegtuig van Magda en Marian op Schiphol geland en daarom wilde Petersen naar huis voor zijn vrouw en dochter in Veenendaal arriveerden. Ze konden al een half uur in de auto zitten.

'Het duurt niet lang', verzekerde Griesink hem.

'Goed, ik kom.'

Terwijl hij naar de kamer van de districtschef wandelde, vroeg hij zich af wat die hem te zeggen had. Gisteren had hij hem op de hoogte gebracht van de fouten die Ronald Bloem had gemaakt. Daarna had Theo Griesink een gesprek met Bloem gehad, wat tot diens schorsing had geleid. Sindsdien had hij in beraad, wat hij met de voormalige assistent van Petersen ging doen. Ondanks de leugens hoopte Bram Petersen dat Griesink niet tot het uiterste zou gaan.

Op het moment dat hij de kamer binnenstapte, stond Griesink bij het raam.

'Hier ben ik', zei Petersen.

De districtschef draaide zich om en gebaarde naar de stoel tegenover zijn bureau. 'Ga zitten, Bram', zei hij, terwijl hij zijn zware lichaam op zijn eigen bureaustoel liet neerzakken. Aan het gezicht zag Petersen dat de ander moeite had om het gesprek te openen. 'Je zult wel begrijpen waarom ik je gevraagd heb te komen. Ronald Bloem. Ik heb lang getwijfeld wat ik zou doen. Maar de beslissing is me uit handen genomen.'

'Hoe bedoel je? Heeft de korpsleiding in Utrecht ingegrepen?'

'Ronald heeft zelf de beslissing genomen. Hij gaat hier weg.'

'Weg? Heeft hij ontslag genomen?'

'Daar komt het op neer. Hij heeft me laten weten dat hij bereid is de consequenties van zijn daden onder ogen te zien, ook als dat betekent dat hij ontslagen wordt. Zover wilde ik niet gaan, want ik denk dat ik zelf ook schuld heb aan de ontstane situatie. Ik had hem van de zaak moeten halen toen jij erover begon. En daarna had ik jou in vertrouwen moeten nemen over die persoonlijke problemen met zijn vriendin. Ronald wil hier in elk geval niet blijven, ook als hij niet ontslagen wordt. In dat geval wil hij overgeplaatst worden naar Zeist. Ik heb hem gezegd dat ik hem daarin steun. Ik geloof dat hij parttime wil gaan werken op een administratieve functie. Waarover ik me nu het meest zorgen maak, is jou, Bram. Hoe moet het nu verder met jou?'

Rechercheur Petersen keek zijn meerdere niet-begrijpend aan.

'Jij raakt je assistent kwijt', verduidelijkte Theo Griesink. 'Ik heb met Ronald een vergissing gemaakt, en ik heb jou John van Keeken opgedrongen terwijl je dat ook niet wilde. Jullie liggen elkaar niet, vertelde je. Ik wil niet nog een keer zo'n fout maken. Wat wil je dat ik doe?'

Petersen dacht een ogenblik na. Hij dacht aan de samenwerking van de afgelopen zeven dagen. Qua persoonlijkheid klikte het niet goed tussen hem en Van Keeken. Maar Petersen dacht ook aan de positieve dingen. Het was John van Keeken die op het idee van de voormalige werkster kwam en die bedacht dat er iets in de gipsen beeldjes zou kunnen zitten. En hij had aan de vuilniszak in de container gedacht. Griesink had het niet verkeerd gezien toen hij zei dat hij meer in Van Keeken zag. Met de juiste begeleiding kon hij verder komen.

'Ik ga door met John', zei rechercheur Petersen uiteindelijk.

Einde

Nawoord

Het verhaal dat je zojuist hebt gelezen, speelt zich af in de zomer van 2004. Ik meld dit omdat de lezer die gaat rekenen, in de problemen komt. Er zijn ook veranderingen. Het pannenkoekenrestaurant is inmiddels verhuisd naar het dorp Leersum, en het voormalige belastingkantoor en 't Hoekje werden gesloopt. De Aquada werd in 2003 op de markt gebracht, Wouter Bos is niet langer fractievoorzitter van de PvdA, en Leersum werd per 1 januari 2006 opgeheven als zelfstandige gemeente. In zeven jaar tijd is er dus veel veranderd.

Voor dit boek wil ik een aantal personen bedanken. In de eerste plaats mijn uitgever Hans van den Boom, aan wie *De laatste kans* is opgedragen. Bij mijn vorige boek dreigde hij in de tang genomen te worden, waarbij het gevaar ergens opdook tussen Dieren en Doetinchem. Maar hij liet zich niet intimideren en kwam met opgeheven hoofd uit de strijd. Dat maakte indruk! Ook Ruud Wassink en Erna Teunissen ben ik dankbaar voor hun juridische assistentie. *De blikvanger* werd niet verboden en beleeft inmiddels de derde druk.

Mijn dank gaat tevens uit naar journalisten, recensenten, bibliotheekmedewerkers en boekhandelaren die mijn boeken onder de aandacht brengen. Ik hecht daar grote waarde aan. Daarnaast wil ik ook de lezers bedanken die reclame voor mij maken. Ik hoor van exemplaren die de hele familie- en vriendenkring rondgaan. Echt heel leuk om te horen, en het helpt! Elk verkocht exemplaar helpt mij de serie voort te zetten.

Marco Books

ANDERE ZAKEN VOOR RECHERCHEUR PETERSEN:

BIJ VERSTEK VEROORDEELD

Raimond van Vliet, directeur van een aannemingsbedrijf, neemt het met de regels niet zo nauw. Zo heeft hij het bedrijf weten uit te bouwen tot het imperium dat het nu is. Hij was van plan een uniek natuurgebied bouwklaar te maken om er een woonwijk te laten verrijzen. Maar veranderingen aan het bestemmingsplan hebben daar een stokje voor gestoken, tot grote woede van Van Vliet. Sindsdien leeft hij in onmin met de plaatselijke bevolking. Drie van zijn vrienden zijn hevig in de aannemer teleurgesteld en hebben het voornemen opgevat het recht in eigen hand te nemen. Maar bij de uitvoering van hun plan stuiten zij op onverwachte tegenstand die vriendschappen onder druk zet en levens in gevaar brengt.

Sinds jaren uitverkocht, maar nu weer leverbaar als heruitgave, aangevuld met een voorwoord van de auteur, achtergrondinformatie en een compleet kort verhaal.

ISBN 97890 8606 0306

DE BLOEDZUIGER

Het is de nachtmerrie van elke ouder. Het overkomt Peter en Antoinette. Altijd hebben ze hun vijftienjarige dochter op het hart gedrukt niet alleen over het fietspad door het bos te fietsen, op weg van huis naar school en andersom. Ze hebben haar gezegd niet van de officiële route af te wijken en voor het donker thuis te zijn. Maar hun dochter heeft de goede raad in de wind geslagen en het is mis gegaan. Rechercheur Petersen krijgt de opdracht uit te zoeken wie verantwoordelijk is voor dit drama. Maar ondertussen heeft hij zelf heel wat aan het hoofd door de komst van een nieuwe collega die niet echt in zijn team past.

ISBN 9076968667

GEDRAGEN HAAT

Wat begint als een brute ontvoering op een parkeerplaats van een Albert Heijn-filiaal, mondt uit in een duizelingwekkende jacht op de ontvoerder zelf. De politie onder leiding van rechercheur Bram Petersen doet onderzoek, maar is beperkt in haar mogelijkheden uit angst dat de jongeman die ontvoerd is gevaar loopt. Tegelijkertijd verlopen de zaken in het rechercheteam niet allemaal meer zo soepel als voorheen. De belangrijkste oorzaken zijn de dwarsligger John van Keeken die rigoureuzer wil optreden, en de relatieproblemen van Ronald Bloem, de vaste assistent van Petersen.

ISBN 9076968896

DE BLIKVANGER

Huisarts Sebastiaan Kingma is op de terugreis van een meerdaags congres, als hij bij een bushalte opgewacht wordt. De volgende dag wordt zijn lichaam gevonden en begint de politie van district Heuvelrug een onderzoek. Hoewel de zaak aanvankelijk vlot lijkt te verlopen, komt het team onder leiding van rechercheur Petersen geen stap verder. De aandacht wordt dan verlegd naar een aanslag op een wethouder. Maar als er sporen gevonden worden die met de moord op dokter Kingma in verband gebracht kunnen worden, vraagt Petersen zich af of er een verband is tussen de twee gebeurtenissen.

ISBN 97890 8606 0245

MEER INFORMATIE OVER M.P.O. BOOKS IS TE VINDEN
OP ZIJN WEBSITE:
WWW.MPOBOOKS.NL